VBA
POUR OFFICE
POUR
LES NULS

VBA POUR OFFICE POUR LES NULS

John Paul Mueller

VBA pour Office pour les Nuls

Titre de l'édition originale : VBA For Dummies (4th Edition)
Publié par Wiley Publishing, Inc.
111 River Street
Hoboken, NJ 07030-5774
USA

Copyright © 2003 Wiley Publishing, Inc.

Pour les Nuls est une marque déposée de Wiley Publishing, Inc.
For Dummies est une marque déposée de Wiley Publishing, Inc.

Edition française publiée en accord avec Wiley Publishing, Inc.
© 2004 Éditions First Interactive
27, rue Cassette
75006 Paris - France
Tél. 01 45 49 60 00
Fax 01 45 49 60 01
E-mail : firstinfo@efirst.com
Web : www.efirst.com
ISBN : 2-84427-592-3
Dépôt légal : 2e trimestre 2004

Collection dirigée par Jean-Pierre Cano
Edition : Pierre Chauvot
Maquette et mise en page : Edouard Chauvot

Imprimé en Italie

Sommaire

. . . .

Quatrième partie : Programmation VBA au service des applications 247

Introduction

. . . .

*V*BA est l'outil qui vous permet de réaliser en quelques secondes des tâches qui prendraient des heures à la main. Par exemple, vous pouvez ajouter de nouvelles barres d'outils, créer des états personnalisés, ou faire de l'analyse de données. Quand vous écrivez un programme VBA, vous devenez le maître de votre environnement, celui qui parvient à faire le boulot plus vite que les autres.

À partir du moment où vous considérez VBA comme l'outil qui vous aide à travailler plus vite, avec moins d'erreurs et plus de liberté, vous commencez à comprendre sa puissance. VBA est passionnant à explorer. Vous aussi, profitez de l'avantage VBA !

Conventions utilisées dans ce livre

J'essaie toujours de vous montrer la façon la plus rapide d'accomplir une tâche. Dans la plupart des cas, en utilisant une commande de menu comme Outils/Macro/Visual Basic Editor.

Je suppose que vous connaissez suffisamment Windows pour savoir comment fonctionnent le clavier et la souris. Vous devez aussi savoir utiliser les menus et les fonctions de base de Windows.

À chaque fois que c'est possible, j'utilise des raccourcis clavier pour vous aider à atteindre une commande plus rapidement. Par exemple, vous pouvez aussi entrer dans l'environnement de développement intégré (IDE) en appuyant sur Alt+F11.

Ce livre utilise des variantes typographiques pour mettre en valeur certaines informations. Par exemple, ce que vous devez saisir apparaît en **gras**. Le code, les URLs de sites Web et les messages d'écran sont écrits dans une police fixe. Quand je définis un nouveau mot, il apparaît en *italique*.

Comme on utilise toujours deux applications lorsque l'on travaille avec VBA, je vous demande souvent de passer d'une application à l'autre. Quand un chapitre commence, je suppose que vous êtes dans l'IDE de VBA sauf indication contraire. Toutes les commandes relatives à ce chapitre concernent l'IDE de VBA sauf si je vous demande explicitement de passer à l'application hôte. Dans ce dernier cas, je vous avertirai lorsqu'il sera temps de revenir à l'IDE de VBA.

Suppositions idiotes

Vous avez peut-être du mal à imaginer que je puisse faire des suppositions vous concernant. Après tout, je ne vous ai jamais rencontré ! Cependant, je me suis quand même permis de faire quelques suppositions. Bien que la plupart semblent stupides, je les ai faites parce qu'il faut bien un point de départ pour ce livre.

J'ai supposé que vous avez pratiqué Windows assez longtemps pour savoir utiliser un clavier et une souris. Vous êtes aussi censé connaître les menus et les commandes principales de Windows. Et vous devez absolument connaître au moins une des applications de la suite Office. Certaines parties du livre fonctionnent avec des pages Web, d'autres utilisent XML (eXtensible Markup Language dans la langue de Tony Blair). Vous devez donc connaître un minimum de choses sur ces technologies pour pouvoir tirer parti de ces passages. Vous n'avez pas besoin d'être une bête, mais juste de vous y connaître un tout petit peu.

Comment ce livre est organisé

Ce livre comporte cinq parties. Chaque partie expose une fonctionnalité de VBA et vous aide à construire votre base de connaissances VBA. Dans chaque chapitre, je présente un sujet particulier et je fournis des exemples de programmes que vous pourrez utiliser pour expérimenter VBA par vous-même. Vous pouvez trouver le code source des exemples du livre sur le site Web des Editions First, à l'adresse : http://www.efirst.com/EFI_90download.html.

Première partie : Vue d'ensemble de VBA

Le principal but de cette partie du livre est de vous aider à utiliser l'IDE de VBA pour écrire des programmes. Dans le Chapitre 1, je vous parle des différentes fenêtres et de l'aspect physique de l'IDE de VBA. Aussi incroyable que cela puisse vous paraître, c'est au cours de ce chapitre que vous écrirez votre premier programme VBA ! Dans le Chapitre 2, je vous explique les différentes parties d'un programme VBA et je vous montre différentes méthodes pour faire tourner un programme VBA que vous avez créé. Dans ce chapitre, vous allez aussi en apprendre pas mal sur les fichiers d'aide de Microsoft.

Deuxième partie : Apprendre les ficelles

Même si vous êtes un génie, vous avez besoin de connaître les bases pour pouvoir commencer. Le principal but de cette partie du livre est de vous aider à comprendre le langage VBA. VBA utilise des *directives* (commandes) pour faire le boulot. Comme pour n'importe quel langage, il y a des similitudes avec le langage humain. Dans le Chapitre 3, je vous montre comment créer de nombreuses sortes d'hôtes pour accueillir les programmes VBA. Dans le Chapitre 4, vous apprenez à stocker et à gérer des données. Comme il est très important de contrôler un programme (vous n'aimeriez pas qu'il n'en fasse qu'à sa tête), vous voyez dans le Chapitre 5 des exemples montrant comment s'y prendre. Nous avons tous déjà rencontré des programmes bogués. Dans le Chapitre 6, je vous montre comment éviter ça... Enfin, au Chapitre 7, j'expose des méthodes d'interaction avec l'utilisateur.

Troisième partie : Elargir votre horizon VBA

Le principal objectif de cette partie du livre est de vous aider à construire votre base de connaissances VBA. Dans le Chapitre 8, vous découvrez comment travailler avec des objets, notion essentielle lorsque vous écrivez des programmes qui génèrent automatiquement des documents. Dans le Chapitre 9, je montre comment on utilise les *tableaux* et les *collections*, qui sont des conteneurs de données particuliers utilisés par VBA. Le stockage des informations sur disque étant très important, lisez le Chapitre 10 pour apprendre à accéder à une unité disque. Microsoft présente XML comme la meilleure chose qui pouvait arriver aux utilisateurs d'Office. Lisez le Chapitre 11 pour savoir comment utiliser avec profit les fichiers XML.

Quatrième partie : Programmation VBA au service des applications

Jusque-là, tous les chapitres étaient génériques. Les informations pouvaient s'appliquer à n'importe quelle application supportant VBA.

Cependant, vous allez rapidement découvrir que toute application supportant VBA implémente des fonctionnalités qui lui sont propres. Le principal but de cette partie du livre est de vous aider à devenir productif en utilisant VBA en conjonction avec une application particulière. Cependant, avant de parler des applications de la suite Office, je vous montre dans le Chapitre 12 comment s'adapter à Office en utilisant du code VBA. Dans cette partie, je traite des trois principales applications Office : Word (Chapitre 13), Excel (Chapitre 14) et Access (Chapitre 15).

Cinquième partie : Les dix commandements

Nous collectionnons tous des astuces et des techniques qui aident beaucoup les autres. Dans le Chapitre 16, vous découvrez dix trucs sympas que vous pouvez faire avec VBA. Vous pouvez en faire bien d'autres, mais j'ai pensé que vous aimeriez connaître ceux-là. Le Chapitre 17 vous présente dix sortes de ressources que vous pouvez utiliser pour rendre VBA meilleur, plus facile à utiliser ou tout simplement plus productif.

Le site Web associé

Ce livre contient un paquet de code et vous n'avez peut-être pas envie de tout taper à la main. Vous avez une chance insolente car vous pouvez trouver le code source de ce livre sur le site des Editions First à l'adresse `http://www.efirst.com/EFI_90download.html`. Tout est organisé par chapitre et je vous explique dans le livre quoi faire des fichiers exemples. La meilleure façon de travailler avec un chapitre est de télécharger d'un coup tout le code source relatif à ce chapitre.

Icônes utilisées dans ce livre

Les astuces sont super parce qu'elles permettent d'économiser du temps ou de réaliser une tâche sans trop se fouler. Les astuces de ce livre montrent comment gagner du temps ou comment trouver des ressources qui devraient vous permettre d'utiliser VBA avec un maximum de profit.

Je ne voudrais pas jouer les oiseaux de mauvais augure, mais vous devriez suivre les conseils signalés par cette icône. Ne vous lancez pas dans des manipulations hasardeuses que vous ne maîtrisez pas. Sinon, vous risquez d'avoir de mauvaises surprises et de perdre des données. Attention, danger !

Si vous ne deviez retenir qu'une chose de ce chapitre, c'est celle-là. La remarque concerne en général un processus essentiel ou en tout cas quelque chose que vous ne pouvez pas ignorer si vous espérez écrire trois lignes de VBA qui tournent correctement.

Première partie
Vue d'ensemble de VBA

Dans cette partie...

*V*ous vous demandez peut-être si vous avez besoin de lire cette partie. Cette section du livre comporte des informations essentielles qui vous seront indispensables si vous voulez utiliser VBA avec efficacité. Dans le Chapitre 1, je présente toutes les fenêtres et tous les éléments graphiques de l'environnement de développement VBA (ce qu'on appelle l'IDE, de l'anglais "Integrated Development Environment). C'est aussi dans ce chapitre que vous allez écrire votre premier programme. Dans le Chapitre 2, je décris les étapes de création d'un programme et je vous montre quatre méthodes pour le faire tourner. Ce chapitre contient le premier programme qui sera réutilisé tout au cours du livre. L'idée qui doit vous rester présente à l'esprit concernant ces chapitres initiaux est que vous allez vraiment pouvoir écrire vous-même des programmes en utilisant VBA ! Ce n'est pas réservé aux gourous de la programmation...

Chapitre 1
Apprendre à connaître VBA

*V*BA fonctionne avec de nombreuses applications, dont bien sûr la suite Microsoft Office. Vous utilisez VBA pour écrire des programmes qui accomplissent des tâches automatiques ou qui modifient l'environnement de l'application. Beaucoup de gens pensent qu'ils sont incapables d'écrire des programmes, même simples. Ce livre est là pour vous aider à comprendre que n'importe qui peut écrire un programme. Même mon chat. Non, je plaisante. En fait, vous allez écrire votre premier programme dans ce chapitre. Bien sûr, il va vous falloir d'abord trouver le sésame permettant d'ouvrir l'éditeur VBA. Utiliser l'éditeur VBA est juste un peu différent de ce dont vous avez l'habitude avec les traitements de texte que vous utilisiez autrefois. Petit à petit, vous allez découvrir des applications très intéressantes de VBA et être surpris du nombre d'applications que vous pouvez modifier en l'utilisant.

VBA : c'est pas que pour les programmeurs !

Une des premières choses que vous vous demandez sans doute est pourquoi vous voulez utiliser VBA. Je sais que certains d'entre vous sont là juste par curiosité, mais la plupart ont sûrement une bonne raison pour apprendre quelque chose de nouveau en prenant sur leur temps de travail. Il est important de connaître le genre de tâches pour lesquelles vous pouvez utiliser VBA. Il ne va sans doute pas faire le ménage ou plier votre linge, mais vous pouvez lui faire écrire des lettres automatiquement. Dans cet esprit, les sections suivantes vont vous montrer le genre de choses que j'ai déjà faites avec VBA. Tel que je vous connais, je suis sûr que vous en ferez beaucoup d'autres !

Automatiser des documents

J'ai horreur d'écrire des lettres, surtout quand la lettre que je dois écrire contient en gros les mêmes informations que celle que j'ai écrite avant-hier. Il est parfois possible d'automatiser les lettres en utilisant une fonction de mailing, mais, en général, ça ne marche pas assez bien pour des lettres individualisées. Dans ces cas, je crée une page qui contient l'information commune et j'inclus cette page dans certaines lettres et pas dans d'autres. Je vous montrerai tous mes secrets concernant les lettres automatisées au Chapitre 13.

Et, si vous avez besoin d'envoyer par Internet des données que vous avez saisies dans votre traitement de texte ou votre tableur, VBA peut rendre ça quasiment automatique.

Personnaliser l'interface d'une application

Mettre l'interface d'une application à votre goût est facile. Il est possible de créer un menu ou des barres d'outils. Vous pouvez déplacer certains éléments de l'interface dans une fenêtre séparée ou les faire tout simplement disparaître. En utilisant VBA, vous pouvez changer pratiquement n'importe quoi dans une interface. Vous n'êtes même pas obligé d'utiliser tout le temps la même interface : vous pouvez créer une interface différente en fonction de chaque tâche que vous avez à réaliser. Par exemple, j'ai un programme qui permet de passer en un clic d'un type de document à un autre : livre, article, page ou autre.

Faire des calculs

Une des utilisations les plus communes des applications bureautiques est de réaliser des calculs complexes. Vous pouvez créer des tas de genres d'équations en utilisant les produits de la suite Microsoft Office. Cependant, il arrive que vous ayez besoin de modifier légère-ment les données avant de les utiliser ou de faire le calcul d'une façon un peu différente suivant les valeurs que vous avez saisies. Quand ça devient trop compliqué pour une simple équation, il faut utiliser VBA pour simplifier le processus en créant de petites étapes intermédiaires et pour faire des tests sur les valeurs saisies. Aux Chapitres 4 et 14, nous verrons plein de façons de travailler avec les calculs.

Parfois, le résultat d'un calcul ne veut pas dire grand-chose en soi : c'est juste un nombre qui permet de prendre une décision. Et la façon de décider devient vite facilement répétitive. Le Chapitre 5 montre les méthodes VBA que votre application peut utiliser pour prendre automatiquement des décisions. Des applications sympas à vos mesures vous feront gagner plus de temps qu'une partie de solitaire !

Récupérer des données dans une base de données

J'utilise Access pour stocker une foule d'informations : ça va de ma collection de DVD à la liste de mes clients. On utilise des bases de données pour stocker de l'information, mais ça ne sert pas à grand-chose si on ne peut pas utiliser des données. VBA peut-être utilisé pour récupérer des données dans une base de données et les mettre au format de votre choix.

J'adore les bases de données car elles fournissent la méthode la plus flexible pour stocker des informations répétitives comme une liste de clients ou de n'importe quoi d'autre. Ne croyez pas que les bases de données sont si compliquées. Rassurez-vous : vous n'aurez jamais besoin de savoir comment elles fonctionnent ! La plupart des bases de données actuelles sont vraiment très faciles à utiliser. Tout ce dont vous avez besoin, c'est d'un peu de code VBA pour optimiser l'accès aux données. Le Chapitre 15 vous montrera tout sur les bases de données.

Ajouter de nouvelles fonctionnalités aux applications

L'essentiel de ce livre est consacré à l'ajout de nouvelles fonctionnalités. Si vous lisez ce livre du début à la fin, vous serez en mesure d'ajouter pratiquement n'importe quelle fonctionnalité à n'importe quel logiciel qui supporte VBA. Vous allez impressionner vos amis qui croiront que vous êtes un génie ! Peut-être votre patron trouvera-t-il que vous êtes le meilleur du monde et vous filera une grosse prime. Lire ce livre peut vous rendre célèbre, mais surtout moins frustré !

Créer des outils spéciaux

Si vous devez envoyer des informations à des gens qui ne possèdent pas Microsoft Office, vous devrez reformater celles-ci, et ça peut vous prendre un certain temps… Les Chapitres 10 et 11 montrent deux méthodes pour stocker des informations dans d'autres formats. Le Chapitre 10 utilise un bête fichier texte (simple mais efficace), et le Chapitre 11 montre le dernier truc à la mode : les fichiers XML.

Faire les choses à votre sauce

Parfois, j'ai envie de hurler. Microsoft semble penser qu'il sait exactement ce dont j'ai besoin, parce que certaines personnes lui ont dit. Qui sont ces gens reste un mystère pour moi, mais en tous cas, je n'ai pas envie de faire confiance au type en costume sombre qui est assis à côté de vous.

Heureusement, on peut utiliser VBA pour personnaliser les bonnes intentions de Microsoft. Si vous en avez marre que Word affiche au démarrage des trucs dont vous vous foutez complètement, enregistrez vos réglages et rechargez-les à chaque fois que vous lancez Word. En utilisant des programmes qui s'exécutent tout seuls (voir Chapitre 2), vous allez pouvoir plier Word – entre autres – à vos désirs. Le Chapitre 10 vous montre comment sauver vos paramètres au format texte et le 11 au format XML.

Chambre avec vue

Beaucoup de gens approchent VBA avec l'enthousiasme d'un condamné aux galères. Quand vous travaillez avec une application, vous voyez ce que le développeur vous laisse voir, et rien d'autre. En gros, vous êtes comme dans une chambre sans fenêtre. Utiliser VBA, c'est entrer dans une autre chambre : maintenant vous pouvez regarder par la fenêtre et c'est vous qui décidez ce qui va arriver, et quand.

Un coup d'œil à l'environnement de développement intégré (IDE)

VBA est un environnement de programmation visuel. Ainsi, vous pouvez voir à quoi votre programme ressemblera avant de l'exécuter. L'éditeur est très visuel, utilisant plusieurs fenêtres pour faciliter votre travail de programmation. La Figure 1.1 montre à quoi ressemble l'IDE de VBA.

Figure 1.1 :
L'IDE de VBA
est un éditeur
pour écrire
des
applications
VBA.

Un IDE, ou Environnement de Développement Intégré ("Integrated Development Environment" dans la langue de Britney Spears), est un éditeur , exactement comme votre traitement de texte, votre tableur ou votre feuille de données. De la même façon qu'un éditeur de texte possède des fonctions dédiées à la modification de textes, un IDE est dédié à l'écriture d'instructions devant être suivies par une application. Ces instructions constituent ce qu'on appelle du *code procédural* : un ensemble d'étapes.

Comme vous pouvez le voir sur la Figure 1.1, l'IDE de VBA est constitué par :

- ✔ Un menu.
- ✔ Des barres d'outils.
- ✔ Une fenêtre de projet.
- ✔ Une fenêtre de propriétés.

 ✔ Une fenêtre de code.

L'IDE présente parfois d'autres fenêtres qui dépendent du contexte, mais vous voyez ici le minimum, qui est affiché lors de l'ouverture de l'éditeur. Voici une brève description de chaque fenêtre (la section "Démarrer le Visual Basic Editor", plus loin dans ce chapitre, explique comment les utiliser).

 ✔ **Projet** : Cette fenêtre contient une liste des éléments de votre application, montrant tous les détails du document.

 ✔ **Propriétés** : Quand vous sélectionnez un objet, la fenêtre de propriétés vous dit tout sur lui, par exemple s'il est bleu ou si un texte lui est associé.

 ✔ **Code** : Pour que votre application fasse quelque chose, il faudra sans doute écrire un peu de code. Cette fenêtre contient les mots spéciaux qui disent quoi faire à votre application. Il faut la voir comme une espèce de liste de choses à faire.

Un coup d'œil à la boîte à outils VBA

En VBA, vous n'aurez pas besoin d'écrire du code pour toutes les tâches. L'IDE utilise aussi les formulaires, semblables aux boîtes de dialogue que vous utilisez tous les jours pour réaliser des tâches. Dans ce cas, vous décidez ce qui apparaît sur le formulaire et ce qui doit se passer quand l'utilisateur s'en sert. Pour faciliter la création de formulaires, VBA propose la boîte à outils, qui ressemble à ce que vous voyez sur la Figure 1.2.

Figure 1.2 :
La boîte à
outils VBA.

Chaque bouton de la boîte à outils réalise une tâche unique. Par exemple, en cliquant sur un bouton on fait apparaître une case de saisie, mais en cliquant sur un autre on fait apparaître un bouton de commande. Les choses que créent ces boutons sur un formulaire s'appellent des *contrôles*. Le Chapitre 7 montre comment utiliser tous ces contrôles et comment ajouter des contrôles qui ne se trouvent pas dans la boîte à outils.

Un coup d'œil aux objets

Vous allez souvent entendre le mot *objet* dans ce livre dès qu'il s'agira d'utiliser VBA pour créer vos applications. Un objet utilisé dans un programme est très proche d'un véritable objet de la vie courante. Les programmeurs ont inventé ce terme pour rendre les programmes plus faciles à comprendre. Je vais prendre l'exemple d'une pomme pour vous expliquer ça.

Propriétés

Quand vous regardez une pomme, vous pouvez voir quelques-unes de ses propriétés : la pomme est rouge, verte ou jaune. Les objets VBA ont aussi des propriétés : par exemple, un bouton peut avoir une *caption* (le texte écrit sur le bouton). Certaines propriétés de la pomme sont cachées : impossible de savoir si elle est sucrée ou acide sans croquer dedans ! De la même façon, certains objets VBA ont des propriétés cachées.

Méthodes

Vous pouvez faire plein de trucs avec une pomme. Par exemple, cueillir une pomme sur un arbre est une méthode d'interaction avec la pomme. De la même façon, les objets VBA ont des méthodes. Vous pouvez par exemple déplacer un bouton d'un endroit à un autre en utilisant une méthode. Les méthodes permettent aux développeurs de faire des choses aux objets.

Evénements

Quand une pomme mûrit, elle change de couleur. Personne n'a rien fait à la pomme : elle a changé de couleur parce qu'elle est arrivée à maturité. C'est ça, un *événement*. De la même façon, il arrive des événements aux objets VBA. Quand quelqu'un clique sur un bouton, cela génère un événement "click". C'est le bouton de commande qui décide quand générer l'événement (quand il est cliqué). Le développeur (vous) n'a rien fait. En résumé, les événements permettent au développeur de réagir aux changements d'état des objets.

Démarrer le Visual Basic Editor

La manière de démarrer le Visual Basic Editor dépend de l'application que vous utilisez. Si vous utilisez un des logiciels de la suite Office, la commande de menu est : Outils/Macro/Visual Basic Editor. Quand vous exécutez cette commande, cela ouvre une fenêtre semblable à celle que vous pouvez voir sur la Figure 1.1.

En fonction de la version de Microsoft Office que vous utilisez et des réglages que vous y avez éventuellement faits, le niveau de sécurité sur les macros est peut-être fixé à un niveau trop élevé pour que vous puissiez utiliser les exemples de ce livre. Pour changer le niveau de sécurité, utilisez la procédure suivante.

1. **Cliquez dans les menus Outils/Macro/Sécurité.**

   La boîte de dialogue Sécurité apparaît.

2. **Cliquez sur "Niveau de sécurité bas".**

3. **Cliquez sur OK pour fermer le formulaire.**

Utiliser l'explorateur de projet

L'explorateur de projet apparaît dans la fenêtre de projet. Il sert à interagir avec les objets qui composent le projet. Un projet corres-pond à un fichier qui contient les morceaux de votre programme. Le projet est attaché au document Office que vous êtes en train d'utiliser, ce qui fait que, lorsque vous ouvrez un document, vous ouvrez aussi le projet. Les interactions programmes/projets seront étudiées au Chapitre 3. L'explorateur de projet fonctionne à peu près comme le volet gauche de l'explorateur de Windows. Normalement, vous voyez juste les objets du haut de l'arborescence, comme par exemple les objets Excel montrés sur la Figure 1.3.

Les objets listés dans l'explorateur de projet dépendent du type d'application avec laquelle vous travaillez. Par exemple, si vous travaillez avec Word, vous voyez des documents et des modèles de documents. Un document est un objet. De la même façon, si vous travaillez avec Excel, vous voyez des feuilles de calcul et des clas-seurs. Un classeur est aussi un objet. En tout état de cause, quelle que soit l'application avec laquelle vous travaillez, l'explorateur de projet s'utilise de la même façon.

La Figure 1.3 montre aussi quelques objets spéciaux. Un projet peut contenir des formulaires, des modules, et des modules de classes. Voici une petite description de ces objets spéciaux :

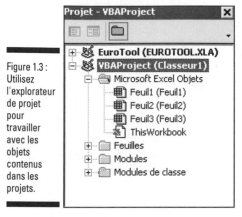

Figure 1.3 :
Utilisez
l'explorateur
de projet
pour
travailler
avec les
objets
contenus
dans les
projets.

✔ **Formulaires** : Contiennent les éléments qui constituent l'interface utilisateur et qui permettent d'interagir avec l'utilisateur. Le Chapitre 7 explique comment utiliser les formulaires.

✔ **Modules** : Contiennent le code (non visuel) de votre application. Par exemple, vous pouvez utiliser un module pour stocker un calcul particulier. Ce livre contient des modules pour l'essentiel.

✔ **Modules de classe** : Contiennent de nouveaux objets construits par vous. Vous pouvez utiliser un module de classe pour créer un nouveau type de données. Le Chapitre 8 est consacré aux objets.

Pour sélectionner un objet afin de voir et de changer ses propriétés, mettez-le en surbrillance dans l'explorateur de projet. Pour ouvrir cet objet afin de pouvoir le modifier, double-cliquez dessus.

Clic droit à gogo

L'explorateur de projet possède un certain nombre de talents cachés, que vous pouvez découvrir grâce à un clic droit sur les objets. Par exemple, faites un clic droit sur l'objet VBAProject (Classeur 1) montré en haut de la Figure 1.3 pour faire apparaître le menu contextuel de la Figure 1.4.

Vous serez peut-être surpris de constater que certaines entrées de ce menu sont inactives. Ne vous souciez pas maintenant de la façon d'utiliser toutes ces entrées de menu. Chacune va apparaître au moins une fois (et sans doute plus !) dans ce livre. La chose importante à retenir pour le moment est que la plupart des objets ont un menu

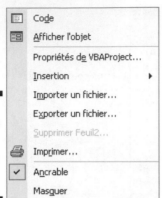

Figure 1.4 :
Faites un clic
droit sur les
objets VBA
pour afficher
les menus
contextuels.

contextuel que vous faites apparaître par un clic droit ou en utilisant
le bouton de menu contextuel de votre clavier.

Entrées spéciales

Vous rencontrerez parfois une entrée spéciale dans l'explorateur de
projet. Par exemple, quand vous travaillez avec un document Word,
vous verrez peut-être un dossier Références qui contient toutes les
références que fait le document Word. Normalement, il contient une
liste des modèles sur lesquels repose le formatage du document.

Dans de nombreux cas, il n'est pas possible de modifier les objets
contenus dans des dossiers spéciaux. C'est le cas avec le dossier
Références. Il est là uniquement à titre informatif. Pour modifier le
modèle référencé, vous avez besoin de trouver l'objet correspondant
dans l'explorateur de projet. Nous ne parlerons pas des objets
spéciaux dans ce livre parce que, normalement, on n'a pas besoin de
les utiliser.

La fenêtre de propriétés

La plupart des objets sur lesquels vous cliquez dans l'IDE de VBA ont
des propriétés qui décrivent l'objet.

Les types de propriétés

Une propriété sert à décrire un objet. Quand vous regardez un objet,
vous faites naturellement des suppositions sur les informations que va

vous fournir une propriété donnée. Par exemple, quand vous voulez
donner la couleur d'une pomme, vous vous attendez à utiliser un des
mots *rouge*, *jaune*, ou *vert*. De la même façon, les propriétés des objets
VBA ont des types spécifiques.

Text est un des types de propriété les plus communs. Par exemple, la
propriété *caption* d'un formulaire est de type texte. Ce texte apparaît
en haut du formulaire dans la barre de titre.

Un autre type usuel est le type logique *boolean*. Par exemple, la
propriété *visible* d'un contrôle est un booléen dont les valeurs peuvent
être *true* (vrai) ou *false* (faux). Si la propriété a la valeur *true*, le
contrôle est visible. Il n'apparaît pas sur le formulaire (bien qu'il existe
tout de même en tant qu'élément de l'application).

Les propriétés des objets peuvent aussi avoir des valeurs numériques.
Par exemple, les propriétés *left* (gauche) et *top* (haut) servent à
positionner à l'écran le coin supérieur gauche d'un objet. Ces propriétés prennent des valeurs numériques qui indiquent à combien de
pixels doit se trouver le coin supérieur gauche du contrôle par rapport
au coin supérieur gauche du formulaire.

Dans certains cas, une liste déroulante est associée à une propriété. Il
suffit alors de cliquer sur un des éléments de la liste pour choisir une
des valeurs possibles de la propriété. Par exemple, certaines propriétés correspondant à une couleur affichent une boîte de dialogue
semblable à celle montrée sur la Figure 1.5.

Figure 1.5 :
Certaines
propriétés
affichent une
boîte de
dialogue
permettant
de choisir
une valeur.

Obtenir de l'aide sur les propriétés

Ne vous attendez pas à mémoriser toutes les propriétés des objets
VBA. Même les gourous de la programmation en sont incapables. Pour
savoir à quoi correspond une propriété donnée, mettez-la en

surbrillance et tapez F1. VBA affichera alors dans la plupart des cas une fenêtre d'aide semblable à celle montrée dans la Figure 1.6.

Figure 1.6 :
L'aide
documente
les propriétés
supportées
par VBA.

De tels écrans d'aide décrivent la propriété, expliquent comment l'utiliser et vous fournissent des liens pour trouver d'autres informations relatives à cette propriété.

Cliquez sur le lien "Voir aussi" dans l'écran d'aide pour obtenir plus d'information sur un sujet et connaître les objets, propriétés, méthodes et événements associés à ce sujet. Dans certains cas, vous trouverez aussi des recommandations sur la manière de travailler avec ces éléments.

La fenêtre de code

La fenêtre de code est l'endroit où vous rédigez le code de votre application. Cette fenêtre fonctionne comme n'importe quel éditeur de texte, si ce n'est que vous écrivez dans une langue un peu spéciale : le VBA. La Figure 1.7 montre un exemple typique de fenêtre de code.

Ouvrir une fenêtre de code existante

Quelquefois, vous ne serez pas en mesure de finir votre application et vous aurez besoin d'y revenir plus tard. Pour ouvrir une fenêtre de code existante, repérez le module que vous cherchez dans l'explorateur de projet. Double-cliquez alors sur l'entrée de module pour faire apparaître le code.

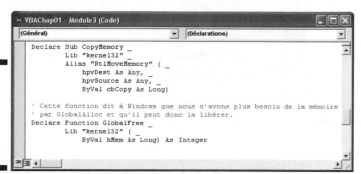

Figure 1.7 :
Utilisez la
fenêtre de
code pour
modifier
votre
programme.

La fenêtre de code apparaît aussi parfois lorsque vous êtes en train de faire autre chose. Par exemple, si vous double-cliquez sur un contrôle d'un formulaire, la fenêtre de code s'ouvre automatiquement sur le gestionnaire d'événement par défaut du contrôle. Un gestionnaire d'événement est un morceau de code qui est exécuté à chaque fois que l'événement se produit.

Créer une nouvelle fenêtre de code

Quand vous créez un nouveau module dans un document ou un modèle existant, ouvrez une nouvelle fenêtre de code en utilisant l'une des commandes Insérer/Module ou Insérer/Module de classe. Après avoir enregistré ce module ou ce module de classe, celui-ci apparaît dans l'explorateur de projet parmi les autres modules de votre projet.

Saisir du texte dans la fenêtre de code

Quand vous tapez du code, VBA vérifie ce que vous tapez. Si vous faites une grosse bourde, comme taper un mot inconnu de VBA, un message d'erreur vous explique que vous vous êtes planté (voir Figure 1.8). Si vous ne comprenez pas ce qui vous arrive, cliquez sur le bouton d'aide pour obtenir de plus amples informations.

Au fur et à mesure que vous tapez votre code, VBA le formate. Par exemple, si vous tapez un mot-clé en minuscules, VBA le modifie de sorte qu'il apparaisse tel qu'il est typographié dans le fichier d'aide. De plus, VBA colorise automatiquement le mot-clé afin que vous le repériez facilement. Ce livre contient de nombreux exemples de mots-clés VBA.

Figure 1.8 :
VBA affiche
un message
d'erreur
quand vous
vous
trompez.

En savoir plus sur la fenêtre de code

La fenêtre de code possède un menu contextuel, comme n'importe quel autre objet VBA. Quand vous faites un clic droit sur la fenêtre de code, vous voyez une liste des actions que vous pouvez réaliser. Par exemple, vous pouvez obtenir une liste des propriétés et méthodes s'appliquant à l'objet sur lequel vous êtes en train de travailler dans la fenêtre.

Obtenir de l'aide sur le code

Comme il est très difficile de se rappeler comment utiliser les nombreuses fonctions et méthodes de VBA ainsi que leur syntaxe, VBA met à votre disposition une aide complète. Il suffit de mettre un mot en surbrillance dans la fenêtre de code et de taper F1.

Faites bien attention à sélectionner le mot en entier sinon VBA risque de ne pas trouver ce que vous cherchez. Le plus simple pour mettre tout le mot en surbrillance est de double-cliquer dessus.

Utiliser la fenêtre Exécution

Bien qu'il soit possible d'utiliser la fenêtre Exécution pour déboguer des applications, celle-ci peut en fait vous aider à apprendre VBA sans avoir à taper des tonnes de code. Vous pouvez y exécuter des instructions une par une. Pour faire apparaître la fenêtre Exécution, cliquez sur Affichage/Fenêtre Exécution. Cette fenêtre est normalement affichée en bas de l'IDE. Elle est vide jusqu'à ce que vous y tapiez quelque chose.

Créer une variable dans la fenêtre Exécution

Beaucoup de développeurs passent leur temps dans la fenêtre
Exécution à vérifier leur code. Vous pouvez, par exemple, utiliser la
fenêtre Exécution pour demander à VBA la valeur d'une variable (une
variable est un emplacement mémoire où est stockée une valeur).
Cette fonctionnalité est toujours disponible dans l'IDE de VBA même si
vous n'êtes pas du tout en train d'utiliser VBA à ce moment-là. Pour
tester cette fonctionnalité, tapez **MaValeur="Bonjour"** (n'oubliez pas
les guillemets) dans la fenêtre Exécution et appuyez sur Entrée. Puis
tapez ?**MaValeur** et appuyez sur Entrée. La Figure 1.9 montre le
résultat de cette petite expérience.

Figure 1.9 :
Utilisez la
fenêtre
Exécution
pour vérifier
la valeur
d'une
variable.

Vous demandez à VBA de créer une variable nommée MaValeur et de
lui assigner la valeur "Bonjour". À l'étape suivante, vous demandez à
VBA ce que contient MaValeur en utilisant l'opérateur ? (print). La
Figure 1.9 montre que MaValeur contient bien "Bonjour".

Créer un programme d'une ligne

Faire joujou avec la fenêtre Exécution est une des façons les plus
rapides d'apprendre à utiliser VBA parce que vous y obtenez des
résultats immédiats. Vous pouvez aussi copier un bout de code qui
marche bien dans la fenêtre Exécution et le coller dans la fenêtre de
code. En utilisant cette méthode, votre code comportera moins
d'erreurs que si vous tapiez directement dans la fenêtre de code.

La variable MaValeur que vous avez créée au paragraphe précédent
existe encore en mémoire à moins que vous ayez fermé VBA. Vous
pouvez utiliser cette variable pour une nouvelle expérience : votre
premier programme. Tapez **MsgBox MaValeur** dans la fenêtre
Exécution et appuyez sur Entrée. Vous devez voir une boîte de
message comme celle de la Figure 1.10.

Figure 1.10 :
La fonction
MsgBox
produit un
message de
ce genre.

Félicitations ! Vous venez de terminer votre première application VBA !
Le code que vous avez tapé demandait à VBA d'utiliser la fonction
MsgBox pour afficher le texte contenu dans la variable MaValeur.
Cliquez sur OK pour faire disparaître le message.

L'explorateur d'objets

VBA permet d'accéder à une foule d'objets, plus que vous n'en
utiliserez jamais dans aucun programme. Avec tous les objets que
vous avez à portée de main, vous risquez de ne pas retenir tous leurs
noms. L'explorateur d'objets permet de trouver les objets dont vous
avez besoin. En fait, vous pouvez l'utiliser pour chercher de nouveaux
objets qui pourraient être utiles à votre prochain projet. Cliquez sur
Affichage/Explorateur d'objets. Une fenêtre comme celle montrée à la
Figure 1.11 apparaît. En principe, vous allez avoir besoin de faire un
peu de tri.

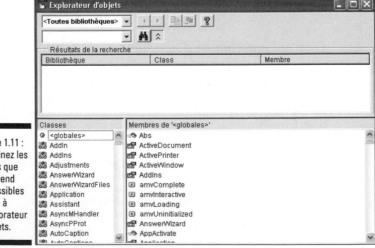

Figure 1.11 :
Examinez les
objets que
VBA rend
accessibles
grâce à
l'explorateur
d'objets.

Naviguer parmi les objets

L'explorateur d'objets contient une liste des contenus de tous les projets et bibliothèques chargés dans l'IDE de VBA. Par défaut la liste déroulante affiche "Toutes bibliothèques", ce qui signifie que vous voyez tout ce que VBA a à vous offrir, c'est-à-dire beaucoup trop pour un être humain normalement constitué !

La liste des projets et des bibliothèques peut paraître compliquée au premier coup d'œil, mais vous pouvez restreindre la liste à seulement quelques types d'entrées. Bien sûr, vous voyez toujours vos modèles de projet. En plus des modèles de projet, vous trouverez les bibliothèques suivantes dans la liste :

- ✓ **Application** : Cette bibliothèque a le même nom que l'application hôte, comme Excel ou Word, et inclut les fonctionnalités que l'application met à la disposition des utilisateurs de VBA. Par exemple, la bibliothèque Excel a un objet Chart (graphique) qui contient une liste de méthodes, propriétés et événements propres aux graphiques supportés par Excel.

- ✓ **Office** : Cette bibliothèque contient une liste des objets supportés par Microsoft Office. Par exemple, c'est là que vous trouverez les objets qui servent à piloter l'assistant Office. Bien sûr, si vous êtes en train d'utiliser une application autre que Microsoft Office, vous ne verrez pas cette bibliothèque, mais sans doute une autre !

- ✓ **StdOLE** : Cette bibliothèque contient les fonctionnalités de lien et d'encapsulation (Object Linking and Embedding) utilisées dans les applications. Par exemple, quand vous encapsulez (par insertion d'objet) une image dans un document Word, cette bibliothèque fournit le support requis. Vous pouvez aussi utiliser cette bibliothèque dans vos applications VBA, mais la bibliothèque Office ou celle propre à l'application hôte sont plus faciles à utiliser.

- ✓ **VBA** : Cette bibliothèque contient des objets spéciaux utilisés par les développeurs VBA. Par exemple, c'est là que se trouve la fonction MsgBox que nous avons utilisée dans notre premier programme.

À chaque fois que vous cherchez un objet, commencez par restreindre le champ de recherche en utilisant les options de la liste déroulante afin de filtrer le contenu.

Chercher des noms et des fonctionnalités dans l'explorateur d'objets

Quand vous vous souvenez… presque, mais pas tout à fait… du nom d'une méthode ou d'une propriété que vous voulez utiliser, la fonction de recherche de l'explorateur d'objets peut vous simplifier la vie. Tapez simplement le texte à rechercher dans la zone "Rechercher un texte" (la zone de saisie vide qui se trouve en dessous de "Toutes bibliothèques") puis cliquez sur le bouton "Rechercher" (les jumelles). Le résultat de la recherche apparaît alors. Sur la Figure 1.12, vous pouvez voir ce que ça donne lorsqu'on tape "MsgBox".

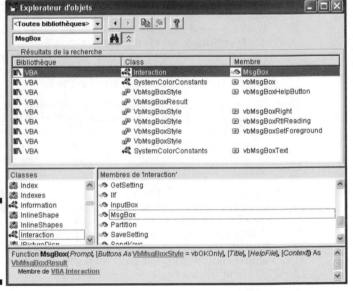

Figure 1.12 :
Cherchez la méthode que vous voulez utiliser.

À chaque fois que vous choisissez une entrée dans la liste des résultats en la mettant en surbrillance, les deux volets du bas changent et montrent des informations et des conseils relatifs à cette entrée. Cela est très utile pour localiser une information dans un contexte donné.

Copier/Coller dans l'explorateur d'objets

Toute méthode, propriété ou événement trouvé dans l'explorateur d'objets peut être copié dans le Presse-papiers en cliquant sur le bouton qui montre deux feuilles de papier côte à côte. Le résultat peut être collé directement dans le code de votre application. C'est une bonne méthode pour taper moins et limiter les erreurs.

Chapitre 2

Votre premier programme VBA

. . . .

Dans ce chapitre :

▶ Faire le plan de l'application.

▶ Définir les étapes qui permettront de créer l'application.

▶ Différentes méthodes pour exécuter votre application.

▶ Utiliser le code que l'on peut trouver dans les fichiers d'aide.

. . . .

C e chapitre vous explique comment passer de la fenêtre Exécution à la fenêtre de code. La fenêtre de code est l'endroit où vous créez des programmes durables, c'est-à-dire du genre de ceux qu'on va utiliser plus d'une fois. Comme ça prend du temps d'écrire du code, il vaut mieux ne s'y coller que pour réaliser un truc qui va resservir… Un programme sert à quelque chose quand vous avez à réaliser une tâche répétitive.

Décider quoi faire

À chaque fois que vous décidez de créer un programme, commencez par faire un plan. Quand vous voulez construire une maison, il vous faut un plan. Eh bien, avec un programme, c'est pareil. Je suppose que vous êtes capable de reconnaître facilement qu'une maison a été construite sans faire de plan. Eh bien, avec un programme, c'est pareil. Les utilisateurs d'une application peuvent voir qu'elle n'est pas bien conçue parce qu'elle ne marche pas comme prévu. Le plan dont vous avez besoin ne doit pas nécessairement être très compliqué, mais il doit au moins répondre aux questions suivantes :

▶ Que devra faire le programme ?

✔ Comment le programme devra-t-il accomplir sa tâche ?

✔ Quand le programme devra-t-il s'exécuter ?

✔ Qui utilisera le programme ?

✔ Pourquoi ce programme est-il important ?

La raison pour laquelle vous devez vous poser toutes ces questions est que vous devez absolument avoir réfléchi sur le programme que vous voulez créer. Il vaut mieux se poser des questions *avant* d'écrire le code que de se retrouver avec un paquet de bugs inextricables plus tard. Ecrire les réponses sur une feuille de papier n'est pas non plus une mauvaise idée pour éviter que votre programme fasse autre chose que ce pour quoi il était prévu... Tout le monde est confronté à ce genre de problème. Même les développeurs expérimentés finissent par écrire des programmes qui dépassent largement leurs intentions initiales.

Etapes pour créer un programme VBA

Il y a normalement quatre étapes pour écrire un programme. Je vais vous expliquer ça dans cette section pendant que vous aller créer votre premier programme permanent, je veux dire un programme que vous pourrez relancer aussi souvent que vous voudrez. Ce programme permanent va afficher une boîte de dialogue comme dans l'exemple du Chapitre 1.

Etape 1 : dire ce que va faire le programme

Pour décrire ce que va faire une application, certaines personnes dessinent des organigrammes en utilisant des symboles spéciaux qui remplacent les éléments de programmation. D'autres utilisent des logiciels spécialisés pour la conception de programmes. Vous pourrez vous pencher sur ces méthodes quand vous connaîtrez un peu plus VBA. Cependant, la meilleure méthode pour décrire une application simple consiste à utiliser du *pseudo-code*. Cela revient à écrire une liste d'instructions avec vos propres mots pour expliquer ce que VBA devra faire.

Utiliser du pseudo-code est une bonne façon de concevoir un programme sans entrer dans les détails du codage. Notre exemple doit afficher une boîte de dialogue. Le pseudo-code correspondant pourrait être quelque chose comme :

```
Afficher la boîte de dialogue
Regarder quel bouton l'utilisateur a cliqué
Terminer le programme
```

Ne cherchez pas à ce que le pseudo-code soit trop précis. L'idée est juste d'écrire une liste d'étapes avant de commencer le vrai codage. Si vous ne comprenez pas ce que vous voulez faire, il y a de fortes chances que vous ayez beaucoup de mal à expliquer à VBA ce qu'il doit faire.

Etape 2 : écrire le code

La première chose à faire est d'ouvrir une fenêtre de code en cliquant Insertion/Module. Ne soyez pas effrayé devant la page blanche qui s'ouvre devant vous car nous allons y taper ce que nous avons écrit au paragraphe précédent. Le pseudo-code est inséré dans une procédure (une "Sub", ou sous-programme, ou routine, nous reviendrons là-dessus au Chapitre 3). Ajoutez une apostrophe devant chaque ligne du pseudo-code (c'est comme cela que l'on prévient VBA qu'une ligne est juste un commentaire). Votre fenêtre de code devrait ressembler à la Figure 2.1.

Figure 2.1 : Au départ, la fenêtre de code est vierge, mais nous avons quelque chose à y taper !

Vous pouvez exécuter le code de la Sub si ça vous amuse, mais ça ne fera rien (il n'y a que des commentaires, pas de véritable instruction !). Pour que ça fasse réellement quelque chose, ajoutons une ligne que VBA peut comprendre. Il nous faut donc traduire la phrase française "Afficher la boîte de dialogue" en langue VBA. Pour afficher une boîte de dialogue, nous avons la fonction MsgBox que nous avons vue au Chapitre 1. Tapez la ligne suivante sous la ligne de commentaire 'Afficher la boîte de dialogue.

```
Result = MsgBox("Cliquez sur un bouton.", vbYesNoCancel, "Ceci est
un message")
```

Ce code demande à VBA d'afficher une boîte de dialogue dont "Cliquez sur un bouton" est le texte et "Ceci est un message" le titre. Le paramètre vbYesNoCancel indique qu'il faut afficher trois boutons : Oui, Non, Annuler. Une fois que VBA a affiché le formulaire, il attend que l'utilisateur réagisse. Lorsque l'utilisateur clique sur l'un des trois boutons, VBA enregistre quel bouton a été cliqué dans la variable Result. C'est pas mal, ce qu'on arrive à faire avec une ligne de code, non ?

Le pseudo-code dit que le code doit détecter le bouton qui a été cliqué. Vous pouvez utiliser une autre boîte de message pour afficher cette information :

```
MsgBox Result
```

C'est la même technique que celle que j'ai utilisée dans le Chapitre 1. La seule différence, c'est que l'information contenue dans Result dépend du choix de l'utilisateur. Vous ne savez pas à l'avance sur quel bouton va cliquer l'utilisateur, mais ce code marche quelle que soit la réaction de l'utilisateur.

La dernière ligne du pseudo-code dit que VBA doit terminer le programme. C'est exactement ce que fait la directive End Sub que vous voyez dans la Figure 2.1. Quand VBA ne rencontre plus d'instructions à exécuter, il termine le programme. La Figure 2.2 montre ce à quoi votre code devrait maintenant ressembler. N'oubliez pas d'enregistrer votre travail en cliquant sur Fichier/Enregistrer (n'oubliez pas que votre code est enregistré *avec* le document actuellement ouvert).

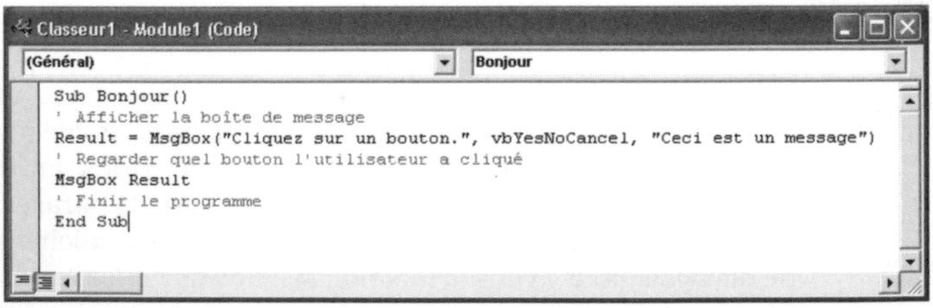

Figure 2.2 :
C'est facile d'écrire du code quand vous avez pris soin de le décrire avant avec du pseudo-code.

```
Sub Bonjour()
  ' Afficher la boîte de message
  Result = MsgBox("Cliquez sur un bouton.", vbYesNoCancel, "Ceci est un message")
  ' Regarder quel bouton l'utilisateur a cliqué
  MsgBox Result
  ' Finir le programme
End Sub
```

Étape 3 : tester, tester et retester

Il est temps d'exécuter votre application pour la première fois. La méthode la plus simple est de cliquer sur le bouton "Exécuter Sub/User Form" de la barre d'outils (c'est celui qui ressemble au bouton "Play" d'un magnétoscope). Vous devriez voir la boîte de dialogue comme sur la Figure 2.3. Si le programme ne se lance pas, faites ceci :

1. **Cliquez dans les menus Outils/Macro/Sécurité.**

   La boîte de dialogue Sécurité apparaît.

2. **Cliquez sur "Niveau de sécurité bas (ou moyen)".**

3. **Cliquez sur OK pour fermer le formulaire.**

Figure 2.3 : Le premier formulaire demande à l'utilisateur de cliquer sur un bouton.

La boîte de message contient le titre, le message et les boutons que vous avez demandé à VBA d'afficher. Vérifier le contenu de la boîte de message pour s'assurer qu'elle contient bien ce que vous aviez demandé, c'est cela que l'on appelle *tester*. Si vous voulez être sûr que votre programme fait toujours ce qu'il est censé faire, vous devez le tester sous toutes les coutures.

Cliquez sur "Oui" pour faire apparaître l'autre message, comme celui de la Figure 2.4. Vous remarquez que le message contient un chiffre. Ce chiffre (6) est la valeur de la variable Result renvoyée (on dit aussi "retournée") par la fonction MsgBox. Evidemment, ce chiffre 6 n'est pas très parlant pour un être humain, mais ça l'est terriblement pour un ordinateur ! Un véritable programme devrait convertir cette valeur en quelque chose de plus compréhensible pour un terrien. En tous cas, vous savez maintenant que la réponse "Oui" correspond au chiffre 6.

Après que vous avez cliqué sur OK, le programme se termine et vous ne voyez pas d'autre boîte de message. L'instruction décrite par la dernière ligne du pseudo-code a donc bien été exécutée.

Figure 2.4 :
La valeur
retournée par
la fonction
MsgBox.

Ne pensez pas que vous en avez fini avec les tests. Il y a deux autres boutons dans la première boîte de dialogue. Si vous ne les testez pas, vous ne saurez jamais s'ils marchent. Relancez le programme et testez le bouton "Non". Recommencez encore une fois avec le bouton "Annuler".

La valeur de retour affichée dans la deuxième boîte (Figure 2.4) change pour chaque bouton. Vous obtenez 7 avec "Non" et 2 avec "Annuler". Si ce n'est pas le cas, c'est qu'il y a une erreur dans votre programme. Les professionnels appellent une erreur de programmation un *bug*.

Etape 4 : la chasse aux bugs

Vous n'êtes pas responsable de tous les bugs : il y a parfois des erreurs dans la documentation des fonctions. Microsoft est célèbre pour ce genre de bêtises et adore appeler cela une "fonction non documentée". Il arrive même que le bug ne soit pas dans votre programme, mais dans VBA lui-même. Il arrive que Microsoft en parle, mais, la plupart du temps, ils vous laissent la surprise.

C'est très important de venir à bout du plus grand nombre possible de bugs dans votre programme. Cette tâche est si importante que j'y ai consacré un chapitre entier (le Chapitre 6). Ce chapitre vous montre aussi comment éviter à l'utilisateur de commettre des erreurs en détectant l'erreur avant que le programme le fasse.

Quatre façons d'exécuter votre programme

Exécuter votre programme depuis l'éditeur Visual Basic est agréable quand vous voulez le tester. Cependant, le but du jeu est de lancer le programme depuis l'application hôte et pas d'avoir à ouvrir d'abord le Visual Basic Editor. Il y a plein de façons pour exécuter un programme VBA : plus que vous ne pourrez en retenir. VBA met à votre disposition quatre méthodes usuelles pour cela, mais la plupart des utilisateurs VBA se contentent de la première, qui consiste à utiliser la boîte de dialogue "Macro".

Utiliser la boîte de dialogue Macro

La boîte de dialogue Macro est l'outil le plus populaire pour exécuter un programme VBA. Chaque fois que vous créez une nouvelle Sub, elle apparaît dans la liste des macros exécutables. Vous n'avez rien à faire de spécial. Il est possible d'avoir accès à tous les programmes que vous créez de cette façon.

Cliquez sur Outils/Macro/Macros pour afficher le formulaire Macro (Figure 2.5). Une autre façon de faire dans les applications Office est de taper Alt+F8. La macro "Bonjour" que nous avons créée est bien dans la liste.

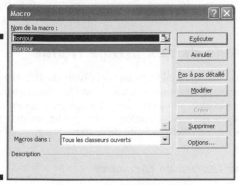

Figure 2.5 :
Utilisez la boîte de dialogue Macro pour avoir accès aux programmes que vous avez créés.

Quand vous voulez exécuter un programme, vous le sélectionnez et vous cliquez ensuite sur le bouton "Exécuter". Essayez. Vous devriez voir la même succession des deux boîtes de message que lorsque vous avez testé le programme depuis l'éditeur dans l'étape 3.

Vous pouvez aussi utiliser la boîte de dialogue macro pour réaliser d'autres tâches. Sélectionnez la macro et cliquez sur le bouton "Modifier". L'application ouvre l'éditeur et affiche le code du programme choisi. Vous pouvez aussi supprimer des programmes que vous n'utilisez plus en cliquant sur le bouton "Supprimer".

Observez le champ "Nom de la macro" en haut de la boîte de dialogue. Normalement, ce champ contient le nom de la macro que vous avez sélectionnée, mais vous pouvez aussi l'utiliser pour créer de nouveaux programmes. Tapez "AuRevoir" dans ce champ. Le bouton "Créer" devient alors actif tandis que tous les autres boutons passent en grisé (Figure 2.6). Vous pouvez utiliser cette boîte de dialogue pour créer tous les programmes que vous voulez.

Figure 2.6 : En tapant un nom de macro qui n'existe pas dans le champ "Nom de la macro", vous pouvez créer une nouvelle macro.

La méthode de démarrage rapide

Ce n'est pas toujours commode d'ouvrir la boîte de dialogue Macro pour exécuter un programme. Si vous utilisez le même programme plusieurs fois par jour, ça va finir par vous agacer. Vous avez besoin d'une méthode de démarrage rapide : une façon de lancer le programme sans avoir à ouvrir la boîte de dialogue Macro.

Définir une touche de raccourci

La boîte de dialogue Macro de la Figure 2.5 possède une fonction permettant de créer une touche de démarrage rapide. Ouvrez la boîte de dialogue Macro en cliquant sur Outils/Macro/Macros. Choisissez le programme pour lequel vous voulez définir un démarrage rapide ("Bonjour", par exemple). Cliquez sur le bouton Options. Tapez **h** dans le champ "Touche de raccourci" et **Ceci est mon programme** dans le champ "Description" (Figure 2.7).

Cliquez OK pour fermer la boîte de dialogue Options Macro, puis Annuler pour fermer la boîte de dialogue Macro. Quand vous appuyez sur Ctrl+H, le programme s'exécute.

Définir un bouton de barre d'outils

Pour ajouter un programme VBA à une barre d'outils, vous pouvez commencer par créer une barre d'outils personnelle ou utiliser une barre d'outils existante, Standard, pour simplifier les choses. La barre d'outils Standard existe dans n'importe quelle application Windows

Figure 2.7 :
Créez un
démarrage
rapide en
utilisant la
boîte de
dialogue
Options de
Macro.

supportant VBA. Les étapes suivantes montrent comment ajouter un
programme à une barre d'outils :

1. **Faites un clic droit sur la barre d'outils et choisissez "Personnaliser" dans le menu contextuel.**

   La boîte de dialogue de personnalisation apparaît.

2. **Passez à l'onglet "Commandes" et sélectionnez "Macros" dans
la liste des "Catégories".**

   La Figure 2.8 montre que vous avez deux possibilités pour
   ajouter des macros à votre barre d'outils : une entrée de menu
   et un bouton.

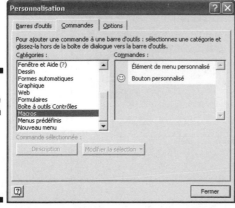

Figure 2.8 :
Ajoutez votre
programme à
la barre
d'outils en
utilisant un
bouton ou
une entrée
de menu.

Utilisez un bouton si vous voulez économiser de la place sur la barre d'outils. Cependant, assurez-vous que vous avez ajouté un nom au bouton expliquant ce que fait celui-ci. Utilisez une entrée de menu si cela vous facilite la mémorisation de ce que fait votre programme.

3. **Pour ajouter un bouton personnalisé, glissez un objet "Elément de menu personnalisé" depuis la boîte de dialogue Personnaliser et déposez-le sur la barre d'outils.**

   L'application ajoute alors un bouton vierge à la barre d'outils.

4. **Faites un clic droit sur le nouveau bouton et choisissez l'option "Nom".**

5. **Dans le champ de saisie "Nom", tapez : &Bonjour.**

   Cela permet de donner un nom au bouton. Le & ("ampersand" en anglais, "et commercial" ou "perluète" en français) signale dans la chaîne de caractères celui qui doit être souligné pour définir le raccourci clavier. Ici, c'est le B de Bonjour qui sera souligné. Ainsi, un utilisateur qui tapera Alt+B pourra accéder rapidement au bouton lorsque la barre d'outils qui le contient est sélectionnée.

6. **Faites un clic droit sur le bouton et choisissez "Affecter une macro".**

   Une boîte de dialogue d'affectation de macro apparaît alors, comme celle montrée dans la Figure 2.9.

Figure 2.9 : Utilisez la boîte de dialogue d'affectation de macro pour ajouter une macro à la barre d'outils.

7. **Sélectionnez l'entrée "Bonjour" et cliquez OK.**

8. **Cliquez Fermer pour faire disparaître la boîte de dialogue de personnalisation.**

   Ouf, ça y est ! Le bouton "Bonjour" de la barre de boutons est maintenant fonctionnel. Cliquez dessus pour revoir avec des yeux émerveillés, encore une fois, votre fabuleux programme s'exécuter.

Définir une entrée de menu

Peut-être utilisez-vous un programme assez souvent pour en faire un élément permanent d'une application hôte, mais peut-être pas assez souvent pour prendre de la place sur une barre d'outils. Dans ce cas, il vaut mieux permettre l'accès à votre programme en utilisant un menu. Cela se fait exactement comme pour ajouter un bouton. La seule différence est qu'il faut déposer le bouton ou l'élément de menu personnalisé sur le menu où vous voulez le mettre au lieu de le déposer sur une barre d'outils.

Faire exécuter le programme par un autre code VBA

N'écrivez jamais un bout de code deux fois alors qu'il est possible de l'écrire une seule fois et de l'utiliser partout ! Gagner du temps est une des raisons d'utiliser VBA. Cependant, ce que vous devez d'ores et déjà comprendre, c'est que vous pouvez *appeler* (en fait "dire" à VBA d'exécuter) n'importe quel programme VBA depuis n'importe quel autre. Voici un exemple simple que vous pouvez ajouter dans la fenêtre de code :

```
Sub Bonjour2()
' Montrons que nous utilisons le programme Bonjour2
MsgBox "Nous sommes dans le programme Bonjour2 !"
' Appel de Bonjour
Bonjour
End Sub
```

Remarquez que cet exemple utilise du pseudo-code pour commenter ce qui se passe au moment de l'exécution. La première instruction sert à prouver que vous exécutez le programme Bonjour2 en affichant un message qui ne fait pas partie du programme Bonjour. La deuxième instruction consiste tout bonnement à appeler Bonjour. Au fait, n'oubliez pas de cliquer de temps en temps sur "Enregistrer" (moi, je le fais à chaque fois que j'ai fini une ligne !).

Ce programme affiche trois boîtes de dialogue. Les deux dernières sont celles de notre brave programme Bonjour que nous commençons à connaître par cœur. La première vient du programme Bonjour2 qui, après l'avoir affichée pour prouver que c'est bien lui le responsable, exécute Bonjour.

Exécuter automatiquement le programme VBA

Dans certains cas, votre programme VBA doit faire quelque chose tout seul au moment où l'application hôte démarre, du genre ouvrir un document. Evidemment, il faut que la tâche à exécuter revienne souvent, sinon ce n'est pas la peine de vous prendre la tête pour un truc qui ne va servir qu'une fois.

Le programme utilisé le plus souvent dans ce chapitre est Bonjour. Le nom que vous donnez au programme est important car il peut avoir des effets particuliers sur l'application hôte. Si vous baptisez votre programme **AutoExec**, l'application (Word, Excel, Access ou autre) exécutera toute seule la macro au démarrage. Le Tableau 2.1 contient une liste des noms de programme spéciaux que vous pouvez utiliser pour réaliser des tâches automatiques dans certaines applications.

Tableau 2.1 : Noms spéciaux pour les programmes à exécution automatique.

Nom	Moment de l'exécution
AutoClose	fermeture d'un document
AutoExec	démarrage de l'application
AutoExit	fermeture de l'application
AutoNew	création d'un nouveau document
AutoOpen	ouverture d'un document

Utiliser avantageusement l'aide : réutilisation du code de Microsoft

Ce livre contient beaucoup de code. L'essentiel est constitué de code très pratique que vous pouvez utiliser pour vous perfectionner. Bien

que ce bouquin soit une mine de trésors, vous n'y trouverez pas
d'exemples sur toutes les fonctions de VBA. Par chance, Microsoft met
à votre disposition des tonnes de code-exemple dans ses fichiers
d'aide. Vous pouvez copier les bouts de code et les réutiliser dans vos
propres programmes.

Pour voir un exemple de code relatif à une fonction donnée, sélectionnez un mot et appuyez sur F1. Dans les fichiers d'aide, il y a des liens
très utiles en haut des pages : "Voir aussi", "Exemple". Cliquez sur
"Exemple" pour ouvrir une fenêtre qui ressemblera à celle de la
Figure 2.10.

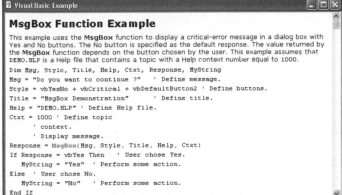

Figure 2.10 :
Copiez tout
ce que vous
voulez dans
le code
contenu dans
les fichiers
d'aide afin de
gagner du
temps.

Ce code est un peu compliqué au stade où nous en sommes mais nous
apprendrons dans ce livre à le lire et à le comprendre. Vous pouvez
sélectionner une partie de code, faire un clic droit et choisir "Copier"
dans le menu contextuel. Vous n'avez plus qu'à coller dans votre code
VBA pour pouvoir l'utiliser.

Deuxième partie
Apprendre les ficelles

Dans cette partie...

Cette partie du livre correspond aux fondations de vos connaissances en VBA. Le Chapitre 3 va tout vous expliquer sur la façon de structurer les programmes.

Dans le Chapitre 4, je vous aide à comprendre comment gérer des données en utilisant VBA. La gestion de données est la chose la plus importante qu'un programmeur doit maîtriser. Dans le Chapitre 5, je vous explique comment contrôler le déroulement d'un programme en utilisant plusieurs techniques. Nous apprendrons à faire des tests et à prendre des décisions dans un programme en fonction du résultat de ces tests. Au Chapitre 6, je vous présente divers trucs destinés à lutter contre les bugs. Dans le Chapitre 7, je vous initie aux joies de la création de formulaires.

Chapitre 3

Ecrire
des programmes VBA
structurés

. . . .

Dans ce chapitre :

▶ Découvrir la structure de la plupart des programmes.

▶ Structurer pour gagner du temps.

▶ Créer un programme basé sur une *Sub*.

▶ Créer un programme basé sur une *Function*.

▶ Cacher des éléments de programme en utilisant la *portée*.

▶ Aérer vos programmes.

▶ Commenter votre code.

. . . .

*S*tructurer un programme, c'est un peu comme vérifier une grosse commande : ça vous permet de ne rien oublier. C'est aussi un peu comme présenter des données numériques sous forme de graphe : c'est plus facile à comprendre.

Une autre forme de structure fait intervenir le concept de *portée*. Il est nécessaire de définir qui peut voir votre programme et qui peut s'en servir. Certaines choses doivent être privées et d'autres publiques.

Enfin, il y a le côté visuel de la structure. La façon d'utiliser des blancs dans le code peut être déterminante sur sa lisibilité. Dans le Chapitre 2, j'ai déjà insisté sur les commentaires en parlant du pseudo-code, mais je vais remettre une couche afin de vous convaincre de leur utilité le jour où vous ou quelqu'un d'autre devrez modifier votre programme...

Les parties d'un programme

Les exemples des Chapitres 1 et 2 ont une structure. Vous ne pouvez pas écrire un programme, même simple, sans un minimum de structure car VBA a besoin de cette structure pour comprendre ce que vous voulez. Vous pouvez vous passer de structure si vous voulez, mais pas VBA ! Ce chapitre explique la signification de chaque élément structurel.

Définir les parties d'un programme

Certaines personnes ont du mal à comprendre ce qu'est un programme parce que l'on trouve souvent une définition incorrecte de ce mot sur les boîtes des logiciels modernes. Quand vous lancez Word, vous utilisez un programme. En revanche, Microsoft Office est un ensemble de programmes, une suite d'applications (Word, Excel, Access, etc.). De même, le Bloc-notes de Windows est un programme.

Un pilote de périphérique (par exemple celui de votre souris) est aussi un programme. L'interface utilisateur qui vous permet de configurer votre souris est encore un programme. Ce n'est pas une partie du pilote même s'il contrôle celui-ci.

Ne confondez pas un programme et un projet. Un projet est un conteneur qui encapsule les éléments de votre programme dans un document donné. Quand vous créez un nouveau projet, vous ne créez pas un nouveau programme. Un *projet VBA* peut contenir des centaines de programmes. Une Sub est un programme. En combinant des Subs, on peut créer des programmes d'une complexité quelconque.

Les briques de la programmation VBA

Un programme VBA est constitué de briques. Comme la programmation a un côté abstrait, on a tendance à utiliser des exemples concrets pour montrer comment ça marche. Vous avez encore besoin d'apprendre les éléments abstraits de la programmation VBA sinon vous n'arriverez pas à écrire un programme. Cette section explique les bases de la programmation VBA. Dans la prochaine section "L'approche Lego", j'utilise un exemple physique pour décrire des éléments abstraits en détail. Il y a quatre éléments à prendre en considération :

  ✔ **Projet** : Le projet est un conteneur pour les modules, modules de classe et formulaires associés à un fichier donné. Dans Word, vous pouvez voir au minimum trois projets chargés dans l'éditeur Visual Basic : le modèle normal, le modèle de document et le document. Les utilisateurs d'Excel ne voient qu'un projet associé à leur feuille de calcul ouverte.

✔ **Module, Module de classe et Formulaire :** Ces trois éléments sont des conteneurs pour les descriptions de classes et les procédures. Un même projet peut avoir de multiples modules, modules de classe et formulaires. Chacun de ces éléments doit avoir un nom unique.

✔ **Sub et Function :** Ce sont des conteneurs pour vos lignes de codes (aussi appelées *instructions*). Une *Function* ("fonction" en français) retourne une valeur au programme appelant alors que ce n'est pas le cas d'une *Sub* ("procédure" ou "sous-programme" en français).

✔ **Instruction :** Beaucoup de gens appellent une ligne de code une *instruction*. Le pseudo-code du Chapitre 2 illustre bien ça. Chaque ligne de pseudo-code est une instruction qui dit ce que l'application doit faire. On voit bien dans l'exemple comment ces lignes sont traduites en code compréhensible par VBA.

Les Subs

J'ai utilisé une procédure, ou Sub, au Chapitre 2. Une Sub est la façon la plus simple d'emballer du code, et c'est d'ailleurs la seule méthode d'emballage qui apparaisse dans la boîte de dialogue Macro. Par conséquent, quand vous commencez un programme, ça commence toujours par une Sub.

Une deuxième façon d'utiliser une Sub est de réaliser une tâche sans récupérer une valeur de retour, par exemple juste pour afficher un message. Une Sub peut modifier des données de plusieurs façons. Simplement, ça ne peut pas retourner de valeur comme une Function. Il est possible de passer des arguments à une Sub et de les modifier dans la Sub. Une autre méthode repose sur la notion de variable globale. Nous verrons ça plus loin quand nous parlerons de la portée.

Les Functions

Une Function retourne toujours une valeur, ce qui la différencie nettement d'une Sub. Pour traiter une liste de noms, vous pouvez créer une fonction qui traite chaque nom un par un. Il suffit alors d'appeler la fonction autant de fois qu'il y a de noms dans la liste. La valeur de retour de la fonction peut être dans ce cas le nom modifié. Je montrerai au Chapitre 5 comment créer du code répétitif.

Modifier la configuration d'un projet

Pour l'instant, nous n'avons touché à aucune option car nos exemples reposaient sur la configuration par défaut de VBA. La plupart des niveaux de programme, dont les projets, ont un type de configuration. Dans cette section, je vais décrire les nombreuses options pour la configuration d'un projet.

Pour accéder aux réglages du projet, faites un clic droit sur le projet voulu dans la fenêtre de projet et choisissez "Propriétés de projet" dans le menu contextuel.

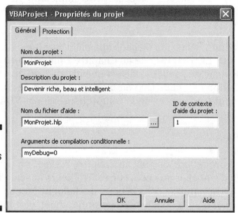

Figure 3.1 :
Définissez les informations de base pour votre projet.

Décrire votre projet

Décrire votre projet le rend plus facile à suivre quand vous le visualisez dans l'IDE de VBA. Commencez par donner à votre projet un nom significatif. Il n'a pas besoin d'être long, mais si vous l'appelez ProjetVBA, ça ne dira pas vraiment ce qu'il est censé faire. Le champ "Nom du projet" montré dans la Figure 3.1 a un libellé très significatif car, dans ce chapitre, nous allons montrer comment structurer vos programmes.

Certains pensent que les fichiers d'aide sont inutiles. En réalité, ils peuvent constituer une description très complète de ce que fait votre projet. Le champ "Nom du fichier d'aide" dit où se trouve le fichier. L'ID de contexte d'aide du projet contient le numéro du sujet d'aide relatif au projet. C'est normalement le numéro d'une page de sommaire.

Arguments de compilation conditionnelle

La *compilation conditionnelle* est une fonctionnalité essentielle permettant de créer de multiples versions de votre programme. En temps normal, VBA parcourt la liste de vos instructions et les exécute toutes d'un seul coup. En utilisant la compilation conditionnelle, vous pouvez demander à VBA de réaliser une tâche d'une certaine façon alors que pendant les phases d'écriture et de test de votre programme, celui-ci va se comporter autrement.

La façon la plus courante d'utiliser ça est l'aide au déboguage. Pour l'instant, histoire de s'amuser un peu, on va créer un programme très simple qui montre comment ça marche. D'abord, tapez **myDebug=0** dans le champ "Arguments de compilation conditionnelle" et cliquez OK. Tapez ensuite le programme suivant dans un module (voir Chapitre 2, étape 2 si vous avez oublié comment créer un module) :

```
Public Sub CheckConditional()
    #If myDebug = 0 Then
        MsgBox "Mode standard "
    #Else
        MsgBox "Mode debug"
    #End If
End Sub
```

Ce programme dit que si myDebug vaut 0, le programme affichera le message "Mode standard". Dans tous les autres cas, le programme affichera le message "Mode debug". Exécutez le programme et vous devriez voir le message "Mode standard".

Ouvrez à nouveau le formulaire des propriétés du projet. Remplacez la ligne "Arguments de compilation conditionnelle" par **myDebug=1**. Cliquez OK et exécutez le programme. Cette fois, le programme affiche le message "Mode debug".

Bloquer votre code

Il vous est possible de bloquer votre code afin que personne ne puisse jamais le modifier. C'est à cela que sert l'onglet "Protection" de la boîte de dialogue des propriétés du projet que vous pouvez voir dans la Figure 3.2. Cochez simplement "Verrouiller le projet pour l'affichage" puis définissez et confirmez votre mot passe. Cliquez OK pour finir.

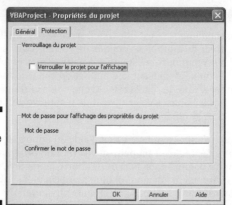

Figure 3.2 :
Bloquer votre
code peut le
protéger des
regards
indiscrets.

Définir les options du compilateur

Quand vous lancez VBA pour la première fois, celui-ci fait certaines
suppositions sur la façon dont vous comptez écrire du code. Ces
suppositions ne sont pas forcément judicieuses, et donc Microsoft met
à votre disposition un moyen de dire à VBA de faire autrement. Les
options de compilation qui apparaissent dans le Tableau 3.1 permettent de définir comment VBA travaille avec votre code (un *compilateur*
lit votre code et le traduit en instructions compréhensibles par la
machine). Vous pouvez ajouter ces options au tout début d'un module,
d'un module de classe, d'un formulaire ou de n'importe quel code.

La directive "Option Explicit" est si importante que vous devriez
toujours l'utiliser. Le Listing 3.1 donne un court exemple de la façon
dont ça marche.

Listing 3.1 : Utiliser Option Explicit pour réduire les erreurs.

```
' Disons à VBA que nous voulons déclarer les variables.
Option Explicit

' Cette Sub ne va pas marcher car la variable n'est pas définie
Public Sub VerifOption()
    MyVar = "Bonjour"
    MsgBox MyVar
End Sub

' Cette Sub va marcher
Public Sub VerifOption2()
```

```
' Déclarons la variable en tant que chaîne.
Dim MyVar As String

' Assignons une valeur à la variable.
MyVar = "Bonjour"

' Affichons un message.
MsgBox MyVar
End Sub
```

Dans les deux cas, la Sub définit une valeur pour une variable appelée MyVar. Ça ne marche que dans le deuxième cas car MyVar est déclarée comme chaîne par l'instruction Dim.

Tableau 3.1 : Les options de compilation de VBA.

Option	Description
Option Base <nombre>	Utilisez cette option pour modifier la façon dont VBA numérote les éléments de tableaux. La numérotation peut commencer à 0 ou 1. On verra ça au Chapitre 9, avec les tableaux.
Option Explicit	Les bons programmeurs VBA ajoutent toujours cette option à leur code. Elle indique à VBA que vous désirez définir – on dit aussi *déclarer* - les variables avant de les utiliser (c'est très vivement conseillé). Non seulement cette option rend le code plus lisible, mais elle permet aussi d'éviter les fautes de frappe car VBA est alors en mesure de vérifier. Par exemple, si vous tapez MyVar et MVar sans l'option Explicit, ces deux expressions seront considérées comme deux variables différentes. Avec l'option Explicit, vous aurez déclaré MyVar et VBA vous demandera alors ce qu'est MVar.
Option Compare <méthode>	Utilisez cette option pour modifier la façon dont VBA compare les chaînes de caractères (*strings*, dans la langue de Wellington). Quand on utilise la méthode "Binary", VBA considère que bonjour et Bonjour sont deux chaînes différentes car la première est en minuscule dans un cas et en majuscule dans l'autre. En utilisant la méthode "Text", VBA ne fait plus la différence. La méthode "Database" est uniquement disponible dans Access : elle utilise l'ordre de tri d'une base de données pour comparer des chaînes.
Option Private Module	Utilisez cette option pour rendre un module privé, de sorte qu'aucun autre module ne puisse voir ce qu'il contient. Les concepts de "public" et de "privé" constituent ce qu'on appelle la *portée* d'un objet. On va voir ça un peu plus loin dans le chapitre.

L'approche Lego

L'approche Lego pour écrire du code consiste à fragmenter le programme en petits modules et à n'écrire qu'un module à la fois. C'est la seule façon d'écrire du code compréhensible et facile à modifier plus tard. Ça permet aussi de réutiliser des bouts de code dans d'autres programmes.

Faire le plan de l'application

Le plan de l'application montre dans quel ordre assembler les briques afin d'obtenir un résultat donné. Vous pouvez utiliser des briques de trois tailles :

- Projets.
- Modules, formulaires et modules de classe.
- Subs et Functions.

Vous trouverez des briques toutes faites dans ce livre, dans l'aide VBA ou sur des sites comme http://www.vbfrance.com.

Définir le projet

Peut-être n'aurez-vous jamais à définir plus d'un projet pour un programme. C'est particulièrement le cas avec les projets Access et Excel dans lesquels tout est censé tenir dans un seul fichier. Il est aussi possible de mettre tout ce dont vous avez besoin dans un unique modèle Word si c'est le seul modèle que vous utilisez et qu'il convient à la plupart de vos documents.

Cependant, regardez un peu Word, et vous allez découvrir quelque chose concernant les projets. La Figure 3.3 montre une fenêtre Projet typique. Remarquez qu'elle contient trois projets : Normal, Project et TemplateProject.

Word charge toujours le modèle normal.dot. Vous pouvez aussi utiliser un modèle personnalisé. Et enfin, il y a le document, qui compte aussi comme un projet. Dans ce cas, j'ai écrit un programme pour le document qui utilise des fonctions du modèle "Lettre" aussi bien que du modèle Normal. On verra ça en détail au Chapitre 13. Ça vous arrivera aussi quand vous écrirez des programmes Word.

Définir le programme signifie se demander de combien de briques vous avez besoin pour accomplir une tâche. Vous pouvez utiliser

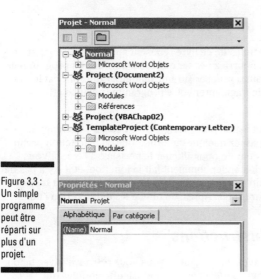

Figure 3.3 :
Un simple
programme
peut être
réparti sur
plus d'un
projet.

l'approche simpliste et utiliser un seul projet à chaque fois. Mais, pourquoi vous compliquer la vie ? S'il faut plusieurs projets, VBA vous aidera à gérer tout ça très facilement.

Ajouter un module

Au fur et à mesure que vous perfectionnez votre façon de programmer, vous allez ressentir le besoin d'interagir avec l'utilisateur d'une façon ou d'une autre. Vous allez vouloir poser des questions à l'utilisateur. Cette tâche requiert que vous ajoutiez un formulaire à votre projet. Assurez-vous de créer des formulaires simples pour l'utilisateur, qui ne lui demandent pas en même temps des tas d'informations disparates et sans rapport apparent les unes avec les autres. Nous verrons au Chapitre 7 comment faire ça proprement.

Travailler avec des objets signifie utiliser des classes. Pour créer un objet particulier, ajoutez un module de classe à votre application. Comme lorsque vous ajoutez des formulaires, vous devriez ajouter un module de classe pour chaque nouvel objet que vous créez. Assurez-vous que chaque objet que vous créez n'accomplit qu'une seule tâche. Ça, ce sera pour le Chapitre 8 !

Conception de procédures

La plupart des exemples de ce livre reposent sur un seul projet et un seul module. Vous pourriez penser que la plupart de vos programmes (sinon tous) vont aussi reposer sur une unique brique. Si c'est le cas, essayez toujours de fragmenter votre programme en Subs et Functions.

La fonction MsgBox est un bon exemple de ça. Regardez comment elle marche : vous lui passez quelques informations, et la fonction prend tous les détails en compte pour afficher le message à l'écran. Vous n'avez pas à vous demander comment fait la fonction, et il n'y a pas de meilleure façon d'utiliser une fonction : elle est bien écrite et testée une bonne fois pour toutes. Après, on oublie les détails et on l'utilise.

Ecriture d'instructions

Une fois que vous avez tout organisé, vous vous retrouvez avec un ou plusieurs projets qui contiennent un ou plusieurs modules qui contiennent au moins un sous-programme. Tous vos Lego sont assemblés, mais ils sont vides. Ce sont les instructions que vous allez écrire pour finir qui vont créer le programme. La phase d'organisation préalable simplifie l'écriture ultérieure des instructions parce que vous n'avez plus à vous concentrer que sur une seule chose à la fois.

Il y a encore deux choses qui font partie de l'organisation : l'aération du code avec des blancs et les commentaires. On va revenir là-dessus un peu plus loin dans le chapitre.

Votre première Sub

La plupart des produits Office possèdent un formulaire de propriétés pour les documents qui comporte un onglet "Résumé" similaire à celui de la Figure 3.4. On trouve des variantes de ce formulaire dans quasiment tous les logiciels. L'onglet "Résumé" donne plein d'infos intéressantes pour vos programmes. Vous y trouvez des statistiques, le nom de l'auteur et des tas d'autres trucs. Allez jeter un coup d'œil dans l'aide VBA à la rubrique BuiltinDocumentProperties pour plus d'informations.

C'est la première fois que nous allons travailler directement avec un objet. La propriété que nous voulons utiliser est **BuiltinDocumentProperties**. Cette propriété est disponible dans la plupart des produits Office, mais elle est attachée à un objet différent

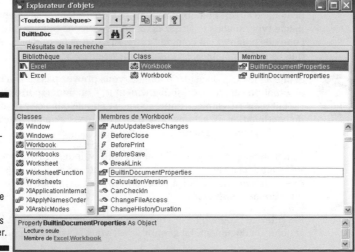

Figure 3.4 :
Beaucoup
d'applica-
tions incluent
un onglet
Résumé
comme
celui-ci.

à chaque fois. Quand vous utilisez Word, cette propriété est attachée
aux objets Word.Document et Word.Template. Dans Excel, elle est
attachée à Excel.Worksheet. Utilisez l'explorateur d'objets (touche F2)
pour trouver cette propriété. Tapez BuiltinDocumentProperties dans
le champ de recherche et cliquez "Rechercher". La Figure 3.5 montre
le résultat dans le cas d'Excel.

Figure 3.5 :
La
documenta-
tion parle
souvent
d'une
propriété
intéressante
mais ne dit
pas toujours
où la trouver.

Regardez le texte en bas de la Figure 3.5. Il y a le nom complet de l'objet associé à la propriété, ce qui est commode pour écrire le code du Listing 3.2. Il s'agit ici du code pour Excel. Si vous voulez l'adapter à une autre application Office (excellent exercice !), modifiez l'objet ActiveWorkBook (ce sera Document ou Template pour Word).

Listing 3.2 : Trouver l'auteur d'un document.

```
Public Sub TrouveAuteur ()
    ' Définit un objet DocumentProperty pour contenir l'information
    Dim Auteur As DocumentProperty

    ' Récupère le nom de l'auteur
    Set Auteur = _
        ActiveWorkbook.BuiltinDocumentProperties("Author")

    ' Affiche un message montrant le nom de l'auteur.
    MsgBox Auteur.Value, vbOKOnly, "Nom de l'auteur"
End Sub
```

Cet exemple commence par déclarer une variable Auteur de type DocumentProperty, qui peut recevoir n'importe quelle propriété de document, comme le nom de l'auteur ou celui de la société. Auteur est un peu différent des autres variables parce qu'en fait, c'est un véritable objet.

La ligne de code suivante affecte la variable Auteur à sa valeur réelle, retournée par l'objet BuiltinDocumentProperties("Author"). Il est possible d'affecter un objet à un autre à condition qu'ils soient du même type. Si vous regardez deux pommes, vous pouvez dire que l'une des pommes est comme l'autre, mais vous ne pouvez pas dire que l'une des pommes est comme une orange.

Si une ligne de code est trop longue, vous pouvez passer à la ligne en ajoutant un caractère de soulignement ("_" ou underscore) comme je l'ai fait dans l'exemple. L'underscore est appelé dans ce cas "caractère de continuation". C'est une bonne idée de faire ça quand le texte oblige à utiliser la barre de défilement horizontal.

La dernière ligne de code affiche la Value (valeur) de l'objet Auteur. VBA sait déjà comment travailler avec d'autres variables que celles que vous avez vues jusqu'à présent. Un objet demande habituellement un traitement spécial.

Exécutez ce programme et vous verrez un message affichant le nom de l'auteur du document. En général, c'est vous ! Essayez de changer le nom de l'auteur (voir Figure 3.4) en autre chose. Le programme devrait refléter votre modification.

Votre première Fonction

L'exemple précédent est sympa, mais vous aimeriez peut-être récupérer un peu plus d'information à la fois que juste le nom de l'auteur. D'habitude, en VBA, on réserve l'usage des fonctions aux tâches répétitives. C'est ce que nous allons voir dans l'exemple qui suit.

Le Listing 3.3 utilise une Sub GetInfos qui appelle la fonction GetDocProperty plusieurs fois. À chaque fois, une variable spéciale stocke le résultat. À la fin du programme, GetInfos affiche toutes les informations que le programme a accumulées.

Listing 3.3 : Utiliser une fonction pour retrouver plus d'informations.

```
Public Sub GetInfos()
    ' Déclarons une chaîne qui recevra l'information à afficher.
    Dim DocumentData As String

    ' Stockons le nom de l'information.
    DocumentData = "Nom de l'auteur : "

    ' Ajoutons le nom de l'auteur.
    DocumentData = DocumentData + GetDocProperty("Author")

    ' Ajoutons une ligne vide.
    DocumentData = DocumentData + vbCrLf

    ' Stockons le nom de l'information suivante.
    DocumentData = DocumentData + "Société : "

    ' Ajoutons le nom de la société.
    DocumentData = DocumentData + GetDocProperty("Company")

    ' Affichons tout ça.
    MsgBox DocumentData, vbOKOnly, "Infos"
End Sub

Private Function GetDocProperty(Name As String) As String
    ' Declaration d'un objet DocumentProperty pour recevoir
      l'information
    Dim MyProperty As DocumentProperty
```

```
' Affectons l'objet DocumentProperty à la propriété demandée
Set MyProperty = _
    ActiveWorkbook.BuiltinDocumentProperties(Name)

' Retournons le résultat.
GetDocProperty = MyProperty.Value
End Function
```

Le Listing 3.3 commence avec GetInfos. Le plus gros de ce que vous voyez ressemble à ce que nous avons déjà rencontré. Cependant, observez ce qui se passe avec la chaîne DocumentData. L'exemple construit littéralement le texte à afficher en ajoutant à chaque fois le précédent contenu de la chaîne à elle-même (on appelle ça une *concaténation*). Au début, DocumentData contient la chaîne "Nom de l'auteur : ". Ensuite, on accole le véritable nom de l'auteur en utilisant *notre* fonction GetDocProperty.

Une autre nouveauté est l'usage d'une constante. La constante VBA vbCrLf contient les caractères spéciaux qui simulent l'appui sur la touche Entrée (comme quand vous passez à la ligne dans votre traitement de texte).

La fonction GetDocumentProperty introduit plusieurs idées nouvelles. La première idée est celle d'une valeur de retour. Les fonctions peuvent retourner une valeur au programme appelant. La seconde idée est celle d'un argument. Un *argument* est une valeur que l'on passe à une Sub ou à une Function. Dans ce cas, Name reçoit ce que GetInfos passe à la fonction GetDocProperty.

Le code de GetDocProperty ressemble à l'exemple de la précédente section qui utilisait une Sub. La différence, c'est qu'il y a une valeur d'entrée, l'argument Name qui n'est rien d'autre qu'une variable interne à la fonction GetDocProperty. Cet argument Name est lui-même passé à ActiveWorkbook.BuiltinDocumentProperties au lieu d'une constante. Remarquez aussi que le code affecte la fonction elle-même à la propriété MyProperty.Value. C'est la façon dont une fonction retourne une valeur au programme appelant. La Figure 3.6 montre ce que produit cet exemple.

Apportez la portée !

La portée est une notion importante à deux titres pour un programmeur VBA. D'abord, si chaque partie d'un programme pouvait voir toutes les autres, ce serait une belle pagaille car il y aurait trop de choses à suivre. Ensuite, les programmes doivent protéger leurs

Figure 3.6 :
En combinant
tout ce que
vous avez
appris
jusque-là,
vous pouvez
créer un bel
affichage
d'informa-
tions.

données pour s'assurer qu'elles ne seront endommagées d'aucune manière. En résumé, vous devez laisser certaines parties de votre programme visibles pour les gens qui doivent les utiliser, mais vous devez cacher le reste afin de le protéger.

Comprendre le but de la portée

Vous avez vu deux mots-clés utilisés jusqu'ici pour tous les exemples : *Public* et *Private*. Ces deux mots-clés peuvent s'appliquer aussi à d'autres éléments. Vous pouvez les utiliser pour définir la portée des variables et des classes. La portée a des conséquences sur à peu près tous les éléments de programmation que vous allez utiliser dans ce livre. Il y a donc sacrément intérêt à comprendre comment ça marche !

- **Public** : Dit à VBA qu'il doit autoriser les autres programmes à voir les éléments concernés.
- **Private** : Dit à VBA qu'il doit cacher les éléments concernés.

Les effets de la portée

La meilleure façon de comprendre la portée est de travailler avec. Nous allons faire quelques tests simples pour montrer comment un changement dans la portée peut affecter vos programmes. La règle la plus importante est que la portée n'affecte que ce qui se trouve à l'extérieur du bloc courant (oui, oui, je continue à filer la métaphore Lego !).

Si vous commencez un module par **Option Private Module**, vous rendez tout ce que contient ce module invisible au monde extérieur. Même si le module contient une Public Sub, seuls les autres éléments à l'intérieur du module pourront la voir. De même, quand vous déclarez une Private Sub, tout ce qui se trouve dans le module courant pourra la voir, mais rien à l'extérieur de ce module ne le pourra.

Le Listing 3.4 explique les mécanismes liés à la portée. D'autres exemples viendront compléter le propos, mais c'est déjà un bon début.

Listing 3.4 : Utilisation de variables globales.

```
' Déclarons une variable globale privée.
Private MyGlobalVariable As String

Public Sub GlobalTest()
    ' Assignons une valeur à la variable globale.
    MyGlobalVariable = "Bonjour"

    ' Affichons la valeur.
    MsgBox MyGlobalVariable

    ' Appelons la Sub GlobalTest2
    GlobalTest2

    ' Affichons la valeur de MyGlobalVariable au retour de
        GlobalTest2.
    MsgBox MyGlobalVariable
End Sub

Private Sub GlobalTest2()
    ' Montrons que la variable globale est vraiment globale.
    MsgBox MyGlobalVariable

    ' Changeons la valeur de la variable globale.
    MyGlobalVariable = "Au revoir"
End Sub
```

La variable MyGlobalVariable est globale, mais privée. Cela veut dire que vous ne pouvez pas avoir accès à cette variable depuis l'extérieur du module courant. En revanche, comme elle est globale dans le module, elle sera visible de toutes les procédures du module.

Un autre exemple : GlobalTest est une Sub publique, mais GlobalTest2 est privée. Vous pouvez vérifier l'effet de la portée dans ce cas en ouvrant la boîte de dialogue macro en cliquant sur Outils/Macro/Macros. Vous y verrez GlobalTest, mais pas GlobalTest2.

Tapez et exécutez le code du Listing 3.4 pour voir comment les deux Subs interagissent. Vous devriez voir trois messages. Le premier affiche "Bonjour" parce que GlobalTest affecte le contenu de MyGlobalVariable. Le deuxième affiche aussi "Bonjour" parce que MyGlobalVariable est globale, et donc toujours visible à l'intérieur de GlobalTest2, bien que l'affectation ait eu lieu dans GlobalTest. Enfin, le troisième affiche "Au revoir" parce que GlobalTest2 a changé la valeur de MyGlobalVariable.

Ecrire du code lisible

Vous avez sûrement remarqué dans ce chapitre l'usage d'espaces blancs pour rendre le code plus lisible. Si vous tapiez toutes les instructions de votre programme à la suite les unes des autres, le programme continuerait à marcher car VBA ignore les blancs. Cependant, votre code serait quasiment illisible !

Il y a deux types de blancs. Remarquez que, dans les exemples, chaque paire commentaire-instruction est suivie d'une ligne blanche. Cette ligne vierge indique au lecteur du code qu'il est à la fin d'une étape dans la procédure. C'est le premier type de blanc.

Le deuxième type de blanc correspond à ce qu'on appelle l'*indentation*. Les exemples de ce livre indentent le code à l'intérieur d'une Sub ou d'une Function pour rendre plus clair le corps de la Sub ou de la Function. L'indendation consiste à mettre certaines lignes en retrait pour bien montrer qu'elles font partie d'un sous-ensemble.

Rendre votre code lisible par les autres

La technique du pseudo-code que j'ai exposée au Chapitre 2 est un bon point de départ pour documenter votre code. Cependant, arrivé à un certain point, vous allez avoir besoin d'en rajouter parce que la simple lecture de la procédure présentée par le pseudo-code ne sera pas suffisante pour la comprendre. Déjà, ce ne serait pas mal d'indiquer votre nom et le titre du projet !

Ecriture de commentaires de base

Un des plus importants commentaires que vous puissiez faire est de dire pourquoi vous avez choisi d'écrire le programme d'une certaine manière plutôt que d'une autre. Dire simplement que le code fait telle chose ne suffit pas car il est généralement possible de faire la même chose autrement. Dire pourquoi vous avez fait certains choix minimise le risque d'erreurs lors des mises à jour.

Comme tout bon programmeur, vous devez aussi consigner vos erreurs dans les commentaires. Cela aidera peut-être celui qui vous lira à ne pas commettre les mêmes (ou vous à ne plus recommencer !).

Quand faut-il commenter ?

Le plus souvent possible. Utilisez les commentaires sans modération. Vous pensez peut-être que c'est contraignant à taper ou que ce que vous avez à dire n'a aucun intérêt. Vous avez raison sur le premier point : c'est contraignant à taper. En plus, ça mange tout votre temps. Concernant le deuxième point, vous vous cachez la vérité : ça va vous obliger à réfléchir ! Cependant, dites-vous bien que le programme le moins bien commenté est en général celui qui provoque le plus de migraines au moment des mises à jour, et même parfois avant. J'ai souvent rencontré des situations où des sociétés étaient obligées de refaire tout programmer à partir de zéro parce que le code n'avait pas été commenté… Ça leur revenait moins cher que de payer un gars pour essayer de comprendre le code existant !

Chapitre 4

Stockage
et modification
des informations

. . . .

Dans ce chapitre :

▶ Utiliser des variables.

▶ Utiliser des constantes.

▶ Travailler avec différents types de données.

▶ Modifier des données en utilisant des opérateurs.

▶ Concevoir un état pour Excel.

. . . .

     Dans ce chapitre, je vais préciser le concept de variable en décrivant les types de variables et la façon de modifier leur contenu. Comprendre comment un ordinateur stocke les informations est très important. Les ordinateurs ne voient pas les informations de la même façon que nous : beaucoup de méthodes de représentation des informations sont incompréhensibles pour un ordinateur.

Variables et constantes

Les variables ont une *portée* et un *type*. Nous allons passer en revue les types de données plus loin dans ce chapitre. Il faut déclarer les variables en précisant à la fois leur portée et leur type pour que VBA sache quoi en faire. Le Listing 4.1 montre quelques exemples de déclarations de constantes et de variables.

Listing 4.1 : Exemples de déclarations de constantes et de variables avec leur portée.

```
Option Explicit

' Cette variable est visible depuis tous les autres modules.
Public MyPublicVariable As String
' Cette variable est visible seulement dans ce module.
Private MyPrivateVariable As String
' Utiliser Dim revient à rendre la variable privée.
Dim MyDimVariable As String

' Cette constante est utilisée uniquement pour la compilation
  conditionnelle.
#Const MyConditionalConstant = "Bonjour"
' Cette constante est visible depuis tous les autres modules.
Public Const MyPublicConstant = "Bonjour"
' Cette constante n'est visible que dans ce module.
Private Const MyPrivateConstant = "Bonjour"

Public Sub DataDeclarations()
    ' Seule cette Sub peut voir la variable suivante.
    Dim MyDimSubVariable As String

    ' Seule cette Sub peut voir la constante suivante.
    Const MySubConstant = "Bonjour"
End Sub
```

Les déclarations de variables sont constituées d'un des deux mots Public ou Private pour la portée et d'un mot-clé suivant le nom de la variable pour définir son type. Toutes les variables de cet exemple sont de type *string* (ce qui veut dire qu'elles contiennent du texte). Le mot clé Dim rend une variable privée. Cependant, il est préférable d'utiliser le mot Private par souci de clarté.

Remarquez que la première déclaration de constante est utilisée pour la compilation conditionnelle. Vous pouvez utiliser cette déclaration à la place du champ "Arguments de compilation conditionnelle" que nous avons vu au Chapitre 3. Il n'est pas possible de définir une telle constante comme privée ou publique parce que, de toutes façons, sa valeur est cachée des autres modules. Une telle constante est donc privée en soi.

Les deux autres types de déclarations de constantes reposent sur les notions de portée privée et publique. Remarquez que vous devez utiliser le mot-clé *Const* pour indiquer qu'une valeur est constante. Une constante a un nom et on lui assigne une valeur. Cependant, une constante n'a pas de type. VBA stocke les constantes comme des séries de bits en utilisant l'information que vous lui fournissez. Comme il n'est pas possible de changer la valeur d'une constante, le fait qu'elle n'a pas de type est sans importance.

Les variables et les constantes définies dans une Sub ou une Function sont privées pour cette Sub ou Function. Par conséquent, VBA impose que vous utilisiez le mot-clé Dim dans ce cas.

Savoir quel type de données utiliser

Pour commencer, il faut toujours utiliser des variables afin d'être en mesure de modifier facilement les données. Les variables procurent une flexibilité que les constantes ne procurent pas. Cependant, les constantes ont aussi leurs avantages :

- ✔ **Vitesse** : L'utilisation de constantes fait que les applications tournent plus vite. Les constantes sont moins gourmandes en mémoire, et VBA optimise votre programme quand vous les utilisez.

- ✔ **Fiabilité** : Les constantes ont des valeurs fiables. Si une constante a une valeur donnée au démarrage d'un programme, vous pouvez être sûr qu'elle aura la même au moment de sa fermeture.

- ✔ **Facilité de lecture** : La constante vbCrLf rencontrée au Chapitre 3 ne change jamais quel que soit le programme que vous écrivez. N'importe quel développeur qui voit cette constante sait que c'est un saut de ligne (Cr veut dire "carriage return" ou "retour chariot" et Lf "line feed" ou "fin de ligne" ; ces termes remontent au temps des machines à écrire !).

Il y a d'autres raisons pour utiliser des constantes à la place des variables. Par exemple, l'explorateur d'objets vous permet de travailler facilement avec les constantes. À chaque fois que vous sélectionnez une constante, vous en voyez la valeur, comme dans la Figure 4.1. Remarquez que le texte en bas de l'explorateur d'objets vous dit que la constante sélectionnée est publique et vaut "Bonjour".

Définir la portée

Le Listing 4.1 montre que les règles concernant la portée sont les mêmes pour les constantes et les variables. Utilisez toujours Private pour tenir une constante ou une variable cachée du monde extérieur. Utilisez Public pour laisser un accès à la variable ou à la constante

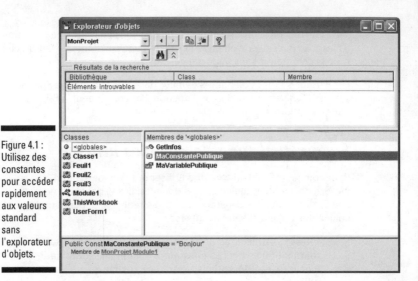

Figure 4.1 :
Utilisez des
constantes
pour accéder
rapidement
aux valeurs
standard
sans
l'explorateur
d'objets.

depuis l'extérieur du module courant. Toute variable ou constante que
vous définissez dans une Sub ou une Function est toujours privée pour
cette Sub ou Function.

Définir le type de données

Un *type de donnée* est une méthode pour définir une donnée afin de
rendre son usage plus facile. L'ordinateur continue à voir la donnée
comme une suite de bits, mais VBA travaille de différentes façons avec
de différents types de données.

VBA supporte un grand nombre de types standard comme Byte,
Boolean, Integer, Long, Currency, Decimal, Single, Double, Date, String,
Object, et Variant. En plus de ces types prédéfinis, vous pouvez créer
vos propres types en fonction de vos besoins. Un type personnalisé
vous donne le pouvoir d'étendre la façon dont VBA interprète les
données, bien que l'ordinateur, lui, continue à voir les données comme
des suites de bits sans signification particulière.

Un langage qui utilise des types s'appelle un *langage typé*. Un langage
peut être plus ou moins typé suivant la façon dont il a été conçu.
Pascal est un langage fortement typé car ce n'est même pas la peine
d'espérer une seconde utiliser une variable non déclarée avec ce
langage. Et c'est tant mieux. Basic est faiblement typé. À l'origine, il ne

l'était même pas du tout ! Une même variable pouvait représenter un nombre ou un mot. Bonjour la rigueur et la clarté... Heureusement, avec VBA, vous avez la possibilité de typer les variables, et je ne saurais trop vous encourager à le faire.

Utiliser les chaînes (type String) pour les textes

Le premier type de données dont nous allons parler dans ce chapitre est un de ceux que vous avez déjà rencontrés dans les exemples qui utilisaient des boîtes de message : le type String. String est le type le plus utile et le plus utilisé en VBA.

Comprendre les chaînes

Une chaîne est une suite de caractères. Il y a bien sûr les caractères imprimables, mais il y a aussi les caractères de contrôle qui déterminent comment le texte apparaît à l'écran. Bien qu'une chaîne puisse contenir quelques éléments particuliers, elle contient essentiellement du texte.

Les codes de caractères

Les chaînes peuvent contenir beaucoup d'éléments. Dans les exemples précédents, je vous ai montré des chaînes qui contenaient des caractères de contrôle comme la constante vbCrLf. Cette constante (qui est une chaîne) contient en réalité deux caractères de contrôle : un retour chariot (Cr) et une fin de ligne (Lf). Le retour chariot place le curseur au début de la ligne et le caractère de fin de ligne le place sur la ligne suivante. En utilisant la combinaison des deux, vous obtenez la même chose que si vous appuyiez sur la touche Entrée de votre clavier.

Il existe une fonction spéciale, *Chr*, qui permet d'afficher des caractères spéciaux. Vous pouvez utiliser cette fonction conjointement avec la Table de caractères de Windows (habituellement accessible par Démarrer/Programmes/Accessoires/Outils système) pour produire n'importe quel caractère, même s'il n'est pas directement accessible depuis votre clavier. La Figure 4.2 montre à quoi ressemble la Table de caractères.

Quand vous survolez un caractère avec votre souris, la bulle d'aide affiche le caractère Unicode en hexadécimal (base 16, nous verrons ça

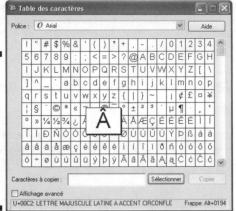

Figure 4.2 :
La Table de
caractères
affiche tous
les
caractères
imprimables
disponibles
pour une
police
donnée.

plus loin). Si vous sélectionnez un caractère, le code Unicode (autre-fois ASCII, mais ce code a été étendu) de celui-ci s'affiche dans le coin inférieur gauche de la fenêtre et vous pouvez voir une vue agrandie du caractère. Le Listing 4.2 montre comment utiliser la fonction Chr.

Listing 4.2 : Affichage de caractères spéciaux.

```
Public Sub MontreCaractere()
    ' Déclaration .d'une chaîne
    Dim MyChar As String

    ' Disons quel type de caractère le code va afficher.
    MyChar = "Lettre A accent circonflexe majuscule : "

    ' Ajout du caractère voulu.
    MyChar = MyChar + Chr(&HC2)

    ' Affichons le résultat.
    MsgBox MyChar, vbOKOnly, "Caractère spécial"
End Sub
```

Ce programme affiche dans un message la lettre A accent circonflexe majuscule. Regardez comment on utilise la fonction Chr : on lui passe une valeur hexadécimale (&HC2 correspond au caractère voulu d'après la Table de caractères de Windows) et elle retourne une chaîne, contenant en l'occurrence le caractère désiré. Le "&H" dénote qu'il s'agit d'une valeur hexadécimale (C2, qui vaut 12*16+2=194 en base 10).

Vous pouvez aussi obtenir le code qui correspond à un caractère donné. Un programme pourrait utiliser ce nombre pour tester si une chaîne donnée contient ce caractère. La fonction qui fait cela (inverse de Chr) est la fonction *Asc*. Vous lui passez un caractère et elle vous retourne le code de celui-ci, en décimal. Le Listing 4.3 montre un exemple d'utilisation de la fonction Asc.

Listing 4.3 : Obtenir le code d'un caractère.

```
Public Sub MontreCode()
    ' Déclaration des variables de sortie.
    Dim MyChar As String
    Dim CharNum As Integer

    ' Affectation du caractère spécial à MyChar.
    MyChar = Chr(&HC2)

    ' Détermination du code Unicode du caractère.
    CharNum = Asc(MyChar)

    ' Affichage du résultat (en base 10).
    MsgBox "Caractère " + MyChar + _
        " = Valeur décimale " + CStr(CharNum), _
        vbOKOnly, _
        "Valeur décimale d'un caractère spécial"
End Sub
```

Ce programme montre que la lettre A accent circonflexe a le code décimal 194. Cette valeur est égale à C2h. Remarquez que quand vous voyez un nombre suivi d'un *h* minuscule, le nombre est écrit en hexadécimal. VBA écrit toujours les nombres hexadécimaux avec un préfixe &H, comme dans &HC2. Ce programme utilise aussi la fonction *CStr*, qui transforme un nombre en chaîne. Nous allons revenir là-dessus plus loin.

Retirer les espaces inutiles

Certaines chaînes sont parfois affublées d'espaces inutiles au début ou à la fin. VBA possède trois fonctions capables de les supprimer :

✔ **LTrim** : Supprime tous les espaces à gauche de la chaîne.

✔ **RTrim** : Supprime tous les espaces à droite de la chaîne.

✔ **LTrim** : Supprime tous les espaces des deux côtés de la chaîne.

Le Listing 4.4 montre ces fonctions et leurs combinaisons en action.

Listing 4.4 : Retirer les espaces inutiles dans une chaîne.

```
Public Sub VireEspaces()
    ' Déclaration d'une chaîne.
    Dim IStr As String

    ' Déclaration de la chaîne de sortie.
    Dim Sortie As String

    ' Affectation d'une chaîne avec des espaces excédentaires à IStr
    IStr = "    Bonjour        "

    ' Montrer la longueur de la chaîne originale.
    Sortie = "Longueur de la chaîne originale : " + CStr(Len(IStr))

    ' Virer les espaces à gauche.
    Sortie = Sortie + vbCrLf + _
        "Longueur après LTrim : " + CStr(Len(LTrim(IStr))) + _
        " Valeur : " + Chr(&H22) + LTrim(IStr) + Chr(&H22)

    ' Virer les espaces à droite.
    Sortie = Sortie + vbCrLf + _
        "Longueur après RTrim : " + CStr(Len(RTrim(IStr))) + _
        " Valeur : " + Chr(&H22) + RTrim(IStr) + Chr(&H22)

    ' Virer les espaces avant et après.
    Sortie = Sortie + vbCrLf + _
        "Longueur après Trim : " + CStr(Len(Trim(IStr))) + _
        " Valeur : " + Chr(&H22) + Trim(IStr) + Chr(&H22)

    ' Affichage du résultat.
    MsgBox Sortie, vbOKOnly, "Suppression des espaces inutiles"
End Sub
```

Le programme commence par créer une chaîne avec des espaces au début et à la fin. Il se déroule en quatre étapes qui créent une chaîne de sortie mettant en œuvre quelques fonctions de gestion des chaînes. La première étape détermine la longueur de la chaîne originale en utilisant la fonction *Len*. Comme la fonction Len retourne un entier, le code utilise la fonction CStr pour convertir le nombre en chaîne. Remarquez qu'on peut imbriquer des fonctions comme je l'ai fait ici avec Len et CStr.

Les trois autres étapes sont similaires. Le code calcule d'abord la longueur de la chaîne de sortie puis place celle-ci dans la chaîne Sortie. Il retire ensuite les espaces indésirables et place la valeur résultante à nouveau dans la chaîne Sortie.

Remarquez que le code utilise Chr(&H22) à plusieurs endroits. Cette expression produit des guillemets. Comme VBA utilise lui-même des guillemets pour délimiter le début et la fin des chaînes, c'est une des nombreuses façons dont vous disposez pour afficher des guillemets dans une chaîne.

Obtenir les données dont vous avez besoin

Les chaînes peuvent contenir plus d'information que vous n'en avez réellement besoin. Elles peuvent aussi présenter des informations sous une forme dont vous ne pouvez rien faire. Il est possible d'utiliser une chaîne pour stocker plusieurs morceaux d'information que vous désirez envoyer d'un seul coup à un autre endroit. Quand la chaîne arrive à destination, le programme qui la reçoit se charge de la décoder et de la découper pour récupérer les morceaux originaux.

Les trois fonctions permettant d'extraire des morceaux de chaînes sont *Left*, *Right* et *Mid*. La première permet d'extraire le côté gauche de la chaîne, la seconde le côté droit et la troisième le milieu. Il faut évidemment dire à chacune de ces fonctions où commencer et où s'arrêter. Une façon de faire est d'utiliser *InStr* et *InStrRev*. Le Listing 4.5 montre quelques techniques que vous pouvez utiliser pour "parser" ("parcourir" serait plus français, mais "parser" est passé dans la langue parlée des développeurs français ; franglais, quand tu nous tiens !) une chaîne.

Listing 4.5 : Trouver de l'information en "parsant" une chaîne.

```
Public Sub ParseString()
    ' Création d'une chaîne avec des éléments que le programme va
      pouvoir isoler.
    Dim MyStr As String

    ' Création d'une chaîne de sortie.
    Dim Sortie As String

    ' Remplissage de la chaîne d'entrée.
    MyStr = "Une chaîne à découper"

    ' Affichons la chaîne entière.
    Sortie = "La chaîne entière est : " + MyStr

    ' Récupérons le premier mot.
    Sortie = Sortie + vbCrLf + "Premier mot : " + _
            Left(MyStr, InStr(1, MyStr, " "))
```

```
      ' Récupérons le dernier mot.
      Sortie = Sortie + vbCrLf + "Dernier mot : " + _
            Right(MyStr, Len(MyStr) - InStrRev(MyStr, " "))

      ' Récupérons le mot "chaîne".
      Sortie = Sortie + vbCrLf + "Le mot chaîne : " + _
            Mid(MyStr, _
                  InStr(1, MyStr, "chaîne"),Len("chaîne"))

      ' Affichons le résultat.
      MsgBox Sortie, vbOKOnly, "Découpage d'une chaîne"
End Sub
```

Le code commence par créer deux variables : une pour la chaîne d'origine et une pour la chaîne de résultat destinée à être affichée. La chaîne originale est une simple phrase facile à découper. La première tâche est la plus simple : le code repère le premier mot de la phrase. Pour cela, la fonction Left retourne le texte commençant au premier caractère et finissant au premier espace. La fonction InStr retourne la position du premier espace.

La deuxième tâche est plus compliquée. La fonction Right retourne la partie droite de la chaîne à partir d'une position donnée. La fonction InStrRev retourne le nombre de caractères entre le début de la chaîne et le dernier espace. La fonction Len retourne une valeur de 21 (la longueur de la chaîne), et InStrRev retourne 13 (le nombre de caractères entre le début de la chaîne et le dernier espace). La différence est égale à 8, nombre de lettres du dernier mot. Right va donc ici retourner "découper".

La dernière tâche consiste à chercher le mot "chaîne" dans MyStr. La fonction Mid s'acquitte de cette tâche. Elle nécessite trois arguments. Le premier est la chaîne à traiter. Le second est l'endroit où commencer (ici la position du mot "chaîne" dans MyStr). Le troisième est le nombre de caractères à prendre (ici la longueur du mot "chaîne").

Utilisation de nombres pour calculer

Les nombres sont utilisés dans les feuilles de calcul des tableurs, pour exprimer des quantités dans des bases de données ou pour numéroter les pages d'un document. Les programmes utilisent aussi des nombres pour compter des choses. C'est le cas lorsque l'on fait des boucles, par exemple pour déterminer la position de certains caractères dans une chaîne ou vérifier la valeur de vérité d'une assertion.

Les différents types numériques

Il y a quatre types numériques de base :

- ✔ **Integer** : Nombre entier. Un Integer peut représenter un nombre comme 5, mais pas comme 5.0. Bien que ces nombres soient égaux, ils n'ont pas le même type : le premier est un entier, mais pas le second.

- ✔ **Real** : Nombre à virgule. La partie décimale peut être nulle. 5.0 est un Real parfaitement acceptable. Un Integer et un Real sont stockés par la machine de façons complètement différentes (vous n'avez pas besoin de savoir comment pour utiliser VBA ; ça concerne uniquement le processeur !).

- ✔ **Currency** : Les calculs financiers requièrent usuellement une précision particulière. La plus petite erreur peut être une source de problèmes. Le type numérique Currency stocke les nombres avec une extrême précision, mais coûte cher en temps de calcul et en occupation mémoire.

- ✔ **Decimal** : Les ordinateurs stockent toutes les données sous forme binaire (en utilisant la base 2). Les humains utilisent plutôt le système décimal (la base 10) pour manipuler les nombres. De petites erreurs peuvent se produire quand vous convertissez un nombre d'une base à une autre. De telles erreurs accumulées peuvent conduire à des catastrophes. Le format Decimal stocke les nombres dans un format qui simule la base 10, ce qui élimine beaucoup d'erreurs de calcul. Cependant, ce système consomme plus de mémoire et de temps de calcul.

Il existe aussi des types numériques basés sur la quantité de mémoire nécessaire pour les données à représenter. VBA supporte trois types d'entiers : *Byte* (1 octet : nombres de 0 à 255), *Integer* (2 octets : nombres de 0 à 32767), et *Long* (4 octets : nombres de 0 à 2147483647). Consultez la rubrique "Type de données" de l'aide pour plus de détails. Le Listing 4.6 montre les différents types numériques.

Listing 4.6 : Etendues des différents types numériques.

```
Public Sub DataRange()
    ' Déclaration des variables numériques.
    Dim MyInt As Integer
    Dim MySgl As Single
    Dim MyDbl As Double
    Dim MyCur As Currency
```

```
Dim MyDec As Variant
Dim TwoTab As String

' Donnons une valeur à chaque variable.
MyInt = 30 + 0.00010001000111
MySgl = 30 + 0.00010001000111
MyDbl = 30 + 0.00010001000111
MyCur = 30 + 0.00010001000111
MyDec = CDec(30 + 0.00010001000111)

' Je définis une chaîne contenant 2 tabulations pour rendre
' l'affichage plus lisible
TwoTab = Chr(9) + Chr(9)

' Affichons le contenu réel de chaque variable.
MsgBox "Integer :" + TwoTab + CStr(MyInt) + _
        vbCrLf + "Single :" + TwoTab + CStr(MySgl) + _
        vbCrLf + "Double :" + TwoTab + CStr(MyDbl) + _
        vbCrLf + "Currency :" + vbTab + CStr(MyCur) + _
        vbCrLf + "Decimal :" + TwoTab + CStr(MyDec), _
        vbOKOnly, _
        "Types de données VBA"
End Sub
```

Remarquez qu'il n'est pas possible de déclarer directement le type décimal : vous êtes obligé de le déclarer de type *Variant* en VBA, puis de le convertir en décimal en utilisant la fonction *CDec*. Nous allons revoir le type Variant plus loin.

La Figure 4.3 montre une chose intéressante à propos des types numériques. Quand un type ne supporte pas les décimales, il les enlève sans autre forme de procès. C'est une des nombreuses raisons pour laquelle vous avez intérêt à faire sacrément gaffe avec les types numériques que vous utilisez.

Figure 4.3 :
De l'effet du type numérique sur les décimales.

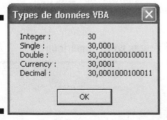

Types de données VBA

Integer :	30
Single :	30,0001
Double :	30,0001000100011
Currency :	30,0001
Decimal :	30,0001000100011

OK

Hexadécimal et octal

Le système décimal (base 10) est celui que nous utilisons naturelle-ment (parce que nous avons dix doigts…). Les ordinateurs (qui, comme chacun sait, n'ont que deux doigts), utilisent le système binaire (la base 2). Cela vient tout bêtement du fait qu'un circuit électrique ne peut avoir que deux états : on et off, que l'on symbolise par 1 et 0.

Calculer en base 2 est très difficile parce que les nombres, même petits, ont plein de chiffres (1101, c'est 13 !). Il est plus facile d'utiliser l'octal (base 8) ou l'hexadécimal (base 16). Un ordinateur convertit plus vite l'octal ou l'hexadécimal en binaire que le décimal. La récipro-que est vraie aussi. C'est pourquoi VBA n'utilise pas le binaire de façon directe, mais l'hexadécimal. La documentation VBA fournit souvent des valeurs de constantes en hexadécimal.

La plupart des gens ne sont pas très à l'aise dans des bases autres que 10 parce qu'ils ne s'en servent pas souvent. Si vous voulez éviter de devenir fou, utilisez la Calculatrice de Windows. Passez en mode scientifique en cliquant sur Affichage/Scientifique. La Figure 4.4 vous montre à quoi ressemble alors la bête. Pour convertir un nombre, cliquez sur la base de départ (Hex, Déc, Oct, Bin), tapez un nombre, et cliquez sur la base d'arrivée. Le résultat est alors affiché à la place du nombre original. Royal.

Figure 4.4 :
La Calcula-trice de Windows est super pratique pour faire des changements de base.

VBA met à votre disposition de nombreuses fonctions très utiles pour travailler avec les bases. Le Listing 4.7 vous montre ça.

Listing 4.7 : Conversions d'une base à une autre.

```
Public Sub ShowBase()
    ' Définissons les 3 variables qui vont contenir les entiers dans
      3 bases différentes.
    Dim OctNum As Integer
    Dim DecNum As Integer
    Dim HexNum As Integer

    ' Une chaîne de sortie pour l'affichage.
    Dim Sortie As String

    ' Un nombre en octal.
    OctNum = &O110

    ' Un nombre en décimal.
    DecNum = 110

    ' Un nombre en hexa.
    HexNum = &H110

    ' Une en-tête.
    Sortie = vbTab + vbTab + vbTab + "Oct" + _
             vbTab + "Déc" + _
             vbTab + "Hex" + vbCrLf

    ' La chaîne de sortie.
    Sortie = Sortie + "Nombre octal : " + _
             vbTab + vbTab + Oct$(OctNum) + _
             vbTab + CStr(OctNum) + _
             vbTab + Hex$(OctNum) + _
             vbCrLf + "Nombre décimal : " + _
             vbTab + vbTab + Oct$(DecNum) + _
             vbTab + CStr(DecNum) + _
             vbTab + Hex$(DecNum) + _
             vbCrLf + "Nombre hexadécimal : " + _
             vbTab + Oct$(HexNum) + _
             vbTab + CStr(HexNum) + _
             vbTab + Hex$(HexNum)

    ' Affichons tout ça.
    MsgBox Sortie, _
           vbInformation Or vbOKOnly, _
           "Changements de bases"
End Sub
```

Le code commence par définir trois entiers. Remarquez que le nombre octal est repéré par le préfixe &O (la lettre O comme octal, pas un zéro) et le nombre hexadécimal par le préfixe &H.

Cet exemple ajoute aussi une nouvelle constante à votre panoplie : *vbTab* ajoute une tabulation à la chaîne de sortie (consultez l'aide à la rubrique Constantes Visual Basic pour avoir la liste complète). Remarquez que cet exemple montre comment afficher des données sous forme de tableau.

À chaque fois que vous voulez convertir un nombre en chaîne, vous devez utiliser une fonction de conversion. Cet exemple montre les trois fonctions de conversion usuelles pour l'octal (*Oct$*), le décimal (*CStr*), et l'hexa (*Hex$*).

Conversions entre nombres et chaînes

La plupart des affichages font appel à des chaînes, même quand il s'agit de présenter des nombres à l'écran. Quand vous travaillez avec des données numériques, il faut donc les convertir en chaînes. C'est ce que nous venons de voir, mais cet exemple n'est qu'un début. Le Listing 4.8 met en œuvre les principales fonctions de conversion entre nombres et chaînes.

Listing 4.8 : Conversions entre des nombres et des chaînes.

```
Public Sub Conversion()
    ' Quelques variables...
    Dim MyInt As Integer
    Dim MySgl As Single
    Dim MyStr As String

    ' La conversion d'un Integer à un Single est directe
    ' sans perte de données.
    MyInt = 30
    MySgl = MyInt
    MsgBox "MyInt = " + CStr(MyInt) + _
           vbCrLf + "MySgl = " + CStr(MySgl), _
           vbOKOnly, _
           "Valeurs courantes des données"

    ' La conversion d'un Single à un Integer est aussi directe
    ' mais entraîne une perte de données.
    MySgl = 35.01
    MyInt = MySgl
    MsgBox "MyInt = " + CStr(MyInt) + _
```

```
            vbCrLf + "MySgl = " + CStr(MySgl), _
            vbOKOnly, _
            " Valeurs courantes des données "

    ' La conversion d'une String à un Single ou à un
    ' Integer peut obliger à utiliser une fonction spéciale. La
    ' conversion peut aussi entraîner des pertes de données.
    MyStr = "40"
    MyInt = CInt(MyStr)
    MySgl = CSng(MyStr)
    MsgBox "MyInt = " + CStr(MyInt) + _
            vbCrLf + "MySgl = " + CStr(MySgl), _
            vbOKOnly, _
            " Valeurs courantes des données "

    ' La conversion d'un Single ou d'un Integer à une String
    ' peut obliger à utiliser une fonction spéciale quand on fait
    ' une conversion directe. Il n'y a aucune
    ' perte de données.
    MyInt = 45
    MySgl = 45.05
    MyStr = MyInt
    MsgBox MyStr, _
            vbOKOnly, _
            " Valeurs courantes des données "

    ' Vous devez utiliser une fonction spéciale quand les types sont
       mélangés
    MyStr = "MyInt = " + CStr(MyInt) + _
            vbCrLf + "MySgl = " + CStr(MySgl)
    MsgBox MyStr, _
            vbOKOnly, _
            " Valeurs courantes des données "
End Sub
```

Le code commence par la déclaration d'un Integer, d'un Single et d'une String. Bien que le code soit relatif à ces trois types de données, les principes exposés s'appliquent à tous les types numériques. Remarquez qu'il est possible de réaliser directement des conversions entre certains types numériques sans faire appel à une fonction. Par exemple, une valeur entière peut toujours être convertie en nombre réel sans perte de données. Attention, ce n'est pas le cas dans l'autre sens… Le processus de conversion supprime des décimales, mais fait un arrondi intelligent, comme c'est le cas avec les fonctions Cint ry CLng.

Le code montre aussi que vous pouvez assigner directement une valeur numérique à une chaîne à condition que ce soit la seule assignation que vous fassiez. En fait, il vaut mieux que vous utilisiez toujours la fonction de conversion adéquate quand vous travaillez avec plusieurs types de données. Lisez la rubrique "Fonctions de conversion de types de données" de l'aide pour avoir la liste complète.

Utiliser des booléens pour prendre des décisions

Le type *Boolean* est le plus facile à utiliser et à comprendre. Ce type est utilisé pour représenter les valeurs oui ou non, vrai ou faux (*True* ou *False*), ou encore on ou off. Vous pouvez utiliser ce type pour travailler avec n'importe quelle information à deux états. On l'utilise habituellement pour représenter des données diamétralement opposées. Le Listing 4.9 montre plusieurs techniques de conversion utilisables avec des booléens.

Listing 4.9 : Prise de décisions avec des booléens.

```
Public Sub VerifBooleen()
    ' Déclarons une variable de type booléen.
    Dim MyBool As Boolean

    ' Affectons True à cette variable
    MyBool = True

    ' Montrons la valeur originale.
    MsgBox "MyBool = " + CStr(MyBool), _
        vbOKOnly, _
        "Valeur originale"

    ' Affichons sa valeur numérique.
    MsgBox "MyBool = " + CStr(CInt(MyBool)), _
        vbOKOnly, _
        "Valeur numérique"

    ' Affectons MyBool à un nombre. Seul le nombre 0
    ' est associé à False; tous les autres sont associés à True.
    MyBool = CBool(0)
    MsgBox "MyBool = " + CStr(MyBool), _
        vbOKOnly, _
        "Valeur numérique convertie"
End Sub
```

Le code commence par la déclaration d'une variable booléenne et l'affectation d'une valeur à cette variable. Comme pour les variables numériques, vous pouvez affecter directement un booléen à une chaîne du moment que vous ne faites rien d'autre. Quand vous travaillez dans un environnement où les types de données sont mélangés, comme c'est le cas ici, vous devez utiliser la fonction appropriée (ici CStr) pour faire la conversion.

Boolean n'est pas un type numérique : c'est un type logique. Vous pouvez le convertir en nombre comme c'est montré dans le code. True vaut -1 et False vaut 0.

VBA permet aussi de convertir une valeur numérique en booléen grâce à la fonction Cbool utilisée dans le code. Toute valeur autre que 0 est convertie en True. Si vous faites la conversion dans l'autre sens, vous retrouverez toujours -1 pour True et 0 pour False.

Calculs mathématiques

VBA possède de nombreuses fonctions mathématiques dédiées au calcul scientifique. Il y a, par exemple, les fonctions trigonométriques circulaires Atn, Cos, Sin et Tan. Les fonctions Abs et Sgn servent à manipuler les signes. Le Listing 4.10 montre quelques fonctions mathématiques en pleine action.

Listing 4.10 : Calculs scientifiques.

```
Public Sub ScientificCalcs()
    ' Une valeur d'entrée.
    Dim MyInt As Integer
    MyInt = 45

    ' Une chaîne de sortie.
    Dim Sortie As String

    ' Affichons les lignes trigonométriques d'un
    ' angle de 45 degrés.
    MsgBox "L'angle vaut : " + CStr(MyInt) + _
        vbCrLf + "Son ArcTangente est : " + CStr(Atn(MyInt)) + _
        vbCrLf + "Son Cosinus est : " + CStr(Cos(MyInt)) + _
        vbCrLf + "Son Sinus est : " + CStr(Sin(MyInt)) + _
        vbCrLf + "Sa Tangente est : " + CStr(Tan(MyInt)), _
        vbOKOnly, _
        "Lignes trigonométriques"
```

```
    ' Changement de signe en utilisant Sgn et Int.
    ' On ajoute le résultat à la sortie au fur et à mesure.
    Sortie = "Le signe de 0 est : " + CStr(Sgn(0))
    MyInt = -45
    Sortie = Sortie + vbCrLf + _
            "Le signe de " + CStr(MyInt) + " est : " + _
            CStr(Sgn(MyInt))
    MyInt = Abs(MyInt)
    Sortie = Sortie + vbCrLf + _
            "Le signe de " + CStr(MyInt) + " est : " + _
            CStr(Sgn(MyInt))
    MsgBox Sortie, vbOKOnly, "Utilisation de Sgn et Abs"
End Sub
```

La documentation de VBA pourrait vous laisser penser qu'il est obligatoire d'utiliser le type Double pour les valeurs passées aux fonctions trigonométriques. En fait, comme le montre l'exemple, vous pouvez utiliser n'importe quel type numérique du moment que la valeur contenue est correcte. Ce code construit un message de sortie en utilisant les fonctions trigonométriques.

La seconde partie de l'exemple commence par montrer la valeur retournée par la fonction Sgn quand vous lui passez un argument égal à zéro. Le résultat est zéro car zéro est à la fois positif et négatif. Pour un argument négatif, le résultat est -1. Enfin, le code utilise la fonction Abs pour rendre MyInt positif et appelle encore une fois Sgn. Cette fois, Sgn retourne la valeur 1.

Consultez l'aide à la rubrique "Fonctions mathématiques" pour plus d'informations. La rubrique "Fonctions mathématiques dérivées" va encore plus loin.

Calculs financiers

Les calculs monétaires requièrent un traitement informatique particulier parce qu'il faut absolument éviter les erreurs d'arrondi. Le type *Currency* sert à ça. Il faut être toutefois conscient du fait que le type Currency est gourmand en mémoire et en temps de calcul. VBA fournit les accessoires avec : une série de fonctions dédiées au calcul financier, comme celles que vous avez peut-être déjà rencontrées dans Excel. Par exemple, vous avez accès à la fonction Pmt. Quand vous travaillez avec des valeurs monétaires dans VBA, la principale chose dont vous devez vous préoccuper est d'utiliser des variables de type Currency. Allez, on regarde ça dans le Listing 4.11.

Listing 4.11 : Travailler avec des valeurs monétaires.

```
Public Sub CalculFinancier()
    ' Les variables non monétaires sont déclarées de type double
    ' pour assurer la précision. Les
    ' variables monétaires sont de type Currency.
    Dim Taux As Double
    Dim Mois As Double
    Dim ValeurActuelle As Currency
    Dim ValeurFuture As Currency

    ' Calcule la mensualité d'un emprunt.
    Taux = 0.005          ' 6% divisé par 12 mois
    Mois = 60             ' 5 ans
    ValeurActuelle = 120000  ' 120000.00 euros empruntés
    MsgBox CStr(Pmt(Taux, Mois, ValeurActuelle)), _
            vbOKOnly, _
            "Mensualité d'emprunt"

    ' Calcul des paiments mensuels à effectuer pour constituer
    ' une épargne de 120000 euros
    Taux = 0.0025           ' 3% divisé par 12 mois
    Mois = 240              ' 20 ans
    ValeurActuelle = -5000    ' 5000 euros de capital actuel.
    ValeurFuture = 120000     ' 120000.00 euros de capital dans 20 ans
    MsgBox CStr(Pmt(Taux, Mois, ValeurActuelle, _
                    ValeurFuture)), _
            vbOKOnly, _
            "Placement"
End Sub
```

Le premier calcul montre la mensualité à rembourser pour un emprunt de 120 000 euros sur 5 ans à 6 %. Le résultat est 2 319,94 euros par mois. Le second montre ce que vous devez mettre de côté chaque mois pour qu'un capital de 5 000 euros placé pendant 20 ans au taux de 3 % prenne une valeur de 120 000 euros. Le résultat est 337,79 euros par mois.

Variables d'heure et de date

Les variables d'heure et de date doivent être du type *Date*. Ce type de donnée contient à la fois l'heure et la date. Cependant, il est possible à tout moment de séparer les deux informations. Il est aussi possible d'assigner séparément l'heure ou la date courante à une variable en utilisant les fonctions *Time* et *Date*. On peut même assigner les deux d'un coup en utilisant *Now*. Ce sont les mêmes fonctions que dans les feuilles de calcul d'Excel. Allez, hop, un peu d'horodatage avec le Listing 4.12 !

Listing 4.12 : Quelle heure est-il ?

```
Public Sub Horloge()
    ' Une variable temporelle.
    Dim MyTime As Date

    ' On récupère l'heure système.
    MyTime = Time

    ' On affiche les heures, minutes, secondes.
    MsgBox "Il est : " + _
           vbCrLf + "Heures : " + CStr(Hour(MyTime)) + _
           vbCrLf + "Minutes : " + CStr(Minute(MyTime)) + _
           vbCrLf + "Secondes : " + CStr(Second(MyTime)), _
           vbOKOnly, _
           "Quelle heure est-il ?"
End Sub
```

Les fonctions *Hour*, *Minute*, *Second*, permettent d'extraire les heures, minutes, secondes d'une variable de type Date. Il est possible de fixer l'heure en écrivant Time=#1:0:0# (pour mettre l'heure à une heure de l'après-midi). Dans ce cas, Time joue le rôle d'une propriété et accepte une affectation dans tout format valide. Remarquez que les heures et les dates se délimitent avec des #, les guillemets étant réservés aux chaînes.

Pour les dates, ça marche de la même façon. Le Listing 4.13 montre que vous pouvez utiliser directement la fonction Date sans passer par une variable. Il montre aussi comment changer la date (en supposant que vous avez les droits requis sur la machine que vous utilisez).

Listing 4.13 : Travailler avec les dates.

```
Public Sub MontreDate()
    ' Une variable de date.
    Dim MyDate As Date

    ' On récupère la date courante.
    MyDate = Date

    ' On impose la date.
    Date = #1/1/1980#
```

```
    ' On affiche jour, mois, année
    MsgBox "Nous sommes le (JJ/MM/AAAA) : " + _
          CStr(Day(Date)) + "/" + _
          CStr(Month(Date)) + "/" + _
          CStr(Year(Date)), _
          vbOKCancel, _
          " Date modifiée"

    ' On remet la bonne date.
    Date = MyDate

    ' On affiche jour, mois, année
    MsgBox "Nous sommes le (JJ/MM/AAAA) : " + _
          CStr(Day(MyDate)) + "/" + _
          CStr(Month(MyDate)) + "/" + _
          CStr(Year(MyDate)), _
          vbOKCancel, _
          " Date réelle"
End Sub
```

Ce code commence par créer une variable de type Date et y stocke la date courante. Il modifie ensuite la date courante en utilisant Date comme une propriété en écriture. Un message est affiché pour montrer que la date a bien changé. Vous pouvez le vérifier en allant jeter un œil à l'horloge de Windows.

Après que vous avez cliqué sur OK, le code restaure la date correcte et affiche un message pour montrer que le changement a bien eu lieu. Observez l'utilisation des fonctions *Day*, *Month* et *Year* pour l'affichage.

Le type Variant

Un *Variant* peut contenir des données de n'importe quel type, y compris des objets. Un programme peut utiliser un Variant quand VBA ne fournit pas de support direct pour un type donné (comme, par exemple, pour le type Decimal) ou lorsque le genre d'information que va fournir l'utilisateur final est inconnu au moment où vous écrivez le programme. En résumé, Variant est le type de données universel pour VBA.

Vous pouvez aussi utiliser le type Variant pour faire des conversions. Si vous mettez une date comme 1/1/80 dans un Variant, vous pouvez la convertir en Integer ou en String. La valeur Integer correspondante sera 29221. Vous pouvez utiliser la valeur Integer comme argument pour la fonction Date afin de reconvertir le nombre en date et remettre le résultat dans le Variant.

Présenter les données dans un format agréable

La plupart des programmes peuvent utiliser le formatage par défaut fourni par VBA. Cependant, il arrive que vous ayez besoin de présenter les données de manière différente. Une date peut être affichée en format court ou long (24/04/04 ou 24 avril 2004). Le fait de savoir formater les données vous permettra de créer des états stupéfiants qui feront de vous un dieu de l'informatique.

La fonction Format

La fonction Format est une manière très commune de changer l'apparence des données. Elle accepte n'importe quelle expression valide comme argument. De plus, vous pouvez passer une expression qui définit comment formater la donnée. Les rubriques du fichier d'aide sur les formats de dates et d'heures, ainsi que sur les formats numériques, donnent des exemples de formats prédéfinis. Le Listing 4.14 présente quelques formats temporels.

Listing 4.14 : Changer le format d'une date.

```
Public Sub FormatDemo()
    ' Une variable de date.
    Dim MyDate As Date

    ' On y met l'heure et la date courante.
    MyDate = Now

    ' On affiche en utilisant plusieurs formats.
    MsgBox "Format standard =" + vbTab + CStr(MyDate) + _
        vbCrLf + "Date longue = " + vbTab + _
        Format(MyDate, "Long Date") + _
        vbCrLf + "Temps court = " + vbTab + _
        Format(MyDate, "Short Time"), _
        vbOKOnly, _
        "Quelques formats temporels"
End Sub
```

Le programme affiche le format temporel standard, le format de date longue et celui de temps court. Vous pouvez récupérer le format brut avec la fonction CStr. La fonction Format accepte deux paramètres : la variable MyDate et une chaîne décrivant le format.

Formatage personnalisé

Les formats prédéfinis ne répondent pas forcément à vos besoins. Dans ce cas, vous pouvez créer vos propres formats en utilisant des chaînes personnalisées. Les éléments de ces chaînes sont décrits dans trois rubriques d'aide : Formats de date/heure définis par l'utilisateur, Formats numériques définis par l'utilisateur et Formats de chaîne définis par l'utilisateur. Le Listing 4.15 montre comment créer un format date/heure personnalisé.

Listing 4.15 : Définir un format date/heure personnalisé.

```
Public Sub FormatPersoDemo()
    ' On crée la variable temporelle.
    Dim MyDate As Date

    ' On la remplit avec la date et l'heure courants.
    MyDate = Now

    ' On affiche la date en utilisant une chaîne de format person-
      nalisée.
    MsgBox "Date/heure personnalisée = " + _
           Format(MyDate, "dd mmmm yyyy - Hh:Nn:Ss"), _
           vbOKOnly, _
           "Formats personnalisés"
End Sub
```

La différence essentielle dans cet exemple tient dans la chaîne de format passée comme second argument de la fonction Format. Vous dites à VBA que vous voulez un affichage date/heure qui utilise un jour commençant par zéro s'il n'y a qu'un chiffre, le nom du mois en entier, et l'année sur quatre chiffres. Pour l'heure : heures, minutes, secondes séparées par des ":", avec préfixe zéro si nécessaire. Le tiret qui sépare la date et l'heure peut être remplacé par autre chose (y compris une phrase) si ça vous fait plaisir. Pas sympa, ce VBA ?

Autres fonctions de formatage

VBA fournit quatre fonctions de formatage personnalisées : FormatNumber, FormatDateTime, FormatCurrency, et FormatPercent. Ces fonctions ne font rien de plus que ce que vous pouvez faire avec la fonction Format. La raison pour laquelle certains programmeurs VBA les utilisent est que leur nom décrit bien ce qu'elles font. C'est donc par souci de clarté. Il est vrai aussi qu'elles obligent à taper moins de choses.

Les quatre fonctions retournent une chaîne, comme la fonction Format. La seule chose à leur passer est l'expression à formater. Les réglages par défaut font qu'elles retournent des chaînes basées sur les paramètres régionaux de l'utilisateur final. Il est possible de passer outre le comportement par défaut en spécifiant les arguments optionnels disponibles pour chaque fonction.

Travailler avec les opérateurs

Les opérateurs déterminent comment VBA travaille avec deux variables et quel est le résultat produit. Les exemples de ce chapitre utilisent des opérateurs pour additionner des nombres et pour *concaténer* (accoler) des chaînes. Dans les deux cas, le code utilise l'opérateur + pour réaliser la tâche. Cependant, les résultats sont différents. Avec des nombres, le résultat est une somme, comme dans 1+2=3. Avec des chaînes, le résultat est une concaténation, comme dans "Au "+"revoir" = "Au revoir". En VBA (comme dans quasiment tous les langages de programmation !), il existe quatre groupes d'opérateurs :

- ✔ **Arithmétiques** : Opérateurs qui réalisent des opérations mathématiques comme l'addition (+), la soustraction (-), la division (/), et la multiplication (*).

- ✔ **De comparaison** : Opérateurs comme "strictement plus petit que" (<), "strictement plus grand que" (>) et "égal" (=), qui comparent deux valeurs et produisent un résultat booléen.

- ✔ **De concaténation** : Opérateurs comme & et + utilisés pour accoler deux chaînes ensembles.

- ✔ **Logiques** : Opérateurs comme Not, And, Or ou Xor, utilisés pour faire des opérations booléennes entre deux variables.

Le "Résumé des opérateurs", que vous trouverez dans l'aide, explique en détail chaque opérateur de ces quatre catégories.

VBA assigne aux opérateurs des *priorités* qui définissent dans quel ordre ils doivent être exécutés. Si votre code contient l'instruction MyVal=1+2*3, VBA commence par faire la multiplication, puis, seulement ensuite, l'addition. Le résultat est donc 7, parce que la multiplication a priorité sur l'addition. De même, (1+2)*3 vaut 9 car les parenthèses ont priorité sur la multiplication. Les règles de priorité utilisées par VBA sont les mêmes que celles que vous avez apprises en cours de maths. Si vos souvenirs sont lointains, allez faire un tour dans l'aide à la rubrique "Priorité des opérateurs".

Appliquer ce que vous avez appris pour concevoir un état dans Excel

L'exemple que je vais vous présenter permet de créer un état dans Excel. Commencez par remplir les quelques cellules d'une feuille de calcul vierge montrées dans la Figure 4.5. Les données saisies serviront de base à l'état que nous allons programmer.

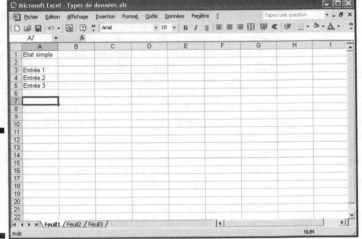

Figure 4.5 : L'exemple d'état commence par la saisie de quelques cellules.

L'état comporte des cellules pour saisir les données. Il a aussi un résumé que va créer le code du Listing 4.16.

Listing 4.16 : Conception d'un état dans Excel.

```
Public Sub Etat()
    ' Quelques variables de sortie...
    Dim Somme As Integer
    Dim Sortie As String

    ' On écrit les données dans l'état.
    Feuil1.Cells(3, 2) = 1
    Feuil1.Cells(4, 2) = 2
    Feuil1.Cells(5, 2) = 3

    ' On les additionne.
```

```
        Somme = Feuil1.Cells(3, 2) + _
               Feuil1.Cells(4, 2) + _
               Feuil1.Cells(5, 2)

        ' On crée une chaîne de sortie.
        Sortie = "La somme de ces trois nombres est : " + _
               CStr(Somme)

        Feuil1.Cells(7, 1) = Sortie
    End Sub
```

Le code déclare d'abord deux variables. La première, Somme, va contenir la somme des trois données créées par le code. La seconde, Sortie, contient la chaîne avec le "résumé" de l'état. Les feuilles de calcul Excel sont des objets comme n'importe quel autre. On y accède en utilisant leur nom : Feuil1 dans notre cas.

Les feuilles de calcul contiennent des objets Cells (les cellules). Chaque objet Cells est repéré par deux nombres : ligne et colonne. Vous pouvez assigner une valeur à une cellule en utilisant l'opérateur = comme c'est montré dans le code.

Il est aussi possible de récupérer le contenu des objets Cells. Le code montre comment on utilise ça pour faire la somme des trois nombres.

Les deux dernières lignes créent la ligne de résumé qui contient la somme stockée dans Somme. La Figure 4.6 montre la feuille de calcul après exécution du programme.

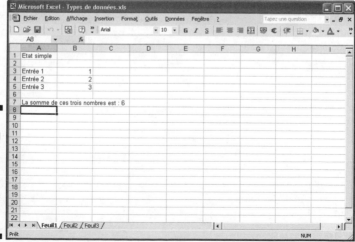

Figure 4.6 : Un état Excel simple, mais qui montre que vous en savez assez pour réaliser des tâches simples.

Chapitre 5
Ecriture
de programmes
structurés

Dans ce chapitre :

▶ La directive If…Then.
▶ La directive Select Case.
▶ Les boucles Do.
▶ Les boucles For…Next.
▶ L'instruction GoTo.

> L
es structures aident à organiser le code VBA afin de le rendre plus efficace. Certaines directives permettent d'écrire du code basé sur des décisions, de répéter la même tâche de nombreuses fois, ou encore de rediriger l'exécution du programme à un autre endroit du code.

Exercer un contrôle grâce aux structures

Pour contrôler le déroulement du programme, le développeur ajoute des directives spéciales comme la directive If…Then qui marque le début et la fin de chaque tâche et indique aussi quelle est la tâche qu'il faut exécuter. Vous pourriez penser que laisser l'ordinateur prendre les décisions fait perdre le contrôle du programme au développeur. C'est évidemment le contraire qui se produit parce que les décisions à prendre ont été prédéfinies par le développeur !

Les développeurs appellent les parties du code délimitées par des directives des *structures de contrôle*. Quand vous voyez la directive If...Then accompagnée plus loin de la directive EndIf, vous voyez en fait une entité qui constitue la structure If...Then.

Prendre une décision à l'aide de la directive If...Then ("Si...Alors" dans la langue de Molière)

Quand vous avez besoin de prendre la même décision à chaque fois que vous exécutez une tâche particulière, VBA met à votre disposition la directive If...Then. Utiliser du code décisionnel a de nombreux avantages :

- **Cohérence** : La décision est prise en fonction des mêmes critères à chaque fois.

- **Vitesse** : Un ordinateur peut prendre des décisions statiques plus vite qu'un être humain. Cependant, les décisions à prendre doivent être toujours les mêmes.

- **Complexité moindre** : Demander à l'ordinateur de prendre en charge les décisions statiques réduit la complexité des programmes.

Toutes les formes de la directive If...Then peuvent utiliser n'importe quelle expression équivalente à une valeur booléenne. Le terme *expression* fait référence à n'importe quelle équation ou variable que VBA peut identifier comme une manière de déterminer quand il doit accomplir la tâche définie dans la structure If...Then. L'expression "2>1" est vraie, donc VBA exécutera la tâche indiquée dans le If...Then. Une expression peut aussi contenir des variables, comme dans "A=B". Tout ce qui peut se ramener à une valeur booléenne (vrai ou faux) peut constituer l'expression conditionnelle de la directive If...Then.

Utilisation de la directive If...Then

La directive If...Then est la forme la plus simple de code décisionnel. Cette directive dit à VBA de faire quelque chose si une condition est vraie. Si la condition est fausse, VBA ignore les instructions placées à l'intérieur de la structure If...Then.

L'exemple suivant vérifie le texte sélectionné dans un document. Pour tester la directive If...Then en VBA, créez un document Word. Tapez

"Bonjour", appuyez sur Entrée, puis tapez "Au revoir". Double-cliquez ensuite sur le mot Bonjour pour le sélectionner. Le Listing 5.1 montre comment fonctionne une directive If...Then simple.

Listing 5.1 : Utiliser une directive If...Then pour prendre des décisions.

```
Public Sub IfThenTest()
    ' Déclaration d'une variable destinée à recevoir le texte
    sélectionné.
    Dim TestText As String

    ' Récupérons la sélection courante.
    TestText = ActiveWindow.Selection.Text

    ' Regardons si c'est le mot "Bonjour".
    If TestText = "Bonjour" Then

        ' Modifions le texte sélectionné pour montrer que c'est
        correct.
        TestText = "Correct !" + vbCrLf + "Bonjour"
    End If

    ' Regardons si on a sélectionné le caractère fin de ligne.
    If TestText = Chr(13) Then

        ' Modifions le texte sélectionné pour montrer le caractère de
        ' contrôle.
        TestText = "Fin de ligne sélectionnée !"
    End If

    ' Affichons le texte sélectionné.
    MsgBox TestText
End Sub
```

Le code commence par la déclaration d'une variable destinée à contenir le texte sélectionné. Il montre ensuite comment utiliser un nouvel objet, *ActiveWindow*. L'objet ActiveWindow est utile dans un grand nombre de situations, vous l'utilisez pour récupérer le texte sélectionné, s'il y en a un. La première structure If...Then examine si le mot "Bonjour" est sélectionné. Si oui l'instruction TestText = "Correct !" + vbCrLf + "Bonjour" est exécutée. Si non, VBA ignore l'instruction et passe au test suivant.

La seconde structure If...Then regarde si le curseur est en fin de ligne. Ce test vous apprend deux choses à propos des sélections. D'abord, VBA considère qu'il y a toujours au moins un caractère sélectionné.

Si vous n'avez rien sélectionné, ActiveWindow.Selection.Text retourne le caractère qui se trouve juste après le curseur. Ensuite, la constante vbCrLf contient en réalité deux caractères de contrôle. Le programme fait son test sur Chr(13) (retour chariot) car c'est toujours le premier caractère de la séquence vbCrLf. Si vous placez le curseur en fin de ligne, VBA modifie TestText comme c'est montré dans le code.

La dernière ligne montre dans tous les cas ce que contient TestText. À moins que vous ayez sélectionné "Bonjour" ou une fin de ligne, le message affiche le texte sélectionné. Faites des essais en variant les sélections ou en plaçant le curseur en fin de ligne, et vous comprendrez comment fonctionnent les tests.

La directive If...Then...Else

La directive If...Then...Else permet de faire un choix entre deux possibilités incompatibles. Si l'expression qui contrôle la directive est vraie, VBA exécute le premier groupe d'instructions (après le Then). Dans le cas contraire, il exécute le second (après le Else, mot anglais qui veut dire "sinon".)

L'exemple suivant examine si deux nombres sont égaux ou si l'un deux est plus grand que l'autre. Pour tester la directive If...Then...Else, créez une nouvelle feuille de calcul Excel. Le code repose sur des données saisies dans la feuille de calcul. La Figure 5.1 montre comment ça doit se présenter.

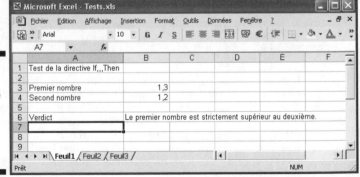

Figure 5.1 :
Nous allons utiliser cette feuille de calcul pour comparer deux nombres.

Le code utilisé pour cet exemple (Listing 5.2) fait trois tests : égal à, plus grand que, ou plus petit que.

Listing 5.2 : Utiliser la directive If...Then...Else pour faire des comparaisons.

```
Public Sub CompareNombres()
    ' Deux variables pour accueillir les deux nombres.
    Dim Nb1 As Double
    Dim Nb2 As Double

    ' Une chaîne de sortie.
    Dim Sortie As String

    ' On lit les deux nombres dans la feuille de calcul.
    Nb1 = Feuil1.Cells(3, 2)
    Nb2 = Feuil1.Cells(4, 2)

    ' Regardons si le premier nombre est supérieur
    ' ou égal au deuxième.
    If Nb1 >= Nb2 Then

        ' Sont-ils égaux ?
        If Nb1 = Nb2 Then

            ' On dit à l'utilisateur qu'ils sont égaux.
            Sortie = "Les deux nombres sont égaux."

        Else

            ' Le premier nombre est donc strictement supérieur
            ' au deuxième.
            Sortie = "Le premier nombre est strictement supérieur au
                    deuxième."
        End If

    Else

        ' Le premier nombre est strictement inférieur au deuxième.
        Sortie = " Le premier nombre est strictement inférieur au
                deuxième."
    End If

    ' On affiche la chaîne Sortie sur la feuille de calcul.
    Feuil1.Cells(6, 2) = Sortie
End Sub
```

Le code commence par récupérer le contenu de deux cellules de la feuille de calcul. Utilisez toujours une variable de type Double quand vous ne savez pas à l'avance quel type de nombre vous allez trouver.

Le premier argument de la propriété *Cells* est toujours la ligne et le second la colonne. Bien que la feuille de calcul utilise des lettres pour repérer les colonnes, vous devez utiliser des nombres.

Si vous avez peur de vous emmêler les crayons en convertissant les lettres de colonnes en nombres, vous pouvez définir des constantes globales avec les nombres. Une constante Colonne_A pourrait être définie égale à 1 et ainsi de suite. Cette technique peut rendre votre code plus lisible lorsque vous utilisez de grandes feuilles de calcul.

La première directive If…Then examine si le premier nombre est supérieur ou égal au second. Vous pourriez vous demander pourquoi le code ne se contente pas de tester l'égalité. Cette technique réduit la quantité de code à écrire. En effet, la seconde directive If…Then fait le choix entre "strictement plus grand" et "égal à". Tout repose sur une structure If…Then…Else imbriquée afin de choisir entre deux valeurs pour la chaîne de sortie. C'est un bon exemple de la façon d'utiliser l'imbrication dans vos programmes.

Si la première condition n'est pas remplie, ce sont les instructions qui suivent la directive Else qui sont exécutées. Observez comment l'utilisation de l'imbrication économise à VBA deux tests. Si vous aviez utilisé de simples directives If…Then, VBA aurait dû prendre trois chemins possibles pour comparer les deux nombres.

La dernière ligne de code affiche le résultat de la comparaison directement dans une cellule de la feuille de calcul. Faites des essais avec des nombres différents, et vous comprendrez comment fonctionne la technique des tests imbriqués.

La directive If…Then…ElseIf

Pour effectuer des comparaisons multiples, vous pouvez utiliser la directive If…Then…ElseIf ("Si…Alors…Sinon, si" dans la langue de Descartes) pour rendre le code plus lisible. Cette façon de faire peut aussi réduire le nombre de tests que doit faire VBA. Le Listing 5.3 est une alternative au Listing 5.2.

Listing 5.3 : Utiliser la directive If…Then…ElseIf pour faire des comparaisons.

```
Public Sub CompareNombres2()
    ' Deux variables pour les deux nombres.
    Dim Nb1 As Double
    Dim Nb2 As Double
```

```
    ' La chaîne de sortie.
    Dim Sortie As String

    ' On remplit les variables avec les nombres de la feuille de
      calcul.
    Nb1 = Feuil1.Cells(3, 2)
    Nb2 = Feuil1.Cells(4, 2)

    ' Si le premier nombre est strictement supérieur
    ' au deuxième...
    If Nb1 > Nb2 Then

        ' On le dit à l'utilisateur.
        Sortie = "Le premier nombre est strictement supérieur au
                 deuxième."

    ' sinon, s'ils sont égaux...
    ElseIf Nb1 = Nb2 Then

        ' On le dit à l'utilisateur.
        Sortie = "Les deux nombres sont égaux."

    Else

        ' Sinon, c'est que le premier nombre est strictement
          inférieur au deuxième.
        Sortie = "Le premier nombre est strictement inférieur au
                 deuxième."
    End If

    ' On affiche Sortie sur la feuille de calcul.
    Feuil1.Cells(6, 2) = Sortie
End Sub
```

La fonction IIf

Il est possible de remplacer au moins trois lignes de tests par une
seule en utilisant IIf. Cette fonction constitue un bon choix lorsque
vous avez besoin de prendre des décisions simples et concises. Le
Listing 5.4 vous montre brillamment ça.

Listing 5.4 : Avec IIf, faites trois comparaisons sur une seule ligne !

```
Public Sub IIfDemo()
    ' Deux variables pour les nombres.
    Dim Nb1 As Double
    Dim Nb2 As Double

    ' La chaîne de sortie.
    Dim Sortie As String

    ' On remplit les variables avec les nombres de la feuille de
      calcul.
    Nb1 = Feuil1.Cells(3, 2)
    Nb2 = Feuil1.Cells(4, 2)

    ' On utilise des IIf imbriqués pour traiter les 3 cas
    Sortie = IIf(Nb1 = Nb2, _
                "Les nombres sont égaux.", _
                IIf(Nb1 > Nb2, _
                    "Le premier nombre est le plus grand.", _
                    "Le deuxième nombre est le plus grand."))

    ' On affiche Sortie sur la feuille de calcul.
    Feuil1.Cells(6, 2) = Sortie
End Sub
```

Cet exemple récupère d'abord les nombres saisis dans la feuille de calcul et crée la chaîne de sortie.

La fonction IIf accepte trois paramètres, dont aucun n'est facultatif. Le premier argument est une expression à valeur booléenne. Le deuxième est une instruction d'une ligne disant ce qu'il faut faire si l'expression est vraie, et la troisième est une instruction d'une ligne disant ce qu'il faut faire si l'expression est fausse.

Le premier IIf décide si Nb1 est égal ou non à Nb2. Si oui, le premier IIf retourne "Les nombres sont égaux" dans la variable Sortie. Sinon, le premier IIf appelle le deuxième.

Le deuxième IIf décide si Nb1 est ou non strictement supérieur à Nb2. Si oui, le deuxième IIf retourne "Le premier nombre est le plus grand" au premier IIf, qui lui-même retourne ça dans la variable Sortie. Sinon, le deuxième IIf retourne "Le deuxième nombre est le plus grand" au premier IIf, qui lui-même retourne ça dans la variable Sortie. Ouf, passez-moi l'Aspro.

Des choix multiples avec Select Case

Il est possible de résoudre tous les problèmes de branchements conditionnels en utilisant les directives If...Then...Else ou If...Then...Elself. Néanmoins, dans les cas un peu complexes, le code peut vite devenir difficile à lire. VBA propose dans ce cas la directive Select Case comme alternative plus lisible lorsqu'il s'agit de faire une sélection unique dans une liste de choix. Si une variable est susceptible de contenir les différentes valeurs parmi lesquelles il va falloir choisir, alors Select Case est la directive tout indiquée.

Utiliser la directive Select Case

Dans cette section, je vais montrer des exemples de l'utilisation de Select Case pour choisir dans quelle pièce stocker un produit. On pourrait facilement construire ce programme autour d'une base de données, mais nous allons utiliser une feuille de calcul pour simplifier les choses. La Figure 5.2 montre les deux colonnes d'entrée utilisées pour cet exemple. La sortie se fera dans la troisième colonne.

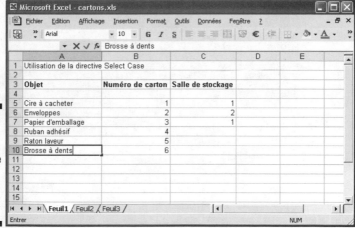

Figure 5.2 : Faire un choix en utilisant cette feuille de calcul et un programme associé.

Ce programme utilise la colonne "Numéro de carton" comme entrée pour la structure Select Case. Chaque clause assigne un numéro de pièce basé sur un numéro (ou un intervalle de numéros) de carton. Allez, hop, on se tape le Listing 5.5.

Listing 5.5 : Select Case pour décisions multiples.

```
Public Sub Choisir()
    Dim CursorPosition  As Integer   ' Ligne courante.
    Dim NumeroCarton As Integer         ' Carton de cette ligne.
    Dim Sortie As Integer              ' Stockage du numéro de pièce.

    ' Regardons si l'utilisateur a sélectionné plusieurs lignes ou
      pas.
    If ActiveWindow.RangeSelection.Rows.Count = 1 Then

        ' Récupérer la position du curseur.
        CursorPosition = ActiveWindow.RangeSelection.Row
    Else

        ' S'il a sélectionné plusieurs lignes, on lui en colle une.
        MsgBox "Il faut sélectionner une seule ligne, bougre
               d'abruti !", _
               vbExclamation Or vbOKOnly, _
               "Arrête la tisane"

        ' Et on sort de la Sub, sans rien faire d'autre, drapé dans
          notre dignité,
        ' sans même un regard pour cet utilisateur indigne de notre
          génie.
        End
    End If

    ' On récupère le numéro de carton.
    NumeroCarton = Feuil1.Cells(CursorPosition, 2)

    ' On regarde où va le carton (c'est ici que les règles sont
      définies).
    Select Case NumeroCarton
        Case 1
            Sortie = 1
        Case 2
            Sortie = 2
        Case 3 To 4
            Sortie = 1
        Case 5 To 6
            Sortie = 3
    End Select

    ' Et on envoie le résultat dans la feuile de calcul.
    Feuil1.Cells(CursorPosition, 3) = Sortie
End Sub
```

Cet exemple montre quelques nouvelles techniques. Le code commence par vérifier le nombre de lignes que l'utilisateur a sélectionnées. Si une seule ligne est sélectionnée, le code récupère son numéro en utilisant la propriété ActiveWindow.RangeSelection.Row. Il serait aussi possible de récupérer la colonne en utilisant la propriété Column ou la ligne et la colonne en utilisant la propriété Address.

Si plusieurs lignes sont sélectionnées, le programme ne peut pas deviner avec quelle ligne travailler. Le code affiche alors un message d'erreur invitant avec fermeté l'utilisateur à un peu plus de concentration dans son travail. L'instruction *End* est alors rencontrée, qui provoque la sortie immédiate de la procédure sans qu'aucune autre instruction soit exécutée. C'est la première fois que vous rencontrez une mesure de prévention d'une erreur dans un programme. On anticipe en effet qu'il est possible qu'une erreur se produise. Il est préférable de prévoir cette éventualité avant de rencontrer de sérieux problèmes dus à un comportement erratique du programme. Cela dit, il serait possible de traiter toutes les lignes (ou seulement un certain nombre de lignes sélectionnées, justement) une par une en modifiant le programme pour qu'il passe tout seul à la ligne suivante. Nous verrons ça plus loin quand nous étudierons les boucles.

L'étape suivante consiste à récupérer le numéro de carton en utilisant le numéro de ligne contenu dans CursorPosition. La variable NumeroCarton sert d'entrée à la directive Select Case. Observez comment cette structure utilise les clauses Case pour déterminer quel chemin prendre. Vous pouvez indiquer une simple valeur, un intervalle de valeurs, ou une liste de valeurs séparées par des virgules. La dernière étape consiste à écrire le numéro du local dans la feuille de calcul.

Utilisation de la clause Case Else

Une structure Select Case peut optionnellement contenir une clause Case Else pour s'assurer que tous les cas possibles sont traités, éventuellement même ceux que vous n'aviez pas prévus au moment de la conception du programme. Ajouter cette clause ne prend pas beaucoup de temps et permet d'éviter de nombreuses erreurs. Il est facile de modifier le programme précédent en ajoutant une clause Case Else. C'est ce que j'ai fait dans le Listing 5.6.

Listing 5.6 : Prévoir l'imprévisible avec Case Else.

```
' On détermine quel est le local qui correspond à un carton donné.
Select Case Numerocarton
```

```
        Case 1
            Sortie = 1
        Case 2
            Sortie = 2
        Case 3 To 4
            Sortie = 1
        Case 5 To 6
            Sortie = 3
        Case Else
            ' On insulte copieusement l'utilisateur.
            MsgBox "Donnez un numéro de carton entre 1 et 6 !", _
                    vbExclamation Or vbOKOnly, _
                    "Avez-vous pensé à arrêter l'informatique ?"

            ' On se casse vite fait.
            End
    End Select
```

La version 5.5 du programme aurait posé un problème dans le cas où l'utilisateur aurait saisi un numéro de carton qui n'existe pas. Dans la version 5.6, on évite ce problème en invitant courtoisement l'utilisateur à se recycler au plus vite. On sort de la procédure avant que le code ait la moindre chance de dérailler.

Répéter des choses en utilisant des boucles

Les *boucles* constituent une méthode pour répéter des tâches. En plus, elles permettent de gagner du temps lors de l'écriture des programmes, car il suffit d'écrire une fois le code qui réalise la tâche répétitive, puis de demander à VBA de répéter.

La boucle Do While...Loop

Une structure Do While...Loop ("Tant que... Faire" dans la langue de Jean-Pierre Raffarin) exécute inlassablement les instructions qu'elle contient tant qu'une certaine condition est vraie. La boucle évalue d'abord l'expression puis exécute les instructions intérieures à la structure si l'expression est vraie. On utilise ce type de boucle pour réaliser une action un certain nombre de fois ou jamais (il est en effet possible que la condition soit déjà fausse lors du premier passage). Do While...Loop est idéale dans le cas où il ne vous est pas possible de prévoir au moment de la conception combien de fois la boucle devra s'exécuter.

Un exemple où une boucle aurait à s'exécuter plusieurs ou aucune fois : vous avez plusieurs documents Word et vous voulez formater un mot bien précis d'une certaine façon. Comme vous ne savez pas *a priori* si tel ou tel document contient le mot en question, la boucle chargée de formater le mot sera exécutée plusieurs ou aucune fois suivant que le document contient ou non le mot. Le Listing 5.7 montre une technique pour repérer certains mots et les formater.

Listing 5.7 : Modifier des mots avec une boucle Do While…Loop.

```
Public Sub ChangerMots()
    Dim MotCourant As Long ' Numéro du mot courant dans la sélection.
    Dim TotalMots As Long  ' Nombre total de mots

    ' Récupère le . nombre total de mots
    TotalMots = ActiveDocument.Words.Count

    ' Sélectionne le premier mot du document.
    ActiveDocument.Words(1).Select
    MotCourant = 1

    ' Continuons à sélectionner les mots tant qu'il y en a.
    Do While MotCourant < TotalMots

        ' Faisons une modif qui dépend du mot.
        Select Case Trim(ActiveWindow.Selection.Text)
            Case "Bonjour"
                Selection.Font.Italic = True
            Case "Monsieur"
                Selection.Font.Bold = True
            Case "Oui"
                Selection.Font.Color = wdColorGreen
            Case "Non"
                Selection.Font.Color = wdColorRed
        End Select

        ' Passons au mot suivant.
        MotCourant = MotCourant + 1
        ActiveDocument.Words(MotCourant).Select
    Loop
End Sub
```

Le code commence par récupérer le nombre de mots du document actif (celui qui est en cours d'édition). Le programme utilise ce nombre pour savoir quand arrêter la boucle. L'objet *ActiveDocument.Words* est très intéressant, comme vous pouvez le voir dans l'exemple. Quand vous travaillez avec Word, pensez à vous en servir !

Le programme sélectionne ensuite le premier mot du document en donnant à ActiveDocument.Words le numéro du mot à sélectionner et en utilisant la méthode *Select* de cet objet. Comme il est important de garder une trace du mot qui est sélectionné, le code affecte 1 à MotCourant. Cette variable est de type Long car ActiveDocument.Words.Count peut retourner un Long (il peut y avoir plein de mots dans un document Word !). VBA ne vous préviendra pas si vous utilisez le mauvais type de données : c'est à vous de vérifier le type requis par une variable en regardant dans l'aide le type de la valeur retournée par la méthode ou la propriété concernée.

La structure Do While…Loop compare la MotCourant avec TotalMots. Si MotCourant est inférieur à TotalMots, elle exécute les instructions contenues dans la structure.

Observez l'utilisation d'une directive Select Case pour choisir entre les différents mots. Il n'y a pas de Case Else ici car les différents choix ne sont pas liés à une saisie de l'utilisateur. Une clause Case Else ne permettrait pas dans cet exemple d'éviter des erreurs. Cet exemple montre aussi comment modifier les attributs de police d'un texte.

Les deux lignes suivantes sont particulièrement importantes. D'abord, le code met à jour MotCourant (il l'incrémente d'une unité). C'est indispensable, car, si on ne faisait pas ça, la boucle continuerait éternellement, MotCourant étant condamné à rester inférieur à TotalMots. Ne pas incrémenter MotCourant aboutirait à une boucle sans fin : une jolie source de bugs dans un programme ! La seconde instruction déplace la sélection sur le mot suivant du document en utilisant la nouvelle valeur de MotCourant. Observez bien l'ordre des instructions : vous devez d'abord incrémenter MotCourant et ensuite vous déplacer sur le mot suivant. La Figure 5.3 montre le document utilisé pour tester le programme avec les résultats du formatage.

La boucle Do...Loop While

La boucle Do…Loop While ("Faire…Tant que") fonctionne de la même façon que la boucle Do While…Loop, si ce n'est qu'elle s'exécute toujours au moins une fois parce que la condition de sortie est évaluée en fin de boucle. Même si la condition est False, cette boucle fait au moins un tour. Vous pouvez utiliser ce type de boucle quand vous voulez être sûr qu'une tâche est accomplie au moins une fois.

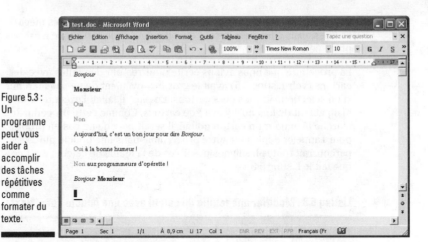

Figure 5.3 :
Un
programme
peut vous
aider à
accomplir
des tâches
répétitives
comme
formater du
texte.

La boucle Do Until...Loop

La boucle Do Until...Loop ("Faire jusqu'à") continue à traiter les
instructions jusqu'à ce que la condition soit fausse. Vous pouvez voir
la boucle Do While...Loop comme une boucle qui continue tant qu'une
tâche n'est pas terminée. La boucle Do Until...Loop continue jusqu'à
ce que la tâche soit finie. Ces deux structures de contrôle sont
totalement interchangeables. La seule différence est la façon de définir
l'expression qui sert à indiquer quand la boucle doit d'arrêter.

La boucle Do...Until Loop

La boucle Do...Until Loop ("Faire...jusqu'à") est la version de Do
Until...Loop qui examine la condition de sortie en fin de boucle et
donc exécute toujours au moins une fois le groupe d'instructions
qu'elle contient, même si la condition de sortie n'est pas remplie.

La boucle For...Next

La boucle For...Next ("Pour *variable allant de...à... ...* Suivant") est
très pratique pour réaliser une tâche un nombre de fois précis. Dès
lors que vous savez à l'avance combien de fois vous devez faire
quelque chose, c'est le meilleur choix que vous puissiez faire en
matière de boucles. Avec La boucle For...Next, il est quasiment

impossible de créer une boucle sans fin. On peut en créer des méga grosses, mais elles s'arrêteront quand même un jour (l'année n'est pas précisée).

La procédure que nous avions écrite pour remplir des salles avec des cartons (voir Listing 5.5) avait le gros inconvénient de ne pas marcher si on sélectionnait plusieurs cartons. En plus, il fallait l'exécuter à la main autant de fois qu'il y avait de cartons. Comme cette procédure marche bien pour un carton donné, il serait bête de ne pas en profiter pour l'appeler depuis un autre programme dans une boucle qui parcourrait toutes les lignes possibles de la feuille de calcul : c'est ce que fait le Listing 5.8.

Listing 5.8 : Modifier une feuille de calcul avec une boucle For…Next.

```
Public Sub ChoisirTout()
    Dim LignesActives As Integer    ' Nombre de lignes actives.
    Dim Compteur As Integer         ' Numéro de la ligne courante à
                                      traiter.

    ' Sélectionnons la première cellule de données de la feuille.
    Range("B5").Select

    ' Utilisons SendKeys pour sélectionner toutes les cellules de la
      colonne.
    SendKeys "+^{DOWN}", True

    ' Récupérons le nombre de lignes à traiter.
    LignesActives = ActiveWindow.RangeSelection.Rows.Count

    ' Déplaçons à nouveau la sélection de cellule.
    Range("C5").Select

    ' On traite toutes les lignes avec une boucle.
    For Compteur = 5 To LignesActives + 5

        ' Appelons la Sub que nous avions écrite pour un carton.
        Choisir

        ' Passons à la cellule suivante.
        Range("C" + CStr(Compteur)).Select
    Next
End Sub
```

Cet exemple montre plusieurs nouvelles fonctions que vous pouvez utiliser. Le programme commence par sélectionner la première ligne de données de la feuille de calcul. Cette sélection est importante car la boucle devra commencer au tout début des entrées.

La fonction *SendKeys* intervient alors. Cette fonction est intéressante parce qu'elle simule des appuis sur des touches du clavier. Cet exemple envoie une séquence Shift (+), Ctrl (^), flèche basse ({DOWN}) à la feuille de calcul, qui sélectionne du coup la colonne entière. La rubrique d'aide consacrée à SendKeys explique tout ce qui concerne cette fonction.

En utilisant la propriété ActiveWindow.RangeSelection.Rows.Count, le programme détermine combien de lignes il aura à traiter. Le code place cette valeur dans LignesActives pour usage ultérieur. Malheureusement, la feuille de calcul a maintenant une ligne entière sélectionnée et non une cellule unique. Le code appelle donc la méthode Range("C5").Select pour sélectionner à nouveau une seule cellule.

Une boucle For...Next exige au moins trois paramètres. D'abord, il faut une variable compteur pour que le programme sache à quel tour de boucle on est. Ensuite, il faut une valeur de départ pour le compteur (ici 5, le numéro de la première ligne de données de la feuille). Enfin, il faut une valeur d'arrivée pour le compteur (ici LignesActives+5).

La feuille de calcul est prête à recevoir la première valeur de numéro de salle, donc le code appelle Choisir. Cette procédure (voir Listing 5.5) modifie une seule cellule à la fois, donc, à son retour, seule la première cellule de données contient un numéro de salle. La méthode Range("C" + CStr(Compteur)).Select déplace le curseur sur la cellule suivante. Le programme recommence jusqu'à ce que toutes les cellules aient reçu le numéro de salle approprié.

La boucle For Each...Next

La boucle For Each...Next ("Pour Chaque...Suivant") diffère de la boucle For...Next par le fait qu'elle ne repose pas sur un compteur externe. Elle utilise l'indice d'un objet comme compteur. L'avantage, c'est que vous n'avez pas à vous demander combien de tours de boucle il faudra : c'est l'objet qui fournit cette information. L'inconvénient, c'est que vous perdez le contrôle sur la façon dont s'exécute la boucle parce que vous perdez le contrôle sur le compteur de boucle.

Vous pouvez utiliser ce type de boucle dans de nombreux cas (essentiellement avec les tableaux et les collections, comme nous le verrons au Chapitre 9), mais, en général, il est plus rapide et facile d'utiliser For...Next.

Redirection du flux en utilisant GoTo

Il peut arriver que le flux d'un programme ne marche pas et que vous soyez obligé de mettre en place une déviation (un peu comme on fait lorsqu'il y a des bouchons sur la route). La directive GoTo permet de faire ça. Utilisée avec prudence, cette directive peut vous tirer d'un mauvais pas. Mais, bon, ce n'est pas l'idéal, il vaut mieux éviter.

Malheureusement, la directive GoTo a causé plus de problèmes (comme créer du code illisible et cacher des erreurs) qu'elle n'en a résolu. Cette directive était autrefois utilisée à une époque où le Basic ne proposait guère d'autre alternative. C'est une véritable source de catastrophes qui ne mène à rien d'autre que du code "spaghetti" (et encore, trop cuits). Personne n'utilise plus ce machin archaïque, sauf peut-être Michel Saurel. Les programmeurs débutants trouvent que c'est facile d'utiliser GoTo pour planquer les bourdes. Concevoir un code fluide avant de l'écrire et corriger les erreurs après est une pratique plus saine que d'essayer de lire du code avec des GoTo. On vous aura prévenu.

Est-il possible d'utiliser GoTo correctement ?

GoTo permet de rediriger le flot des instructions. Avant d'utiliser GoTo, demandez-vous toujours s'il n'y a pas moyen de faire autrement (par exemple en utilisant une boucle). Théoriquement, c'est **toujours** possible. Si vraiment vous ne trouvez pas de solution (ce qui veut dire qu'il y a une erreur de conception dans le programme), alors utilisez GoTo, mais à vos risques et périls. Le Listing 5.9 montre un exemple de ce qui pourrait être un usage acceptable de GoTo. C'est une amélioration de l'exemple des cartons et des salles (voir Listing 5.5). Mais la véritable amélioration serait que vous récriviez le Listing 5.9 sans utiliser GoTo (indication : il faut utiliser Do…Loop Until).

Listing 5.9 : Une utilisation acceptable de GoTo.

```
' Le point de redémarrage.
EnHaut:

' Regardons si l'utilisateur a sélectionné plus d'une ligne.
If ActiveWindow.RangeSelection.Rows.Count = 1 Then

    ' On récupère la position du curseur.
    CursorPosition = ActiveWindow.RangeSelection.Row
```

```
Else

    ' On dit à l'utilisateur qu'il a bu.
    Result = MsgBox("Veuillez avoir l'extrême obligeance de ne
                    sélectionner qu'une seule cellule, s'il vous
                    plaît !" + vbCrLf + _
                    "Voulez-vous Sélectionner la première cellule à
                    traiter ?", _
                    vbExclamation Or vbYesNo, _
                    "Une petite claque ?")

    ' On regarde si l'utilisateur a répondu Oui.
    If Result = vbYes Then

        ' On change la sélection (on est vraiment bon avec l'utili-
        sateur !).
        Range("B" + _
            CStr(ActiveWindow.RangeSelection.Row)).Select

        ' Et on revérifie que l'utilisateur n'a pas encore fait
        l'andouille.
        GoTo EnHaut
    End If

    ' On sort de la Sub sans rien faire d'autre.
    End
End If
```

Cette version du programme améliore le traitement des erreurs. Dans la version originale, on prévenait bien qu'il y avait un souci, mais on sortait sauvagement de la procédure sans proposer le moindre secours. Les programmes sauvages rendent les gens agressifs, donc c'est mieux d'essayer d'aider un peu l'utilisateur quand on peut.

Remarquez que le message affiche maintenant une phrase qui donne une chance à l'utilisateur d'en sortir vivant avant d'avoir reçu une décharge électrique de 100 000 volts. La variable *Result* est du type *VbMsgBoxResult* et stocke le bouton cliqué.

Quand vous cliquez Oui, le code modifie la sélection courante en utilisant la fonction Range. Après avoir déplacé le point de sélection, le programme utilise la directive GoTo pour retourner à un endroit du code se trouvant avant la procédure de vérification (il saute à l'étiquette "EnHaut"). Comme il n'y a plus maintenant qu'une seule ligne sélectionnée, la vérification se fait avec succès et le programme se poursuit normalement.

Quand ne faut-il surtout pas utiliser GoTo ?

✔ **Boucles** : N'utilisez jamais un GoTo pour remplacer une boucle. Les directives utilisées pour les boucles montrent aux autres quelles sont vos intentions. De plus, les directives standard contiennent des fonctionnalités qui réduisent le risque de bugs, comme les boucles sans fin, au minimum.

✔ **Sorties** : N'utilisez jamais un GoTo pour sortir d'un programme. Vous pouvez toujours utiliser l'instruction End pour ça.

✔ **Problèmes de flux** : Si vous rencontrez un problème de déroulement du programme, vérifiez votre pseudo-code et recommencez la phase de conception. Ne présumez pas que la conception est bonne, surtout si c'est votre première tentative.

Chapitre 6
La chasse aux bugs

Dans ce chapitre :

▶ Comprendre les différents types de bugs.

▶ Savoir prévenir les bugs.

▶ Comment trouver les bugs.

▶ Apprendre à connaître la fenêtre "Variables locales".

▶ Apprendre à connaître la fenêtre "Espions".

Même le meilleur programmeur du monde fait des erreurs. Ça fait partie de la condition humaine. N'ayez pas l'air surpris quand un bug rampe dans votre programme VBA super-bien-conçu. Les bugs sont les gremlins du monde informatique : ils sont insidieux et diaboliques.

Vous n'arriverez jamais à écrire des programmes parfaits parce que personne n'en est capable. Il vous faudra donc apprendre à gérer les erreurs et à anticiper les problèmes avant qu'ils arrivent.

Apprendre à connaître l'ennemi

Les utilisateurs considèrent les bugs comme des non-entités dépourvues de toute caractéristique. Tout ce que sait un utilisateur, c'est qu'un programme s'est planté et qu'il a perdu des données. Vous ne pouvez pas vous permettre d'adopter ce point de vue. Les bugs ont des personnalités dans le sens où ils diffèrent par :

✔ Le genre.

✔ La cause.

✔ L'effet qu'ils produisent.

✔ La gravité.

> ✔ D'autres facteurs inclus dans votre système de classification personnel.

Trouver un bug signifie connaître sa personnalité de sorte que vous puissiez l'isoler facilement. Cela aide de classer les bugs par genre. Chaque genre de bug a une prophylaxie et un traitement différents. On peut classer les bugs en quatre grandes familles :

> ✔ Syntaxe.
>
> ✔ Compilation.
>
> ✔ Exécution.
>
> ✔ Sémantique.

Comprendre les erreurs de syntaxe

Les erreurs de syntaxe sont les plus faciles à éviter mais aussi parfois les plus difficiles à trouver. Cela va de la faute d'orthographe à l'erreur de ponctuation ou à la mauvaise utilisation d'un élément du langage. Quand vous oubliez d'inclure un End If à la fin d'une structure If…Then, c'est une erreur de syntaxe.

Les fautes de frappe sont des erreurs de syntaxe communes. Elles sont particulièrement dures à trouver quand elles se glissent dans les noms de variables. Par exemple, VBA considère MaVariable et MaVaraible comme deux variables différentes, mais vous pourriez ne pas voir la faute de frappe. En ajoutant Option Explicit au début de tout module, formulaire ou module de classe que vous créez, vous devriez diminuer l'ampleur du problème. On va y revenir un peu plus loin dans le chapitre. Vous pouvez vous reposer sur VBA pour détecter la plupart des fautes de frappe dans les noms de variables dès lors que vous ajoutez cette simple directive. En fait, cette directive devrait toujours faire partie de vos programmes.

Pour ne rien rater de l'aide subtile que vous apporte VBA, vous devez être très attentif à ce qui se passe dans l'IDE. La bulle d'aide montrée dans la Figure 6.1 pour la fonction MsgBox fournit une indication que vous pourriez ne pas remarquer. VBA affiche cette bulle d'aide seulement une fois qu'il a reconnu le nom de la fonction que vous êtes en train de taper. Quand vous ne voyez pas la bulle d'aide, c'est un indice du fait que VBA ne reconnaît pas le nom de la fonction, et vous devez alors être attentif à ce que vous tapez.

Malheureusement, ceci ne s'applique que lorsque VBA est censé afficher une bulle d'aide : par exemple, ça ne marche pas avec les noms de propriété.

Figure 6.1 :
Les bulles
d'aide vous
aident à
identifier les
erreurs de
syntaxe dans
votre code.

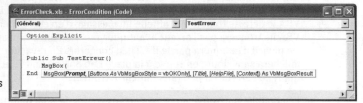

Les erreurs de syntaxe comprennent aussi les erreurs logiques (la construction des expressions dans votre programme). Vous pouvez créer une boucle qui traite le corps de boucle une fois de trop ou une fois pas assez. Une directive If…Then peut utiliser une expression qui marche la plupart du temps, mais qui est quand même incorrecte, et ne produit donc pas toujours le même résultat. Du code avec des erreurs logiques a l'air de tourner quand même parce que VBA ne sait pas qu'il contient des expressions incorrectes. La seule façon de trouver ce genre d'erreur est de déboguer le programme. On va voir ça un peu plus loin dans le chapitre.

Comprendre les erreurs de compilation

VBA utilise le compilateur pour trouver la plupart de vos erreurs de syntaxe et affiche un message d'erreur semblable à celui de la Figure 6.2. Pour tester ça, ouvrez un nouveau projet, créez une Sub (son nom est sans importance), tapez **MsgBox()** et appuyez sur Entrée. VBA affiche alors le message de la Figure 6.2. Quand vous utilisez les parenthèses après MsgBox, VBA s'attend à trouver une variable avant MsgBox(), destinée à recevoir la valeur de retour, comme dans l'expression Resultat=MsgBox("Message"). La ligne de code erronée est affichée en rouge par VBA.

Figure 6.2 :
VBA trouve
certaines
erreurs de
syntaxe.

Les éléments manquants sont un autre genre d'erreur de syntaxe que VBA trouve relativement facilement. Quand vous oubliez un End If, VBA le détecte toujours et affiche un message d'erreur. Cependant, VBA ne trouvera pas l'erreur avant que vous exécutiez le programme. De plus, il n'indiquera pas le If...Then concerné. En revanche, VBA affichera sans doute en rouge à la place End Sub ou End Function, ce qui rend l'erreur un peu plus difficile à trouver.

Le compilateur trouve aussi pas mal d'erreurs de ponctuation. Quand une ligne de code devient trop longue et que vous essayez de passer à la ligne suivante sans ajouter le caractère de continuation, le compilateur s'en aperçoit et vous prévient. Le compilateur note aussi les virgules manquantes entre les éléments d'une directive ou les parenthèses oubliées dans les appels de fonctions.

Quand vous ajoutez Option Explicit à votre code, le compilateur contrôle un certain nombre de choses concernant les variables. Vous pourriez essayer d'assigner une chaîne à un Integer. VBA vous laissera faire au moment où vous tapez le code. Mais, lors de l'exécution, il ne laissera pas passer ça.

Comprendre les erreurs d'exécution

Vous pouvez corriger les erreurs d'exécution en faisant des tests, ou détourner le flot des instructions pour être sûr de ne pas tomber sur le problème. Dans le Chapitre 5, j'ai exposé quelques méthodes pour piéger les erreurs. Nous allons en voir d'autres dans celui-ci. En fait, tout le reste du livre contient des exemples de recherche d'erreurs car c'est un sujet majeur.

Comprendre les erreurs sémantiques

Un type d'erreur particulièrement difficile à trouver et à comprendre est l'erreur sémantique, qui arrive bien que le code VBA et la logique soient corrects. Le problème, c'est que le code ne fait pas ce que vous aviez prévu. Par exemple, vous avez utilisé une boucle Do...Until au lieu d'une boucle Do...While.

Le sens que vous donnez à votre code doit coïncider avec les mots que vous utilisez pour écrire ce code. De même qu'un bon livre utilise des termes précis, un bon programme repose sur des instructions précises pour s'assurer que VBA comprend ce que vous voulez faire. La meilleure façon d'éviter les erreurs sémantiques est d'organiser soigneusement votre application, d'utiliser du pseudo-code au moment de la conception, et enfin de convertir le pseudo-code en code VBA. Si vous brûlez des étapes dans ce processus, vous pouvez introduire des erreurs sémantiques parce que vous risquez de ne pas bien communiquer avec VBA.

Les erreurs sémantiques peuvent s'introduire de manière très subtile. Une équation mal écrite peut donner des erreurs de sortie. Si vous utilisez une équation erronée pour piloter une boucle, c'est encore pire parce que l'erreur ressemble à une erreur de syntaxe ou à une erreur d'exécution. Les instructions intérieures à une boucle ou l'expression utilisée pour l'arrêter sont très importantes. L'erreur la plus fréquente est d'oublier des parenthèses. Par exemple, VBA considère que $1+2*3=7$, mais que $(1+2)*3=9$. C'est très facile de ne pas voir qu'il manque des parenthèses quand vous êtes en train de rechercher frénétiquement une erreur.

Mieux vaut prévenir que guérir

Quand un programme rencontre une erreur imprévue, il plante. Voici quelques bonnes raisons pour gérer les erreurs :

✔ Vous pouvez documenter certaines erreurs connues.

✔ Les programmes peuvent continuer à s'exécuter dans la plupart des cas.

✔ Il y a moins de risque de perdre des données.

✔ Vous pouvez garder trace de certaines erreurs pour pouvoir les déboguer par la suite.

✔ L'application hôte (comme par exemple Microsoft Office) peut aider à réduire les conséquences de l'erreur.

✔ Le système d'exploitation peut limiter la casse.

Eviter les erreurs d'exécution

Les erreurs de saisie sont une source fréquente d'erreurs d'exécution. Pour les éviter au maximum, voici quelques conseils :

✔ Vérifier le type de données, la longueur, la valeur et le sens de chaque saisie.

✔ Prévoir des messages clairs expliquant à l'utilisateur ce qu'il doit faire.

✔ Ecrire des messages d'erreurs clairs expliquant à l'utilisateur ce qu'il fait mal.

✔ Proposer de corriger l'erreur à chaque fois que c'est possible.

✔ Rédiger une aide contextuelle complète avec de nombreux exemples.

Vérifier les saisies est une tâche primordiale dans un programme. Si le programme attend un nombre, interdisez qu'on saisisse une lettre. Vérifiez que la longueur de ce qui a été saisi est conforme à ce qui est attendu. Ce contrôle est particulièrement important pour éviter les "buffer overrun" ou autres "overflow" (dépassements de capacité) qui se produisent lorsque le programme reçoit plus d'information qu'il ne peut en accepter. Les dépassements de capacité font souvent la une des journaux car ce sont des failles de sécurité. Si possible, prévoyez les saisies "exotiques". Par exemple, assurez-vous qu'un e-mail comporte bien un caractère @ mais ne comporte aucune voyelle accentuée.

Les problèmes de ressources sont la deuxième source majeure d'erreurs d'exécution. Il se peut qu'il n'y ait pas assez de place sur le disque dur pour sauver un fichier, ou bien le programme ne trouve pas un fichier dont il a besoin. Votre programme doit donc vérifier les ressources avant que l'erreur se produise. S'il s'agit de quelque chose que vous pouvez vérifier, comme un manque d'espace sur un disque dur, ajoutez du code pour faire le test et prévoyez un message pour prévenir l'utilisateur et lui proposer éventuellement de recommencer.

Se remettre d'une erreur

Permettre au programme de se remettre d'une erreur est important. Ajouter du code à cet effet suppose que vous pouvez compter sur votre programme pour vous aider à surmonter les problèmes venant du système et sécuriser vos données. Vous pouvez ajouter deux types de code de dépannage à votre programme :

✔ Code qui prend les choses en charge avant que les erreurs se produisent.

✔ Code qui sauve les meubles après que les erreurs se soient produites.

Une erreur d'exécution classique est le manque de place sur le disque dur. Pour pouvoir gérer ça, vous devez ajouter une nouvelle bibliothè-que à votre programme. Cliquez sur Outils /Références pour afficher le formulaire des références montré dans la Figure 6.3. Remarquez que la

case Microsoft Scripting Runtime est cochée. Sélectionnez la ligne
correspondante et cliquez OK. La nouvelle bibliothèque est prête à
être utilisée.

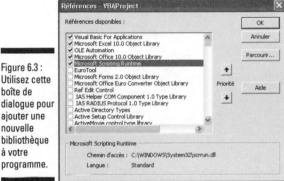

Figure 6.3 :
Utilisez cette
boîte de
dialogue pour
ajouter une
nouvelle
bibliothèque
à votre
programme.

La bibliothèque Microsoft Scripting Runtime possède plein de
fonctionnalités puissantes. J'y reviendrai plus loin dans ce livre. Celle
que nous allons utiliser dans le Listing 6.1 montre comment vérifier
l'espace disque et récupérer la main après une erreur due à un
manque de place sur le disque dur.

Listing 6.1 : Déterminer l'espace libre sur un lecteur.

```
Public Sub DriveTest()
    ' Une variable pour contenir l'espace libre.
    Dim Libre As Double

    ' Une référence à un objet FileSystem.
    Dim MyFileSystem As FileSystemObject

    ' Une référence à un objet Drive.
    Dim MyDrive As Drive

    ' Une variable résultat de dialogue.
    Dim Result As VbMsgBoxResult

    ' Un point de retour en arrière.
Recommence:

    Set MyFileSystem = New FileSystemObject ' On crée un objet
                                              FileSystem
```

```
    Set MyDrive = MyFileSystem.GetDrive("C") ' On crée un objet
                                               Drive associé au
                                               lecteur C

    ' On récupère l'espace libre.
    Libre = MyDrive.AvailableSpace

    ' On fait la vérif.
    If Libre < 10000000000 Then

        ' Il n'y a pas assez de place. Demandons ce qu'il faut faire
        Result = MsgBox("Il n'y a pas assez de place sur le
                    lecteur " + _
                    " Voulez-vous corriger l'erreur ?" + _
                    vbCrLf + _
                    Format(Libre, "###.###") + _
                    " octets disponibles, " + _
                    "10.000.000.000 octets requis.", _
                    vbYesNo Or vbExclamation, _
                    "Erreur disque dur")

        ' Déterminons si l'utilisateur veut corriger l'erreur.
        If Result = vbYes Then

            ' On attend que l'utilisateur règle le problème.
            MsgBox "Veuillez cliquer sur OK quand vous" + _
                " aurez fait un peu de place sur le disque.", _
                vbInformation Or vbOKOnly, _
                "Nouvelle vérification"

            ' On retourne à l'endroit où l'erreur s'est produite.
            GoTo Recommence
        Else

            ' L'utilisateur n'en a rien à péter.
            MsgBox "Le programme ne peut pas enregistrer vos
                données " + _
                "tant qu'il n'y a pas assez de place sur le
                lecteur.", _
                vbInformation Or vbOKOnly, _
                "Espace disque insuffisant"

            ' On dégage.
            Exit Sub
        End If
    End If
End Sub
```

L'objet FileSystemObject contient les informations concernant tous les lecteurs auxquels vous avez accès depuis votre machine. L'objet Drive contient les informations relatives à un lecteur donné. Le code utilise le mot Set avec les objets (le = seul ne suffit pas pour affecter un objet à une variable-objet). On reverra ça au Chapitre 8.

Le programme récupère l'espace disponible dans la variable Libre et compare avec la valeur requise pour contenir les données (que j'ai grossièrement exagérée dans l'exemple pour être à peu près sûr que l'erreur se produise !).

Comme le lecteur ne possède pas assez de place, le code affiche un message d'erreur. Le message peut sembler long et compliqué, mais il fournit toutes les informations utiles pour prendre une décision. Il dit ce qui ne va pas, vous donne le choix entre plusieurs actions possibles, et indique l'espace disque libre ainsi que l'espace disque requis. Observez comment la fonction Format est utilisée pour constituer le texte du message. On voit comment utiliser une chaîne formatée pour afficher l'espace libre.

Si l'utilisateur répond qu'il veut corriger l'erreur, le programme affiche un message disant de cliquer OK quand le problème aura été réglé. Le code utilise l'infâme GoTo pour remonter le flot des instructions et vérifier à nouveau l'espace disque.

Si l'utilisateur répond qu'il s'en fiche, le programme informe vertement l'utilisateur des conséquences possibles d'une telle prise de position. Il quitte alors la Sub sans exécuter aucune autre instruction. Cette étape est importante, car sinon, le programme essaierait quand même d'enregistrer le fichier sur le disque, et là, l'erreur se produirait pour de bon.

Les gestionnaires d'erreur

Si votre programme ne peut pas se remettre de l'erreur, il faut qu'il s'arrête avec élégance. Cependant, s'arrêter avec élégance ne doit pas devenir une technique de programmation standard : essayez toujours de sauver la situation. Un programme qui s'arrête avec élégance doit faire les choses suivantes :

- ✔ Ne pas utiliser un message VBA standard. Il faut un message personnalisé avec un maximum de détails sur l'erreur qui s'est produite.

- ✔ Toujours informer l'utilisateur des conséquences de l'erreur, des possibles solutions et lui dire qui contacter le cas échéant.

✔ Consigner ce qui s'est passé dans le fichier de Windows qui liste les événements (le journal d'événements Windows ou "Windows event log") afin que l'administrateur puisse avoir des informations. VBA ne supporte pas directement cette fonctionnalité.

✔ Ne pas planter l'application hôte ni entraîner de perte de données.

✔ Ne pas utiliser le gestionnaire d'erreurs par défaut du système, mais concevoir une gestion d'erreurs robuste afin de laisser le système d'exploitation dans un état stable.

Écrire votre propre gestionnaire d'erreur

Ajouter un gestionnaire d'erreur à votre programme se fait en deux étapes. Premièrement, vous devez dire à VBA que vous avez inclus un gestionnaire d'erreur, sinon VBA utilisera le gestionnaire d'erreur par défaut, même si vous avez inclus le code de votre propre gestionnaire d'erreur. Deuxièmement, vous devez écrire le code de ce gestionnaire d'erreur. Le Listing 6.2 montre un exemple de Sub qui utilise un gestionnaire d'erreur.

Listing 6.2 : Définir un gestionnaire d'erreur personnalisé.

```
Public Sub GestionErreur()
    ' Une variable pour recevoir la saisie.
    Dim Nombre As Byte

    ' Disons à VBA que nous prenons les choses en main.
    On Error GoTo MonGestionnaire

    ' Demandons un nombre à l'utilisateur.
    Nombre = InputBox("Tapez un nombre entre 1 et " + _
                      "10.", "Saisie d'un nombre", "1")

    ' Regardons si la saisie est correcte.
    If (Nombre < 1) Or (Nombre > 10) Then

        ' Si c'est incorrect, on génère une erreur.
        Err.Raise vbObjectError + 1, _
                "GestionErreur", _
                "Saisie incorrecte. Le nombre " + _
                "doit être entre 1 et 10."
    Else
        ' Sinon, on affiche la saisie.
        MsgBox "Vous avez tapé : " + CStr(Nombre), _
```

```
            vbOKOnly Or vbInformation, _
            "Saisie correcte"
    End If

    ' On sort de la Sub.
    Exit Sub

' Ici commence le gestionnaire d'erreur.
MonGestionnaire:

    ' On affiche le message d'erreur.
    MsgBox "Le programme a rencontré une erreur." + vbCrLf + _
        "Numéro d'erreur : " + CStr(Err.Number) + vbCrLf + _
        "Description : " + Err.Description + vbCrLf + _
        "Source : " + Err.Source, _
        vbOKOnly Or vbExclamation, _
        "Erreur inattendue"

    ' Toujours purger l'erreur après l'avoir traitée.
    Err.Clear
End Sub
```

Cet exemple montre pas mal de nouvelles choses. Il est possible d'utiliser plusieurs variantes de OnError, mais la variante avec GoTo que j'ai utilisée est la plus classique. Une autre variante est *On Error Resume Next* qui dit à VBA d'ignorer la ligne de code qui a causé l'erreur et de reprendre à la ligne suivante. Le problème de cette variante, c'est que vous n'avez pas vraiment géré l'erreur.

N'utilisez jamais l'instruction *On Error GoTo ()*. Cette instruction désactive tous les gestionnaires d'erreur, ce qui signifie que les erreurs ne sont plus gérées et que VBA ne vous dira même plus qu'elles se sont produites. Ce genre de situation peut aboutir à des plantages très sévères et à des pertes de données.

La fonction *InputBox* est une façon intéressante de demander une information à l'utilisateur. Dans l'exemple, on l'utilise juste pour faire un test, et c'est en général de cette façon-là qu'elle est utilisée. Dans les vrais programmes, on ne s'en sert jamais car on a en principe plus d'une information à saisir. Le premier argument est le texte de la question posée à l'utilisateur, le deuxième le titre de la boîte de dialogue et le troisième une valeur par défaut. Il est aussi possible de préciser la position de la boîte de dialogue ainsi qu'une rubrique d'aide contextuelle.

Remarquez le type de données de la variable Nombre. Celui-ci vous garantit que personne ne pourra saisir autre chose qu'un nombre sans provoquer une erreur. Si vous essayez de fournir une information incorrecte, VBA détecte l'erreur et génère une erreur 13 (type incorrect). Vous pouvez trouver une liste des erreurs VBA standard à l'adresse : `http://www.halfile.com/vb.html`. Le type de données *Byte* (octet) limite aussi l'intervalle de saisie à un entier compris entre 0 et 255. Si vous saisissez un nombre plus grand, vous allez provoquer une erreur 6 (dépassement de capacité). Vous pouvez traiter ces erreurs dans votre gestionnaire d'erreur et prendre les mesures appropriées.

La directive If…Then joue ici un rôle spécial. C'est une méthode pour faire une vérification d'étendue : vous devriez d'ailleurs faire ça à chaque fois qu'un utilisateur saisit quelque chose. Si la saisie n'est pas dans l'intervalle autorisé, le code appelle une fonction *Err.Raise* pour générer (on dit aussi "lever", comme on "lève" un drapeau) une erreur. Les erreurs personnalisées ont des numéros réservés. Vous devriez toujours passer votre numéro d'erreur personnalisée à *vbObjectError*. Tous les numéros d'erreurs doivent être inférieurs à 65535.

Quand vous levez une erreur personnalisée, vous devez dire exactement où elle s'est produite. Personnellement, j'inclus toujours le nom du fichier, le nom du module, et le nom de la routine. Ce n'est pas parce que Microsoft donne le mauvais exemple que vous devez en faire autant. Rédigez toujours des messages aussi descriptifs et complets que possible.

Le gestionnaire d'erreur commence à l'étiquette "MonGestionnaire". Il montre les nombreuses propriétés de l'objet *Err* auxquelles vous pouvez avoir accès pour déterminer la source et la cause de l'erreur. Cet exemple pourrait facilement inclure des instructions pour proposer à l'utilisateur de recommencer, mais j'ai choisi de simplifier.

La dernière instruction n'a l'air de rien, mais elle est hyper importante. Il faut toujours purger les erreurs après les avoir traitées en utilisant la méthode *Err.Clear*. Si vous ne le faites pas, VBA risque de penser que l'erreur est toujours là et de planter à nouveau.

Rendre compte des erreurs

Vous ne pouvez pas résoudre les problèmes que vous rencontrez si vous ne savez rien sur eux. Voici quelques idées pour vous aider à faire un compte-rendu :

- ✔ **Message d'erreur** : C'est la méthode utilisée par la plupart des programmes.

✔ **Fichier texte** : Vous pouvez créer un fichier texte contenant la description des erreurs. Si vous utilisez des tabulations pour séparer les champs, vous pourrez stocker plus facilement les informations dans une base de données. On verra au Chapitre 10 comment travailler avec les fichiers disque.

✔ **Journal d'événements Windows (Windows Event Log)** : Vous pouvez utiliser une entrée de ce fichier système pour stocker les informations relatives à l'erreur. Il y a un format standard pour les messages d'erreur. C'est l'endroit où va regarder un administrateur réseau quand il cherche des erreurs. On va voir ça en détail dans la section suivante.

✔ **E-mail** : Vous pouvez créer un message e-mail contenant les informations concernant l'erreur.

Utiliser le journal d'événements

Attention ! Tout ce qui est dit dans cette section n'est valable que pour les Windows à base de NT (NT, 2000, XP). Le journal d'événements n'existe pas dans les autres versions de Windows.

VBA ne fournit pas de méthode simple pour travailler avec le journal d'événements. En fait, il faut créer une connexion entre VBA et l'API (Application Programming Interface ou "Interface de programmation des applications") Win32. Si vous regardez dans le répertoire \Windows\System32 de votre machine, vous y verrez une tripotée de fichiers avec l'extension .dll (Dynamic Link Library ou "Bibliothèque de liens dynamiques"). Chacun de ces fichiers contient des routines utilisées par Windows. Vous pouvez aussi utiliser les fonctions contenues dans ces DLLs pour vos propres besoins.

Dans cette section, je décris le code relatif au journal d'événements. Cet exemple requiert quelques bouts de code que je n'ai pas inclus dans ce chapitre.

Comprendre comment on appelle une fonction de l'API Win32

Pour appeler une fonction dans une DLL externe, il faut prévenir VBA. Le Listing 6.3 montre six fonctions externes.

Listing 6.3 : Les fonctions relatives au journal d'événements.

```
' **** Ces trois fonctions concernent le journal d'événements. ****

' Cette fonction dit à Windows d'utiliser un journal spécifique
' pour stocker les événements..
Declare Function RegisterEventSource _
        Lib "advapi32.dll" _
        Alias "RegisterEventSourceA" ( _
            ByVal lpUNCServerName As String, _
            ByVal lpSourceName As String) As Long

' Cette fonction crée une entrée dans le journal
' d'événements.
Declare Function ReportEvent _
        Lib "advapi32.dll" _
        Alias "ReportEventA" ( _
            ByVal hEventLog As Long, _
            ByVal wType As EntryType, _
            ByVal wCategory As Integer, _
            ByVal dwEventID As Long, _
            ByVal lpUserSid As Any, _
            ByVal wNumStrings As Integer, _
            ByVal dwDataSize As Long, _
            plpStrings As Long, _
            lpRawData As Any) As Boolean

' Cette fonction dit à Windows que le programme utilise le journal
' d'événements.
Declare Function DeregisterEventSource _
        Lib "advapi32.dll" ( _
            ByVal hEventLog As Long) As Long

' **** Ces trois fonctions concernent la mémoire utilisée par les
'       fonctions précédentes. ****

' Cette fonction demande à Windows de réserver de la mémoire pour
' les fonctions relatives au journal d'événements.
Declare Function GlobalAlloc _
        Lib "kernel32" ( _
            ByVal wFlags As GlobalAllocFlags, _
            ByVal dwBytes As Integer) As Long

' Cette fonction transfère de l'information de VBA dans la mémoire
' fournie par Windows.
Declare Sub CopyMemory _
        Lib "kernel32" _
```

```
              Alias "RtlMoveMemory" ( _
                  hpvDest As Any, _
                  hpvSource As Any, _
                  ByVal cbCopy As Long)

' Cette fonction dit à Windows que nous n'avons plus besoin de la
' mémoire allouée par GlobalAlloc et qu'il peut donc la libérer.
Declare Function GlobalFree _
        Lib "kernel32" ( _
            ByVal hMem As Long) As Integer

' **** Ces constantes énumérées facilitent l'usage des
' fonctions. ****

' Ces constantes définissent les types d'entrées dans le journal
  d'événements.
Public Enum EntryType
    EVENTLOG_SUCCESS = 0
    EVENTLOG_ERROR_TYPE = 1
    EVENTLOG_WARNING_TYPE = 2
    EVENTLOG_INFORMATION_TYPE = 4
    EVENTLOG_AUDIT_SUCCESS = 8
    EVENTLOG_AUDIT_FAILURE = 16
End Enum

' Ces constantes définissent les méthodes l'allocation mémoire.
Public Enum GlobalAllocFlags
    GMEM_FIXED = &H0
    GMEM_MOVEABLE = &H2
    GMEM_ZEROINIT = &H40
    GHND = GMEM_MOVEABLE Or GMEM_ZEROINIT
    GPTR = GMEM_FIXED Or GMEM_ZEROINIT
End Enum
```

Vous pouvez trouver de la documentation sur chacune de ces
fonctions dans la bibliothèque MSDN (Microsoft Developer Network
ou "Réseau des développeurs Microsoft") à l'adresse : http://
msdn.microsoft.com/library/. Tapez simplement le nom de la
fonction dans le champ "Search for" et cliquez sur "Go". Vous trouverez des tonnes d'informations sur les fonctions de l'API Win32 à cette
adresse. Une présentation exhaustive de l'API Win32 occuperait
plusieurs livres. C'est pourquoi je ne fais ici qu'effleurer le sujet.

Pour utiliser une fonction externe, on commence toujours par le mot-
clé *Declare*. Ce mot est suivi par le nom de la fonction que vous voulez
utiliser et la bibliothèque (la DLL) où VBA pourra trouver la fonction.
L'API Win32 utilise des noms très difficiles à mémoriser. Vous pouvez

utiliser un nom plus parlant et plus facile à retenir. Si vous utilisez un nom différent, vous devez ajouter le mot Alias dans votre déclaration pour indiquer quel est le vrai nom de la fonction.

La déclaration doit inclure la liste des variables que l'API Win32 s'attend à trouver. Vous pouvez trouver cette liste dans la documentation de l'API Win32 qui se trouve dans la bibliothèque MSDN. J'utilise les mêmes noms pour les variables que l'API Win32 afin que vous puissiez vous y reconnaître.

Le code inclut deux *énumérations*, qui sont des listes de constantes. On verra au Chapitre 8 comment utiliser les constantes énumérées. Par exemple, la liste des boutons et des icônes de la fonction MsgBox est une constante énumérée. L'exemple montre des constantes énumérées pour le type d'entrée du journal d'événement (information, avertissement ou erreur). Il y a aussi des constantes énumérées pour demander à Windows des choses concernant la mémoire.

Créer un journal d'événements pour votre programme

Quand vous ouvrez le journal des événements (pour cela, vous devez exécuter l'**Observateur d'événements** en cliquant sur Démarrer/ Panneau de configuration/Performance et maintenance/Outils d'administration/Observateur d'événements), vous voyez de nombreux fichiers à l'intérieur. Les trois principaux sont Application, Security et System. On en trouve d'autres si l'on travaille avec un serveur. Chacun de ces fichiers contient des informations spécifiques. Malheureusement, le fichier Application a tendance à se remplir très vite, et il est facile de rater des messages.

Une simple modification dans le Registre de Windows suffit pour créer un journal d'événements. **Vous devez faire cette manipulation à la main pour que le programme que je vais écrire dans cette section puisse fonctionner**. Un journal personnalisé a l'avantage de rendre les erreurs faciles à trouver mais a aussi l'inconvénient d'être local à votre machine. Utilisez le fichier Application si vous ne comptez pas stocker trop d'informations. Dans le cas contraire, créez un fichier qui vous est propre.

Ouvrez l'éditeur du Registre en cliquant Démarrer/Exécuter. Tapez **regedit** dans le champ de saisie "Ouvrir" de la boîte de dialogue puis cliquez OK. La Figure 6.4 montre quelques entrées du Registre relatives à un journal d'événements.

Vous devez ajouter deux nouvelles clés : une première pour le journal et une seconde pour votre application : **MonLogSpecial** et **MonProgrammeSpecial**. Soyez bien sûr d'utiliser le même nom

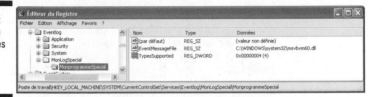

Figure 6.4 :
Entrées de
registre des
journaux
d'événe-
ments.

d'application dans le code de votre programme (nous écrirons ce
programme à la fin de la section). Il faut créer deux valeurs pour la clé
application, comme c'est montré sur la figure. La valeur
EventMessageFile contient l'emplacement du fichier exécutable de
Visual Basic (C:\WINDOWS\System32\msvbvm60.dll dans l'exemple).
La valeur *TypesSupported* est un *DWORD* (un double mot ou 32 bits – 4
octets – sachant qu'un mot – WORD – est constitué de 2 octets). Cette
valeur est ici égale à 4 pour cette version du runtime de Visual Basic.
Regardez la clé HKEY_LOCAL_MACHINE\SYSTEM\CurrentControlSet\
Services\Eventlog\Application\VBRuntime si vous vous demandez ce
qu'elle contient.

Comprendre la fonction Write2EventLog

La fonction que vous utilisez pour créer une entrée dans le journal
d'événements cache la complexité du processus permettant de
réaliser cette tâche. Utiliser des fonctions pour cacher la complexité
sous-jacente facilite la programmation. Le Listing 6.4 montre le code
de la fonction Write2EventLog qui permet d'interagir avec le journal
d'événements.

Listing 6.4 : Cacher la complexité des entrées du journal d'événements.

```
Public Function Write2EventLog( _
    Optional LogName As String = "Application", _
    Optional EventType As EntryType = 4, _
    Optional Category As Integer = 0, _
    Optional EventID As Long = 0, _
    Optional Description As String = "Aucune") As Boolean

    ' L'adresse (ou "handle") du journal ouvert
    Dim EventLogHandle As Long

    ' L'adresse de la mémoire Windows utilisée pour stocker la
    ' description de l'événement.
    Dim MessageHandle As Long
```

```
' Cette fonction écrit des informations dans le journal
' d'événements local de cette machine. Si vous voulez écrire dans
' un journal d'événements sur un serveur, remplacez le premier
' argument de l'appel par le nom du serveur.
EventLogHandle = RegisterEventSource("", LogName)

' On demande à Windows de réserver de la mémoire pour stocker la
' chaîne de description et les données brutes.
MessageHandle = _
    GlobalAlloc(GMEM_ZEROINIT, Len(Description) + 1)

' Si Windows ne dispose pas de suffisamment de mémoire,
' on le dit à l'utilisateur et on sort.
If (MessageHandle = 0) Then
    MsgBox "Windows manque de mémoire, donc le " + _
            "programme ne peut pas écrire dans je journal.", _
            vbOKOnly Or vbExclamation, _
            "Manque de mémoire"

    Exit Function
End If

' Maintenant que nous disposons de mémoire, copions la
' description et les données brutes dans celle-ci.
CopyMemory ByVal MessageHandle, _
            ByVal Description, _
            Len(Description) + 1

' Transférons l'information dans le journal.
Write2EventLog = ReportEvent(EventLogHandle, _
                                EventType, _
                                Category, _
                                EventID, _
                                0&, _
                                1, _
                                0, _
                                MessageHandle, _
                                0)

' Toujours libérer la mémoire qu'on a demandée à Windows.
Call GlobalFree(MessageHandle)

' Prévenir Windows qu'on a fini.
DeregisterEventSource (EventLogHandle)
End Function
```

Quand vous définissez un argument pour une fonction, vous pouvez rendre celui-ci optionnel et lui assigner une valeur par défaut. La fonction Write2EventLog a beaucoup d'arguments, tous optionnels. Pour créer un argument optionnel, utilisez le mot-clé *Optional*. Quand vous voulez assigner une valeur par défaut à un argument, faites suivre la déclaration de type par la valeur désirée. Utiliser des valeurs par défaut assure que la fonction recevra bien quelque chose en entrée.

Avant de pouvoir écrire dans un journal, vous devez dire à Windows lequel vous comptez utiliser. La fonction *RegisterEventSource* dit à Windows quel est le journal associé à votre application. Le premier argument de cette fonction sert à indiquer quelle machine il faut utiliser. Windows utilise la machine locale lorsque cet argument est vide, comme dans l'exemple. Le deuxième argument contient le nom du journal. Cette fonction retourne un *handle*, qui est une adresse correspondant au journal. "Handle" se dit "poignée" dans la langue de Jean-Pierre Foucault. Imaginez-vous donc un handle comme une véritable poignée. Par exemple, la poignée d'une casserole permet de déplacer celle-ci de la cuisinière au plan de travail. Vous ne touchez pas directement la casserole : la poignée vous donne juste *accès* à la casserole.

Les fonctions de l'API Win32 ne peuvent pas avoir accès à la mémoire utilisée par votre programme VBA. C'est une mesure de sécurité, mais cela nous ennuie bien dans notre cas. La fonction *GlobalAlloc* réserve une partie de la mémoire que votre programme peut partager avec l'API Win32. La première tâche que le code réalise est de demander à Windows d'allouer de la mémoire globale que vous pouvez utiliser pour stocker une description de l'événement (retournée par Err.Description). Le code s'assure ensuite que Windows a bien alloué la mémoire en vérifiant la valeur de MessageHandle au retour de l'appel à GlobalAlloc. Si cet appel a été infructueux, c'est vraisemblablement que Windows a manqué de mémoire pour l'allocation, et vous devez quitter la fonction.

Votre programme ne peut pas simplement écrire dans la mémoire utilisée par Windows : il doit utiliser une fonction spéciale. La fonction *CopyMemory* se charge de cela. Remarquez que cette fonction n'a pas de valeur de retour. Windows suppose que si vous avez alloué la mémoire proprement, l'appel ne peut pas échouer. Vous pouvez néanmoins vérifier cette supposition en utilisant la propriété Err.LastDLLError.

Il est temps d'écrire l'information dans le journal en utilisant la fonction *ReportEvent*. Cette fonction retourne un booléen qui indique le succès ou l'échec que Write2EventLog passe au programme appelant. La fonction ReportEvent accepte plusieurs arguments, qui ne sont pour la plupart pas utilisés dans cet exemple. Vous devez fournir le EventLogHandle reçu de la fonction RegisterEventSource. La fonction ReportEvent requiert aussi un type d'événement (information, avertissement ou erreur), une catégorie, l'identifiant de l'événement (retourné par Err.Number), et la description de l'événement pointé par MessageHandle. Les arguments optionnels incluent un identifiant utilisateur et des données brutes (voir la bibliothèque MSDN pour plus de détails).

Après l'écriture de l'événement dans le journal, le code fait un peu de ménage. VBA ne sait rien de la mémoire de Windows, et de toutes façons, il ne pourrait rien en faire dans le cas contraire. À chaque fois que vous allouez de la mémoire avec GlobalAlloc, vous devez la libérer avec *GlobalFree*. La fonction GlobalFree reçoit le handle mémoire (MessageHandle) comme paramètre. Si vous ne libérez pas la mémoire, celle-ci est perdue. Cela peut finir par planter Windows.

La dernière tâche consiste à dire à Windows que vous n'avez plus besoin du journal. La fonction DeregisterEventSource accepte EventLogHandle comme paramètre et ferme le journal. Si vous ne fermez pas le journal, Windows supposera que vous êtes toujours en train de vous en servir et en refusera l'accès aux autres applications.

Exporter un module depuis un programme

Quand vous travaillez avec VBA, il vous arrive de créer des modules que vous voulez utiliser à d'autres endroits. Pour cela, il faut exporter votre module dans un fichier .BAS (comme BASic). Les formulaires, quant à eux, seront enregistrés dans des fichiers .FRM (comme FRaMe), et les modules de classe dans des fichiers .CLS (comme CLaSse). Les étapes suivantes vous indiquent comment faire :

1. **Sélectionnez le module, formulaire, ou module de classe que vous voulez exporter dans la fenêtre de projet.**

2. **Faites un clic droit sur l'entrée et choisissez "Exporter un fichier" dans le menu contextuel.**

   Vous voyez la boîte de dialogue Exporter un fichier.

3. **Choisissez une destination et cliquez sur "Enregistrer".**

   VBA exporte alors le fichier.

Importer un module dans un programme

La bibliothèque que vous constituez lorsque vous écrivez des
programmes VBA est une ressource importante car elle vous permet
d'éviter de récrire du code. À chaque fois que vous avez besoin de
réutiliser du code existant, vous pouvez importer le module en
utilisant la procédure suivante :

1. **Faites un clic droit n'importe où dans la fenêtre de projet et
choisissez "Importer un fichier" dans le menu contextuel.**

   Vous voyez la boîte de dialogue Importer un fichier.

2. **Localisez le fichier à importer.**

3. **Sélectionnez le fichier et cliquez sur "Ouvrir".**

Le module apparaît dans la fenêtre de projet dans le dossier approprié.

Ecrire (enfin !) dans le journal d'événements

Utiliser la fonction Write2EventLog est plus facile que de l'écrire ! La
fonction demande juste quelques paramètres que VBA fournit dans la
plupart des cas. Le Listing 6.5 montre un exemple d'utilisation de la
fonction Write2EventLog.

Listing 6.5 : Ecriture dans le journal d'événements.

```
Public Sub EcrireDansJournal()
    ' On crée un objet.
    Dim MyObject As Object

    ' On indique à VBA le gestionnaire d'erreurs.
    On Error GoTo MonGestionnaire

    ' On génère une erreur.
    MyObject = 2

    ' On sort de la Sub.
    Exit Sub

MonGestionnaire:
    ' On crée une entrée dans le journal.
    If Write2EventLog("MonProgrammeSpecial", _
                      EVENTLOG_ERROR_TYPE, _
                      0, _
```

```
                        Err.Number, _
                        vbCrLf + "Source : " + Err.Source + _
                        vbCrLf + "Decription : " + _
                        Err.Description) Then

        ' En cas de succès.
        MsgBox "Evénement écrit dans le journal.", _
                vbOKOnly Or vbInformation, _
                "Succès"
    Else
        ' En cas d'échec.
        MsgBox "Erreur en écrivant l'événement.", _
                vbOKOnly Or vbExclamation, _
                "Echec"
    End If
End Sub
```

Le code commence par créer un objet qui, par définition, ne contient
rien. Le code dit ensuite à VBA d'utiliser notre gestionnaire d'erreurs
personnalisé. Finalement, il provoque une erreur (en assignant le
nombre 2 à un objet).

Le code de gestion d'erreur appelle la fonction Write2EventLog. Il
passe à cette fonction le nom d'une entrée de programme (utilisez
"**VBRuntime**" pour placer l'entrée dans le journal d'événements). Vous
devez aussi spécifier le type d'entrée (information, avertissement ou
erreur). Comme il s'agit d'un gestionnaire d'erreur, le code utilise la
constante EVENTLOG_ERROR_TYPE. Le paramètre Category est réglé
à 0 si vous n'avez pas besoin de créer une catégorie spéciale pour vos
erreurs personnalisées. Finalement, l'objet Err fournit toutes les autres
informations pour vous : le numéro d'erreur, la source de l'erreur et la
description de l'erreur. La Figure 6.5 montre le résultat de cet exemple.
Vous pouvez lire le détail des informations en double-cliquant sur
l'entrée, ce qui provoque l'ouverture de la boîte de dialogue de
propriétés des événements.

Si jamais le programme ne marche pas, vérifiez que vous avez bien fait
les modifications dans la base de registre que je vous ai expliquées
dans la section "Créer un journal d'événements pour votre programme".

L'heure de la chasse

Vous ne vous retrouvez pas tout seul face aux bugs. VBA met à votre
disposition un outil spécial que l'on appelle un *débogueur*.

Figure 6.5 :
Une entrée
du journal
des
événements.

Le débogueur est une fonctionnalité interne accessible depuis une barre d'outils spéciale judicieusement appelée "Débogage". La Figure 6.6 montre cette barre d'outils. Ajoutez-la à votre espace de travail en faisant un clic droit dans la zone des barres d'outils et en choisissant "Débogage" dans la liste.

Figure 6.6 :
La barre
d'outils du
débogueur.

Un petit break

Avant de pouvoir stopper votre programme, vous devez dire à VBA où il doit s'arrêter. C'est ce qu'on appelle un *point d'arrêt*. Pour ajouter un point d'arrêt à votre code, placez le curseur sur la ligne voulue, et cliquez sur le bouton "Basculer le point d'arrêt" de la barre d'outils débogage. Quand vous cliquez sur le bouton "Exécuter Sub/User Form", VBA s'arrête automatiquement à l'endroit que vous avez indiqué.

Dans les moments où votre programme s'arrête naturellement, comme lors de l'affichage d'un formulaire, vous pouvez aussi cliquer sur le bouton "Arrêt" pour suspendre l'exécution. Le bouton "Arrêt" diffère du bouton "Réinitialiser" car il interrompt juste l'exécution. En revanche, le bouton "Réinitialiser" arrête complètement le programme, si bien que vous êtes obligé de le relancer.

Une autre façon de marquer une pause est d'utiliser la méthode Debug.Assert. Vous pouvez utiliser n'importe quelle expression booléenne avec cette méthode. Si l'expression est vraie, le programme continue à s'exécuter normalement. Dans le cas contraire, le programme s'arrête et vous pouvez alors examiner les variables.

Pour redémarrer un programme après un break, cliquez sur le bouton "Exécuter Sub/User Form".

Prendre son pied à petits pas

À chaque fois que vous exécutez un break dans un programme, le débogueur active les boutons "Pas à pas détaillé", "Pas à pas principal" et "Pas à pas sortant". Ces trois boutons permettent d'exécuter une seule ligne à la fois, afin d'observer l'effet de chaque instruction sur les données du programme. Si vous pensez qu'une instruction donnée modifie une certaine chaîne, vous pouvez le vérifier en regardant ce que fait précisément cette instruction.

Le bouton "Pas à pas principal" sert quand vous voulez voir uniquement ce qui se passe dans la routine où vous vous trouvez. Ce bouton fait avancer d'une ligne à chaque pression. Si une ligne comporte un appel à une autre fonction ou procédure, celle-ci est exécutée, mais le pas à pas n'entre pas dans le détail de cette dernière.

Si vous soupçonnez que c'est un appel à une Function ou une Sub qui provoque une erreur, utilisez le bouton "Pas à pas détaillé" depuis l'endroit où vous vous trouvez afin que le pas à pas entre dans le détail de la routine suspecte.

Une fois que vous êtes entré à l'intérieur d'une routine, il se peut que vous vous aperceviez que l'erreur ne vient pas de cette routine. Plutôt que de vous la taper ligne par ligne jusqu'à la fin, cliquez sur le bouton "Pas à pas sortant" qui va vous ramener à l'instruction suivante de la procédure appelante (après avoir bien sûr exécuté le reste du code de la routine détaillée).

Quelques astuces pour mater les données

Quand vous stoppez le programme sur un point d'arrêt, vous avez plusieurs manières d'aller soulever les jupes des variables. La plus simple est de regarder la bulle d'aide d'une variable, comme c'est montré sur la Figure 6.7. Il suffit juste d'attarder votre souris au-dessus d'une variable (même une variable objet) et d'attendre nonchalamment, en sifflotant d'un air détaché.

Tirer parti de la fenêtre Exécution

La fenêtre Exécution est un outil de débogage appréciable. Vous pouvez l'afficher en cliquant sur le bouton "Fenêtre Exécution" de

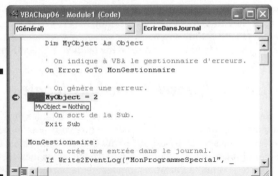

Figure 6.7 :
On peut voir
ce que
contient une
variable en
regardant la
bulle d'aide.

la barre d'outils de débogage. On avait vu au Chapitre 1 que l'on pouvait créer des mini-programmes dans cette fenêtre. On peut y faire des assignations simples, et on peut aussi y regarder la valeur d'une variable.

La fenêtre Exécution peut servir d'écran de sortie. La manière la plus classique de l'utiliser comme ça est la méthode *Debug.Print*. Je vous montre ça tout de suite dans le Listing 6.6.

Listing 6.6 : Utiliser l'objet Debug.

```
Public Sub UtiliserDebug()
    ' Une variable pour la saisie.
    Dim Nombre As Byte

    ' On demande un nombre à l'utilisateur.
    Nombre = InputBox("Tapez un nombre entre 1 et " + _
                      "10.", "Saisie", "1")

    ' On écrit la valeur de Nombre dans la fenêtre Exécution.
    Debug.Print "Nombre = " + CStr(Nombre)

    ' On arrête le programme si le nombre n'est pas
    ' dans l'intervalle correct.
    Debug.Assert (Nombre >= 1) And (Nombre <= 10)

    ' On affiche le résultat.
    MsgBox "Vous avez tapé : " + CStr(Nombre), _
           vbOKOnly Or vbInformation, _
           "Saisie correcte"
End Sub
```

La méthode Debug.Print affiche la valeur courante de la variable dans la fenêtre Exécution, et la méthode Debug.Assert vérifie un intervalle de saisie. Quand cet intervalle est incorrect, le programme s'arrête, et vous pouvez voir la valeur erronée dans la fenêtre Exécution.

Utiliser la fenêtre Variables locales

La fenêtre Variables locales montre toutes les variables visibles depuis le segment de code courant. Cela signifie que vous pouvez voir les variables définies dans la Sub ou la Function courante, mais aussi les variables globales. Pour afficher la fenêtre Variables locales, cliquez sur le bouton "Fenêtre Variables locales" de la barre d'outils. La Figure 6.8 montre un exemple typique d'affichage dans cette fenêtre.

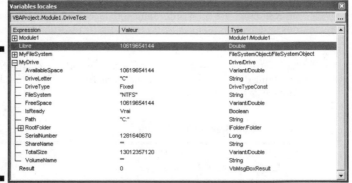

Figure 6.8 : Utilisez la fenêtre Variables locales pour voir les variables à portée de code.

La fenêtre Variables locales affiche trois types d'informations : nom de la variable, valeur, et type de données. En haut de la Figure 6.8, il y a Libre, un Long local. La valeur courante est la quantité d'espace libre sur le disque C de mon système.

Deux objets apparaissent ensuite dans la liste. Cliquez sur le signe plus à côté du nom, et vous verrez les propriétés de l'objet ainsi que leurs valeurs. Remarquez que MyDrive.AvailableSpace a la même valeur que Libre, car j'ai arrêté le programme juste après l'assignation de l'espace libre à la variable Libre.

Les objets peuvent contenir d'autres objets. MyDrive est un objet de type Drive qui contient un objet RootFolder. Cliquez sur le signe plus à côté de RootFolder pour afficher le contenu de cet objet.

La fenêtre Variables locales est aussi pratique pour jouer des scenarii du genre "Qu'est-ce qui se passerait si...". Le programme DriveTest se plante parce que la valeur de Libre est (volontairement) trop grande. Vous pouvez double-cliquer sur le champ "Valeur" de Libre pour changer sa valeur. Mettez par exemple 10000000001, et le test passera parce que Libre sera supérieur d'une unité à la valeur de test.

Utiliser la fenêtre Espions

La fenêtre Espions fonctionne de manière similaire à la fenêtre Variables locales, mais son but est différent. La fenêtre Variables locales montre les variables dans leur format brut, et seulement les variables visibles localement. Vous avez peut-être envie de voir d'autres variables ou vous voulez peut-être utiliser une fonction pour changer une variable avant de la visualiser. La fenêtre Espions permet de faire ce genre de choses, mais demande un peu plus de travail pour y parvenir. Pour afficher la fenêtre Espions, cliquez sur le bouton "Fenêtre Espions" de la barre d'outils. La Figure 6.9 montre ce que ça donne.

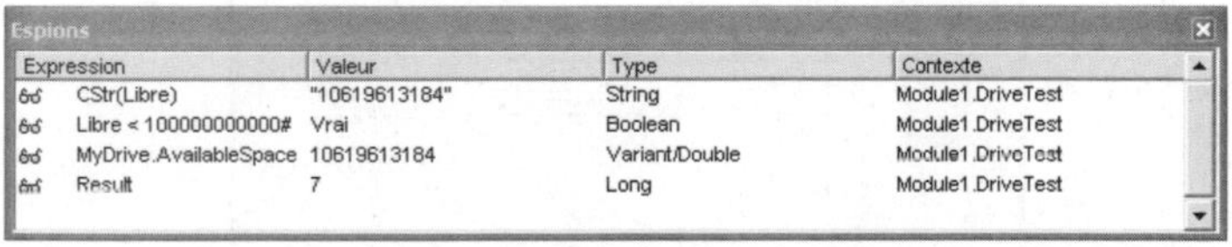

Figure 6.9 : La fenêtre Espions trace les variables et les expressions.

Cette fenêtre possède une colonne "Contexte". Ce champ vous dit où une variable est définie. Comme vous pouvez utiliser des variables depuis n'importe quel endroit, savoir d'où elles viennent est important.

Ajouter un espion

La façon la plus simple d'ajouter un espion est de sélectionner dans votre code l'expression à espionner, puis de la glisser dans la fenêtre Espions. VBA remplit tout automatiquement pour vous : vous n'avez rien à faire d'autre que de regarder la valeur. Vous pouvez aussi sélectionner l'expression et cliquer sur le bouton "Espion express" de la barre d'outils. Quand vous utilisez cette méthode, vous voyez une boîte de dialogue qui vous dit tout sur l'expression espionnée. Cliquez sur "Ajouter" si vous voulez ajouter le nouvel espion ou sur "Annuler" si vous avez changé d'avis.

Utiliser la boîte de dialogue "Ajouter un espion"

Une expression à espionner peut être plus complexe qu'une simple variable ou même une courte expression dans votre code. Regardez la première expression dans la Figure 6.9. Cette expression ne vient pas du code : je l'ai créée en utilisant la boîte de dialogue "Ajouter un espion". La boîte de dialogue "Ajouter un espion" (voir Figure 6.10) vous donne un contrôle total sur l'expression. Pour afficher la boîte de dialogue "Ajouter un espion", sélectionner n'importe quelle expression dans votre code, faites un clic droit sur la sélection, et choisissez "Ajouter un espion…" dans le menu contextuel.

Figure 6.10 : La boîte de dialogue "Ajouter un espion" vous permet de modifier des expressions existantes ou d'en créer de toutes pièces.

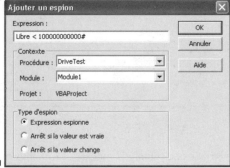

Vous pouvez modifier une expression en changeant le contenu du champ "Expression". Par exemple, dans la Figure 6.9, j'ai sélectionné la variable Libre dans le code et j'ai ajouté CStr à l'expression. Vous pouvez aussi utiliser cette boîte de dialogue pour changer le contexte de l'expression espionnée. Cela peut aider pour avoir accès aux variables globales dans n'importe quelle procédure et pas seulement dans la procédure courante. Une variable locale qui a un nom courant (du genre "compteur") peut apparaître dans plusieurs Subs ou Functions.

Remarquez les trois options dans le groupe "Type d'espion". VBA suppose que vous voulez créer une expression espionne. C'est ce qui se passe lorsque vous créez un espion express ou que vous utilisez la méthode glisser/déposer. Vous pouvez aussi créer une expression espionne qui arrête le programme quand sa valeur est vraie ou quand elle change. Créer une condition d'arrêt est une des plus intéressantes façons d'utiliser la fenêtre Espions.

Chapitre 7

Interactions
avec l'utilisateur

. . . .

Dans ce chapitre :
▶ Des formulaires pour interagir avec l'utilisateur.
▶ Créer des formulaires en utilisant des contrôles.

. . . .

*L*es programmes utilitaires VBA peuvent d'ordinaire faire leur
boulot sans qu'il y ait beaucoup de choses à saisir. Cependant, il
y a des programmes VBA qui nécessitent que l'utilisateur tape un
certain nombre de choses. Un *formulaire* présente des champs de
saisie où vous pouvez écrire des informations.

Dans ce chapitre, je vais vous faire faire un tour dans le monde des
formulaires. Vous trouverez aussi des formulaires dans toute la suite
de ce livre. Les formulaires VBA peuvent être très complexes, mais les
meilleurs sont ceux qui sont simples et faciles à utiliser. Les exemples
de ce chapitre vont particulièrement insister sur la simplicité. Les
autres chapitres sont construits sur cette base et montrent des
formulaires plus particuliers.

Qu'est-ce qu'un formulaire ?

On imagine parfois les formulaires comme de gros pâtés colorés avec
plein de contrôles posés dessus n'importe comment. Cette idée
provient du fait que l'on rencontre effectivement souvent de telles
horreurs conçues par des programmeurs du dimanche. Des formulaires bien conçus tiennent compte d'un certain nombre d'impératifs
comme la façon dont l'utilisateur passe d'une zone à la suivante. Un
formulaire doit aussi avoir des textes courts et faciles à comprendre
ainsi qu'une présentation agréable, exempte de couleurs criardes.

Vous pensez peut-être que concevoir un tel formulaire est difficile, mais si vous adoptez la même stratégie qu'avec les méthodes de programmation (clarté et simplicité !), vous pourrez facilement créer des formulaires superbes.

Utiliser les formulaires avec créativité

Un formulaire ne doit pas contenir ou demander trop d'informations, sinon il est inutilisable. Il faut se concentrer sur une partie précise de l'information. Si c'est nécessaire, il vaut mieux une séquence de petits formulaires qu'une grosse fenêtre indigeste où on risque de passer à côté de la moitié des choses.

Un formulaire constitue une partie de l'interface entre le programme et la personne qui l'utilise. On doit comprendre au premier coup d'œil à quoi sert un formulaire. Chaque bouton doit avoir une bulle d'aide expliquant à quoi il sert. Même un formulaire compliqué peut être facile à comprendre si vous intégrez une aide contextuelle.

Concevoir un formulaire

Pour commencer cet exemple, il est nécessaire d'ajouter quelques références que VBA ne fournit pas en standard. Cliquez sur Outils/ Références pour afficher le formulaire des références. Sélectionnez "Microsoft Visual Basic for Applications Extensibility 5.3 Library", comme montré sur la Figure 7.1. Profitez-en pour vérifier que les autres références sont aussi cochées comme sur la figure.

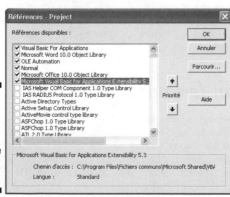

Figure 7.1 : Ajoutez ces références pour faciliter la création de formulaires dynamiques.

La façon la plus simple de créer un formulaire est d'utiliser l'IDE. On utilisera cette méthode traditionnelle dans la prochaine section. Un formulaire conçu de cette façon est dit statique : vous décidez de son aspect au moment de la phase de conception du programme.

Pour commencer, nous allons créer un formulaire en utilisant du code, afin que vous compreniez comment ça marche. Un formulaire créé comme ça est dynamique parce qu'il est possible de changer son apparence via le code pendant que le programme s'exécute, en fonction des circonstances. Il est même possible d'enregistrer sur disque une apparence à un instant donné. Personne n'oblige à utiliser l'IDE pour créer un formulaire. En fait, en VBA, on peut faire n'importe quoi juste en écrivant du code. Le Listing 7.1 montre un exemple de formulaire simple créé uniquement par du code.

Listing 7.1 : Création dynamique d'un formulaire en utilisant du code.

```
Public Sub MontrerPremierFormulaire()
    ' Une variable pour comptabiliser les lignes de code.
    Dim Compte As Integer

    ' On crée l'objet formulaire.
    Dim PremierFormulaire As VBComponent
    Set PremierFormulaire =
        ThisWorkbook.VBProject.VBComponents.Add(vbext_ct_MSForm)

    ' On donne un titre au formulaire.
    PremierFormulaire.Properties("Caption") = "Boîte de dialogue
                                              personnalisée"

    ' On ajoute un bouton.
    With PremierFormulaire.Designer.Controls.Add( _
                "Forms.CommandButton.1", _
                "btnOK", _
                True)

        ' On règle quelques propriétés du bouton.
        .Left = 156
        .Top = 6
        .Caption = "OK"
    End With

    ' On ajoute un peu de code pour que btnOK fasse quelque chose.
    With PremierFormulaire.CodeModule

        ' Récupérons le nombre de lignes de code.
```

```
            Compte = .CountOfLines

        ' On insère le code à la fin.
        ' On commence par ajouter "Private Sub".
        .InsertLines Compte + 1, "Private Sub btnOK_Click"

        ' On ajoute le code qui affiche un message qui dit "Au
          revoir !"
        .InsertLines Compte + 2, "MsgBox " + Chr(&H22) + _
                                 "Au revoir !" + Chr(&H22)

        ' On ferme la boîte de dialogue pour que le programme puisse
          se terminer.
        .InsertLines Compte + 3, "Unload Me"

        ' Finit la Sub.
        .InsertLines Compte + 4, "End Sub"
    End With

    ' On crée un intitulé.
    With PremierFormulaire.Designer.Controls.Add( _
                        "Forms.Label.1", _
                        "lblMessage", _
                        True)

        ' On configure l'intitulé.
        .Left = 23
        .Top = 60
        .Width = 190
        .Height = 90
        .Caption = "Ceci est un formulaire personnalisé " + _
                   "qui montre qu'il n'y a rien de magique dans
                   l'IDE. " + _
                   "Vous pouvez créer n'importe quel formulaire en
                   utilisant " + _
                   "simplement du code."
    End With


    ' On affiche notre formulaire.
    VBA.UserForms.Add(PremierFormulaire.Name).Show

    ' On vire le formulaire de la feuille de calcul.
    ThisWorkbook.VBProject.VBComponents.Remove _
        VBComponent:=PremierFormulaire
End Sub
```

Si ça ne marche pas : Cliquez sur Outils/Macro/Sécurité. Allez dans l'onglet "Sources fiables" et vérifiez que "Faire confiance au projet Visual Basic" est coché.

Le code commence par créer un formulaire. Ça a l'air bizarre au début, mais on verra que ça se fait en fait de la même façon quand on utilise l'IDE. Vous pouvez aussi utiliser les constantes vbext_ct_ClassModule pour créer un module de classe et vbext_ct_StdModule pour créer un module standard.

Remarquez la technique utilisée pour accéder aux propriétés du formulaire. L'exemple modifie la propriété Caption, si bien que votre formulaire se voit doté d'un joli titre. Cette technique intervient plusieurs fois dans le livre. Elle permet d'accéder aux éléments d'une collection.

Les formulaires contiennent des contrôles comme les boutons et les intitulés. Dans l'exemple, on commence par ajouter un bouton. Le premier argument est l'identifiant spécial utilisé pour le contrôle dans la base de registres. Vous pouvez trouver une liste de ces identifiants dans l'aide à la rubrique "Méthode Add des MSForms". Le deuxième argument est le nom du contrôle. C'est le nom que l'on utilise par la suite pour accéder au contrôle. Le troisième argument dit si le contrôle est visible ou non.

Ce code utilise une structure *With*. Cette structure permet d'éviter de retaper cinquante fois le nom du contrôle. Vous remarquerez que chaque ligne à l'intérieur de la structure With commence par un point. Cela signifie que ces méthodes ou ces propriétés se rapportent au contrôle spécifié dans le With.

Après avoir créé le bouton, le code change quelques propriétés du contrôle : on précise son texte (sa "caption") et on le positionne dans le coin supérieur droit du formulaire.

Pour que le bouton fasse quelque chose, il faut ajouter un peu de code. Ce code s'appelle un gestionnaire d'événement. On reviendra là-dessus plus loin dans le chapitre. Le code crée donc dynamiquement une Sub après la création du bouton, de sorte que VBA associe le code avec le bouton. C'est très fort : votre code est en train d'écrire du code à l'intérieur de lui-même ! La Sub affiche un message et ferme le formulaire appelant lorsqu'on clique sur le bouton.

Le code ajoute aussi un intitulé sur le formulaire. Ça demande un peu plus de boulot pour régler les propriétés, mais, en revanche, il n'y a pas de code à faire générer, car l'intitulé (le "label") sert juste à afficher un texte et il n'y a donc pas d'événement à gérer.

Une fois le formulaire complet, le code l'ajoute à la liste des formulaires utilisateur maintenue par VBA en utilisant la méthode *Add*. Le formulaire est affiché par la méthode *Show*. Le code fait une pause à cet endroit car il attend que vous réagissiez. Le Figure 7.2 montre à quoi doit ressembler le formulaire.

Figure 7.2 :
Un exemple
de formulaire
créé dynami-
quement.

La dernière étape consiste à supprimer le formulaire du document. Si vous oubliez cette étape, le programme continuera à créer de nouveaux formulaires sans libérer l'espace mémoire correspondant, et le document deviendra monstrueusement gros. Faites **toujours** le ménage quand vous avez fini d'utiliser un objet que vous avez créé.

A propos de la mise en page du formulaire

La manière de présenter votre formulaire est importante. Quand vous utilisez un formulaire agréable à l'œil, vous vous sentez bien disposé à l'égard du programme. Un formulaire bien agencé est facile à comprendre et à utiliser. Voici quelques éléments que vous devriez toujours prendre en considération quand vous élaborez un formulaire :

- **Flux** : Les contrôles disposés sur le formulaire doivent permettre de se déplacer en toute fluidité. Par exemple, si vous devez taper une adresse, les champs de saisie doivent être disposés de telle sorte que vous saisissiez facilement dans l'ordre le prénom, le nom, la rue, le code postal et la ville.

- **Intitulés** : Chaque champ doit être associé à une étiquette textuelle. Parfois, on rencontre dans certaines applications des champs vierges qui ne contiennent aucune information. À moins de laisser traîner votre souris au-dessus du champ pour pouvoir lire la bulle d'aide, vous n'avez aucune chance de deviner ce que le champ est censé contenir.

✔ **Design** : Bien que les formulaires criards risquent d'indisposer l'utilisateur, vous devez quand même faire un effort de présentation. Le logo de votre société (ou tout autre élément décoratif) rend plus agréable à utiliser le plus terne des formulaires.

✔ **Raccourcis clavier** : C'est très désagréable d'avoir à déplacer la main du clavier à la souris à chaque fois que vous voulez faire quelque chose. Ça peut même rendre la vie insupportable pour certaines personnes. En utilisant des raccourcis clavier (qui correspondent à une lettre soulignée), vous permettez à l'utilisateur de ne se servir que de son clavier pour accéder aux contrôles de votre formulaire.

✔ **Choix des contrôles** : VBA met à votre disposition un sacré paquet d'outils grâce à la boîte à outils. Si vous trouvez que ce choix est encore trop limité pour vous, vous pouvez toujours ajouter de nouveaux contrôles à la boîte à outils. Utilisez toujours le bon contrôle pour la bonne tâche. Toutes les saisies ne requièrent pas une "TextBox" (boîte de texte). Certaines demandent une *ListBox* (liste de données), d'autres une *ComboBox* (liste déroulante), ou encore une *CheckBox* (case à cocher) ou un *OptionButton*.

✔ **Flexibilité** : Un formulaire doit être suffisamment flexible pour s'afficher convenablement sur n'importe quel système. Peut-être un utilisateur se servira-t-il de votre programme sur un écran minuscule (ou avec une résolution plus faible), ce qui l'obligera à redimensionner la fenêtre. Ceux qui utilisent un portable auront peut-être à augmenter le contraste pour pouvoir avoir une chance d'apercevoir quelque chose de votre œuvre d'art. Certaines personnes utilisent les "grandes polices" : il faut prévoir ce cas, sinon il est possible que les textes ne s'affichent pas correctement.

Les contrôles de base

VBA fournit en standard un bon ensemble de contrôles de base, comme vous pouvez le voir sur la Figure 7.3. Si ça se trouve, vous utiliserez VBA pendant des années sans jamais avoir besoin d'autre chose. En fait, ces contrôles peuvent satisfaire pratiquement tous les besoins, et il est rare d'en rencontrer d'autres dans les applications Windows.

Figure 7.3 :
VBA fournit
un ensemble
de contrôles
qui
permettent
de
s'acquitter
de toutes les
tâches.

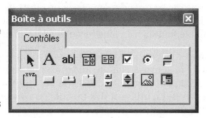

Ajouter des contrôles à un formulaire

Pour ajouter un contrôle sur le formulaire, sélectionnez le contrôle
dans la Boîte à outils puis cliquez sur le formulaire à l'endroit où vous
désirez que le contrôle apparaisse. Le pointeur de la souris se
positionne alors automatiquement dans le coin supérieur gauche du
contrôle. Le pointeur en forme de croix permet de déplacer le contrôle
avec précision. Une fois les contrôles ajoutés, vous aurez sans doute à
les organiser pour améliorer la présentation.

Utiliser le contrôle Intitulé (Label) pour afficher du texte

La Figure 7.4 montre un formulaire simple avec deux Intitulés. Le
premier contient "Texte du message :" dans sa propriété Caption. Il
utilise la lettre m comme raccourci clavier (propriété Accelerator).
C'est pourquoi le m est souligné. Quand l'utilisateur tape Alt+m, VBA
sélectionne le contrôle Zone de texte associé avec le premier Intitulé.

Figure 7.4 :
Les Intitulés
identifient
d'autres
contrôles ou
contiennent
des textes
informatifs.

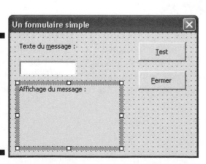

Le deuxième Intitulé contient "Affichage du message :" dans sa propriété Caption. Cet intitulé est censé recevoir ce qui est contenu dans la zone de texte quand vous cliquez sur le bouton "Test". Voici le code du gestionnaire d'événement du bouton "Test". Pour le saisir, faites un clic droit sur le bouton "Test" et choisissez "Code".

```
Private Sub btnTest_Click()
    ' On copie l'information contenue dans la zone de texte
    ' dans l'intitulé.
    lblOutput.Caption = "Affichage du message : " + vbCrLf + _
                        txtInput.Text
End Sub
```

VBA exécute le code quand vous cliquez sur le bouton "Test". Le nom du bouton est btnTest et le nom de l'événement est Click, si bien que le nom de la Sub associée est btnTest_Click. Le résultat de ce code est que lblOutput, l'intitulé qui sert de terminal de sortie, contient le texte qui était contenu au départ dans la zone de texte txtInput.

Vous vous demandez peut-être pourquoi j'ai donné aux contrôles des noms qui commencent par lbl, txt ou btn. La principale raison est que VBA trie les contrôles suivant leur nom. Je peux donc les retrouver ainsi facilement dans la fenêtre de propriétés. Vous pouvez voir ça sur la Figure 7.5.

Figure 7.5 :
Utilisez une notation standard pour le nom des contrôles.

Récupérer les saisies de l'utilisateur avec des zones de texte

Le contrôle Zone de texte (TextBox) doit toujours être utilisé en conjonction avec un Intitulé (Label) qui en indique la fonction, comme dans la Figure 7.4.

Le contenu du contrôle se trouve dans la propriété *Text*. Text est une chaîne : même si vous tapez un nombre dans le contrôle, celui-ci sera considéré comme une chaîne. Néanmoins, dans la plupart des cas, VBA fait pour vous la conversion entre une variable numérique et le contenu de la zone de texte. C'est ce qu'illustre le Listing 7.2.

Listing 7.2 : Utilisation des propriétés Text et Caption.

```
Private Sub btnTest_Click()
    ' Une variable pour recevoir la saisie.
    Dim ValeurSaisie As Integer

    ' On indique à VBA le gestionnaire d'erreur.
    On Error GoTo PasUnNombre

    ' On récupère la valeur chaîne et on la met
    ' dans la variable numérique.
    ValeurSaisie = txtInput.Text

    ' On dit à l'utilisateur ce qu'il a tapé.
    lblOutput.Caption = ValeurSaisie

    ' Exit the Sub.
    Exit Sub

    ' On gère les saisies non numériques.
PasUnNombre:
    MsgBox "Vous devez taper un nombre !"
End Sub
```

Cet exemple place la valeur contenue dans txtInput.Text dans ValeurSaisie. VBA fait la conversion tout seul dans la mesure où on a tapé un nombre. Si vous utilisez cette technique, prévoyez toujours un gestionnaire d'erreur comme montré dans le code. Sinon le programme va se planter dans le cas où l'utilisateur saisit autre chose qu'un nombre.

La conversion fonctionne dans les deux sens. Remarquez que la propriété lblOutput.Caption accepte de se voir affecté un nombre ! Si vous avez besoin d'ajouter du texte à la valeur affichée, vous devrez recourir à nouveau à la fonction CStr, comme vous le faisiez avant. Sinon VBA affichera un message d'erreur. En fait, je vous conseille de faire comme ça dans tous les cas (utiliser CStr), car ces transtypages sauvages qu'autorise VBA ne sont quand même pas de très bonnes habitudes de programmation !

Faire des choses avec des boutons

Les boutons de commande (CommandButton) sont le moyen le plus simple de réaliser des actions. L'événement par défaut est le clic.

Comme l'intitulé, le bouton de commande a une propriété Caption qui contient le texte apparaissant sur le bouton. Il est possible d'utiliser la propriété Accelerator pour simplifier l'accès au bouton grâce à une combinaison Alt+Touche. L'exemple suivant (Listing 7.3) utilise trois boutons. La Figure 7.6 montre à quoi doit ressembler le résultat final.

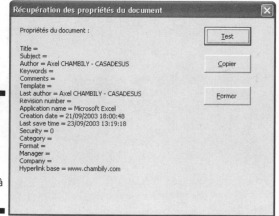

Figure 7.6 :
Les boutons
de
commande
permettent
de choisir
des actions à
effectuer.

Listing 7.3 : Utiliser le Presse-papiers pour copier des données.

```
Private Sub btnCopy_Click()
    ' On crée un objet Clipboard (presse-papiers) pour stocker les
      infos.
    Dim ClipData As DataObject
    Set ClipData = New DataObject
```

```
    ' On met le texte de lblOutput dans l'objet.
    ClipData.SetText lblOutput.Caption

    ' On met l'objet dans le Presse-papiers.
    ClipData.PutInClipboard
End Sub

Private Sub btnQuit_Click()
    ' On finit le programme.
    End
End Sub

Private Sub btnTest_Click()
    ' Une chaîne pour contenir les infos.
    Dim Sortie As String

    ' On crée un contenant pour les propriétés du document.
    Dim DocProp As DocumentProperty

    ' Au cas où certaines propriétés ne seraient pas supportées par
      l'application hôte.
    On Error Resume Next

    ' On génère la chaîne de sortie.
    For Each DocProp In _
    ActiveWorkbook.BuiltinDocumentProperties
        Sortie = Sortie + DocProp.Name + " = " + _
                 CStr(DocProp.Value) + vbCrLf
    Next

    ' On affiche sortie à l'écran.
    lblOutput.Caption = Sortie

    ' On active le bouton "Copier".
    btnCopy.Enabled = True
End Sub
```

On avait vu au Chapitre 3 comment récupérer des propriétés de document. Dans cet exemple, on les récupère toutes en utilisant une boucle For Each...Next.

Remarquez que btnTest_Click utilise la directive On Error Resume Next. Ce programme montre un des rares cas où il est convenable d'utiliser ce truc-là. Toutes les applications ne supportent pas chacune des propriétés de document. Si vous essayez de récupérer la valeur d'une propriété non supportée par l'application, VBA générera une erreur. Comme vous ne pourrez rien faire pour la corriger, la seule chose à faire est de sauter à l'instruction suivante.

La chaîne qui contient la série de propriétés est ensuite copiée dans lblOutput.Caption, ce qui provoque son affichage à l'écran. Le code active le bouton "Copier" en mettant sa propriété *Enabled* à true.

La procédure btnCopy_Click introduit le type *DataObject*. Ce type d'objet vous permet de communiquer avec le Presse-papiers de Windows. Les méthodes de DataObject permettent de récupérer ce qui se trouve dans le Presse-papiers, de mettre quelque chose dedans et d'en formater le contenu.

Normalement, on travaille avec le Presse-papiers en deux étapes. Pour y mettre quelque chose, le code doit d'abord passer par le DataObject en utilisant sa méthode *SetText*. Ensuite seulement, on fait passer les données du DataObject dans le Presse-papiers en utilisant la méthode *PutInClipboard*. Pour récupérer le contenu du Presse-papiers, on suit la procédure inverse en utilisant la méthode *GetFromClipBoard* pour mettre ce contenu dans le DataObject. Ensuite, on déplace les données du DataObject dans une variable en utilisant *GetText*.

Tout programme qui se respecte doit comporter une manière d'en sortir. Dans un programme basé sur un formulaire, comme c'est le cas de cet exemple, on prévoit en général un bouton "Fermer". Normalement, on sort d'un formulaire de configuration par un des boutons "OK" ou "Annuler". Ici, la procédure btnQuit_Click n'est pas trop compliquée : elle utilise juste l'instruction End pour terminer le programme.

Dire Oui ou Non avec des cases à cocher et des boutons bascule

La case à cocher (CheckBox) et le bouton bascule (ToggleButton) sont booléens : ils ne peuvent se trouver que dans deux états et leur propriété *Value* ne peut donc prendre que deux valeurs, True et False. Une case à cocher indique Oui ou Non, alors qu'un bouton bascule indique plutôt On ou Off.

Les deux contrôles utilisent l'événement Click pour indiquer un changement d'état. La Figure 7.7 montre un exemple utilisant une case à cocher et un bouton bascule.

Le Listing 7.4 montre le code utilisé pour créer cet exemple.

Figure 7.7 :
Utilisez ces
contrôles
pour poser
une question
ou jouer le
rôle d'un
interrupteur.

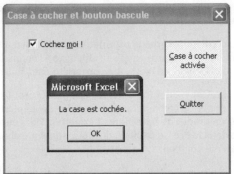

```
Private Sub cbChecked_Click()
    ' Regardons si la case est cochée.
    If cbChecked.Value Then
        ' On affiche un message.
        MsgBox "La case est cochée."

    Else
        ' On affiche un message.
        MsgBox "La case n'est pas cochée."
    End If
End Sub

Private Sub tbCBEnable_Click()
    ' On regarde si le bouton est enfoncé.
    If tbCBEnable.Value Then
        ' On désactive la case à cocher.
        cbChecked.Enabled = True

        ' On change le texte.
        tbCBEnable.Caption = "Case à cocher activée"

    Else
        ' On active la case à cocher.
        cbChecked.Enabled = False

        ' On change le texte.
        tbCBEnable.Caption = "Case à cocher désactivée"
    End If
End Sub
```

Au lancement, la case à cocher est désactivée et le bouton bascule
n'est pas enfoncé. Cliquez sur le bouton bascule. Le code appelle

tbCBEnable_Click. Cette procédure regarde la valeur de la propriété tbCBEnable.Value pour décider ce qu'il faut faire. Dans les deux cas, l'état de la case à cocher est modifié par l'intermédiaire de sa propriété Enabled. La Caption du bouton bascule change aussi. Le code n'a pas besoin de s'occuper de la propriété Value car le contrôle la modifie tout seul.

Une fois la case à cocher activée, vous pouvez cliquer dessus. Cette fois, c'est la procédure cbChecked_Click qui est appelée. Le code regarde la propriété cbChecked.Value et affiche le message approprié. Encore une fois, le contrôle change automatiquement la valeur, si bien que vous n'avez pas à vous occuper d'en garder trace.

Vous pourriez facilement échanger les rôles des contrôles dans cet exemple. Il n'y a pas de raison ici d'utiliser le bouton bascule plutôt comme un indicateur Oui/Non que comme un indicateur On/Off. Cependant, quand vous concevez une application réelle, il est nécessaire de tenir compte de l'impact visuel des contrôles. Bien que les deux contrôles fonctionnent de façon similaire, un bouton bascule fait plus penser à un interrupteur qu'une case à cocher.

Faire des choix avec des boutons d'option et des cadres

On n'utilise jamais un bouton d'option (OptionButton) tout seul. Ce contrôle apparaît toujours dans un groupe. Un groupe de boutons d'option permet de faire un choix dans une liste d'options. Un seul bouton d'option peut être sélectionné à la fois : tous les autres sont automatiquement désélectionnés.

Comme les boutons d'options marchent dans des groupes, vous devez dire à VBA quels boutons appartiennent à quel groupe, surtout si le formulaire comporte plusieurs groupes. Il y a deux manières de créer un groupe. La première consiste à affecter la même chaîne à la propriété *GroupName* de chaque bouton du groupe. L'avantage de cette méthode est qu'elle économise de la mémoire et accélère l'exécution du programme. D'autre part, cette méthode permet de mettre une image de fond sous les boutons.

La seconde méthode consiste à placer les boutons d'option dans un cadre (Frame). Pour cela, vous devez d'abord créer un cadre et, seulement ensuite, mettre les boutons d'options dedans. L'avantage de cette méthode, c'est qu'il y a moins de risque d'erreur (la première méthode est sensible aux fautes de frappe) et que le groupe est matérialisé visuellement. De plus, les cadres donnent du relief au formulaire. Vous pouvez voir un exemple correspondant à chaque méthode sur la Figure 7.8.

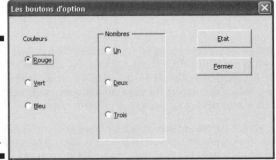

Figure 7.8 :
Les boutons
d'option
permettent
de faire un
choix parmi
plusieurs
propositions.

Malheureusement, les boutons d'option, même groupés, fonctionnent individuellement. Vous devez traiter chaque bouton séparément. Une façon de gérer les boutons d'option est de créer une variable globale et d'utiliser l'événement Click de chaque bouton pour la modifier. Cette méthode a l'avantage que vous n'avez pas à déterminer quel bouton est sélectionné. L'inconvénient, c'est que cela demande un peu plus de code et un peu plus de mémoire, et la variable globale peut être une source d'erreurs. Le Listing 7.5 montre un exemple de cette méthode.

Listing 7.5 : Gestion des boutons avec des variables globales.

```
Private Couleur As String
Private Nombre As String

Private Sub btnEtat_Click()
    ' Une chaîne de sortie.
    Dim Sortie As String
    Sortie = "la couleur choisie est : " + Couleur + _
            vbCrLf + _
            "Le nombre choisi est : " + Nombre


    ' On affiche le résultat.
    MsgBox Sortie
End Sub

Private Sub obBleu_Click()
```

```
    ' Change la valeur de Couleur.
    Couleur = obBleu.Caption
End Sub

Private Sub obVert_Click()
    ' Change la valeur de Couleur.
    Couleur = obVert.Caption
End Sub

Private Sub obUn_Click()
    ' Change la valeur de Couleur.
    Nombre = obUn.Caption
End Sub

Private Sub obRouge_Click()
    ' Change la valeur de Couleur.
    Couleur = obRouge.Caption
End Sub

Private Sub obTrois_Click()
    ' Change la valeur de Nombre.
    Nombre = obTrois.Caption
End Sub

Private Sub obDeux_Click()
    ' Change la valeur de Nombre.
    Nombre = obDeux.Caption
End Sub

Private Sub UserForm_Initialize()
    ' Initialisations des variables globales.
    Couleur = obRouge.Caption
    Nombre = obUn.Caption
End Sub
```

Utiliser des variables globales vous oblige à les initialiser. La procédure UserForm_Initialize réalise cette tâche au démarrage du programme. Quand vous cliquez sur chaque bouton, VBA appelle le gestionnaire d'événement Click correspondant. Ce gestionnaire modifie la variable Couleur ou la variable Nombre suivant les cas. Quand vous cliquez sur le bouton "Etat", VBA appelle la procédure btnEtat_Click.

Une autre approche consiste à utiliser des séries de tests If...Then...ElseIf pour déterminer quel bouton est sélectionné en regardant la propriété Value. Le Listing 7.6 montre un exemple de ce que ça donne.

Listing 7.6 : Gestion des boutons d'option avec des tests.

```
Private Sub btnElseIfSelect_Click()
    ' Une chaîne de sortie.
    Dim Sortie As String
    Sortie = "La couleur choisie est : "

    ' Valeur de la couleur.
    If obRouge.Value Then
        Sortie = Sortie + "Rouge"
    ElseIf obVert.Value Then
        Sortie = Sortie + "Vert"
    Else
        Sortie = Sortie + "Bleu"
    End If

    ' Le nombre.
    Sortie = Sortie + vbCrLf + "Le nombre choisi est : "

    ' Valeur du nombre.
    If obUn.Value Then
        Sortie = Sortie + "Un"
    ElseIf obDeux.Value Then
        Sortie = Sortie + "Deux"
    Else
        Sortie = Sortie + "Trois"
    End If

    ' On affiche le résultat.
    MsgBox Sortie
End Sub
```

Le code commence par déterminer le statut des boutons relatifs aux couleurs. Il utilise la propriété Value pour cela. Puis, il constitue la première partie de la chaîne de sortie et passe aux boutons relatifs aux nombres.

Les deux méthodes produisent le même résultat. La différence réside dans la façon de faire le boulot. Si vous utilisez la première technique, vous écrivez plus de code, mais vous obtenez une performance un peu meilleure. La deuxième méthode requiert juste une procédure et pas de variables globales, mais peut amener une légère baisse de performance.

Choisir des options avec des zones de liste et des zones de liste modifiables

On utilise des boutons d'option quand on est confronté à une liste statique (dont les éléments ne changent pas), et surtout, quand il n'y a pas trop d'éléments dans la liste ! Les zones de liste permettent de créer des listes dynamiques (on peut ajouter ou enlever des éléments pendant que le programme tourne).

Les deux types de contrôles nécessitent que vous les remplissiez. La méthode la plus simple est d'utiliser *AddItem*. Utilisez cette méthode quand vous voulez toujours remplir le contrôle avec la même liste au démarrage du programme. Vous pouvez aussi créer un tableau (array) et l'affecter à la propriété *List* du contrôle. L'avantage de la deuxième méthode est que vous pouvez passer différents tableaux à une routine quand il est nécessaire de modifier la liste. On verra au Chapitre 9 comment on utilise les tableaux.

Il y a quelques différences entre les deux types de contrôles. La zone de liste modifiable (ComboBox) tient moins de place, mais on ne voit que l'option sélectionnée. Pour voir toutes les options, il faut cliquer sur la flèche. La zone de liste (ListBox) est plus pratique car elle affiche plusieurs (mais pas forcément toutes) options à la fois.

Par défaut, l'utilisateur peut taper dans la zone de liste modifiable une valeur qui n'est pas dans la liste des options. Cela rend la zone de liste modifiable plus flexible, mais cela veut dire aussi que vous allez devoir gérer les erreurs de saisie (avec une ListBox, le problème n'existe pas). Il est possible de limiter une zone de liste modifiable aux options proposées en mettant sa propriété *MatchRequired* à true.

L'avantage d'une ListBox est que vous pouvez mettre sa propriété *MultiSelect* à true pour permettre à l'utilisateur de choisir plusieurs éléments dans la liste. La propriété *Selected* permet de déterminer quelles entrées sont sélectionnées. La propriété Value est toujours égale à *Null* (rien) quand vous autorisez les sélections multiples.

Les deux types de contrôles requièrent moins de code que les boutons d'option pour faire à peu près la même chose. Le Listing 7.7 montre un exemple de ComboBox et de ListBox en action.

Listing 7.7 : Zones de liste et zones de liste modifiable.

```
Private Sub btnEtat_Click()
    ' Une chaîne pour la sortie...
    Dim Sortie As String
```

```
    Sortie = "La couleur choisie est : " + _
            comboCouleurs.Value + vbCrLf + _
            "Le nombre choisi est : " + listNombres.Value

    ' On affiche le résultat.
    MsgBox Sortie
End Sub

Private Sub UserForm_Initialize()
    ' On remplit la ListBox.
    listNombres.AddItem "Un"
    listNombres.AddItem "Deux"
    listNombres.AddItem "Trois"
    listNombres.AddItem "Quatre"
    listNombres.AddItem "Cinq"
    listNombres.AddItem "Six"

    ' On sélectionne la valeur par défaut.
    listNombres.Value = "Un"

    ' On remplit la ComboBox.
    comboCouleurs.AddItem "Rouge"
    comboCouleurs.AddItem "Vert"
    comboCouleurs.AddItem "Bleu"
    comboCouleurs.AddItem "Jaune"
    comboCouleurs.AddItem "Orange"
    comboCouleurs.AddItem "Violet"

    ' On sélectionne la valeur par défaut.
    comboCouleurs.Value = "Rouge"
End Sub
```

L'exécution commence dans la procédure UserForm_Initialize qui remplit les deux listes en utilisant la méthode AddItem. En affectant une des valeurs de la liste à la propriété Value, on sélectionne du même coup cette valeur dans la liste.

La procédure btnEtat_Click retrouve les sélections courantes en utilisant la propriété Value des contrôles. Elle affiche ensuite un message semblable à ceux que nous avons rencontrés précédemment.

Bien que ce code fasse à peu près la même chose que celui des boutons d'option, il est beaucoup plus compact. Et, en prime, on a plus de choix !

Ajouter des contrôles à la boîte à outils

Peut-être aurez-vous besoin d'autres contrôles pour créer votre programme. Windows met à votre disposition des tonnes de contrôles que vous pouvez utiliser. VBA fournit l'essentiel, mais vous pouvez toujours en ajouter en suivant la procédure suivante :

1. **Faites un clic droit sur la page "Contrôles" de la boîte à outils et choisissez "Contrôles supplémentaires".**

   Vous pouvez voir le formulaire qui apparaît sur la Figure 7.9.

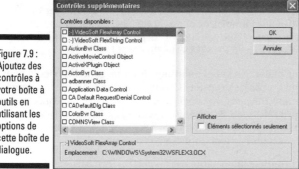

Figure 7.9 : Ajoutez des contrôles à votre boîte à outils en utilisant les options de cette boîte de dialogue.

2. **Sélectionnez le contrôle que vous voulez ajouter à votre boîte à outils en cochant la case correspondante.**

3. **Cliquez OK.**

   VBA ajoute le contrôle choisi à votre boîte à outils.

Au bout d'un moment, ça risque d'être un peu la foule dans votre boîte à outils. Vous pouvez ajouter de nouvelles pages à la boîte à outils en faisant un clic droit à l'extérieur des pages existantes et en choisissant "Nouvelle page". Se débarrasser d'une page est aussi facile que de la créer : il suffit de faire un clic droit à l'extérieur de la zone de la page et de choisir "Supprimer la page". Il est aussi possible de déplacer ou de renommer des pages tout aussi facilement.

Utiliser les formulaires

Les formulaires ne sont utiles que s'ils sont utilisables. Pour les rendre utilisables, il faut leur donner une apparence sympa. Organiser agréablement un formulaire est aussi important que de vérifier qu'il fonctionne correctement. Enfin, il est nécessaire que vous connaissiez les événements générés par un formulaire pour être sûr d'obtenir les résultats espérés.

Modifier les propriétés du formulaire et des contrôles

Quand vous sélectionnez un formulaire ou un des contrôles qu'il contient, la fenêtre de propriétés change en fonction de la sélection.

Vous vous demandez peut-être s'il est possible de mémoriser toutes les propriétés des formulaires et des contrôles. En fait, vous n'en avez à mémoriser aucun. Pour voir à quoi correspond une propriété, sélectionnez-la et tapez F1. VBA vous dira tout !

Quand vous utilisez un Label pour fournir un raccourci clavier vers un contrôle qui n'a pas de propriété Caption, vérifiez bien que la valeur de la propriété *TabIndex* du Label est inférieure d'une unité à celle du contrôle qu'il référence. Par exemple, si une TextBox a un TabIndex égal à 5, le Label associé doit avoir un TabIndex égal à 4. Sinon, la touche de raccourci ne fonctionnera pas comme prévu.

Une autre propriété importante est *ControlTipText*. Saisissez une description de ce qu'est censé faire le contrôle dans cette propriété. Quand l'utilisateur survolera le contrôle avec sa souris, VBA affichera une bulle d'aide contenant ce texte. Ce genre d'aide est la voie du milieu entre la boîte de message et l'aide contextuelle hyper élaborée. Il donne une information précieuse sans que l'on ait à ouvrir le fichier d'aide.

Quand un contrôle n'a pas de propriété Caption (comme c'est le cas d'une TextBox), il faut absolument ajouter un Label pour décrire le contrôle.

Rendre votre formulaire sexy

Que votre formulaire ait l'air tiré à quatre épingles est très important. L'aspect du formulaire a un impact énorme sur celui qui l'utilise. VBA fournit un paquet d'options dans le menu Format pour faire de votre formulaire une œuvre d'art. Les mêmes options sont présentes sous forme de boutons dans la barre d'outils UserForm (voir Figure 7.10).

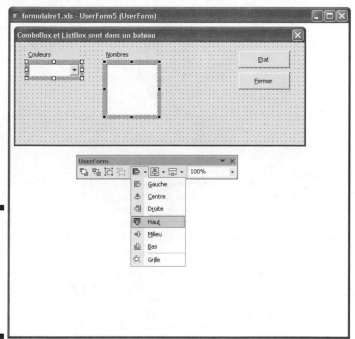

Figure 7.10 :
Concevez
des
formulaires
irréprocha-
bles en
utilisant les
options de
formatage.

Remarquez que certains boutons de la barre d'outils UserForm
présentent une flèche. En cliquant dessus, vous pouvez voir la liste
des fonctions associées au bouton. Sélectionnez celle que vous voulez
utiliser.

Les fonctions d'alignement deviennent disponibles quand vous
sélectionnez deux contrôles ou plus sur le même formulaire, comme
c'est le cas sur la Figure 7.10. Utilisez Ctrl+Clic gauche pour sélectionner chaque contrôle. Le **dernier** contrôle sélectionné sert de référence
pour l'alignement. Si vous voulez aligner les hauts (i.e. rendre égales
leurs propriétés Top) des contrôles, cliquez sur Format/Aligner/Haut.
Il est possible d'aligner des contrôles individuellement en utilisant les
commandes du menu Format/Centrer sur la feuille.

Afficher un formulaire à l'écran

Rien de plus facile. Il suffit juste d'utiliser la méthode *Show* du
formulaire, comme montré dans le Listing 7.8.

Listing 7.8 : Affichage d'un formulaire.

```
Public Sub AfficherForm()
    ' On utilise la méthode Show pour afficher une Form.
    ' En utilisant un formulaire non modal, vous autorisez le travail
      multitâche.
    UserForm1.Show vbModeless

    ' Si le formulaire est modal, vous ne pouvez rien faire d'autre
    ' tant que vous n'avez pas refermé ce formulaire.
    UserForm2.Show vbModal
End Sub
```

Le choix de l'affichage *modal* ou non modal est très important. Si vous comptez afficher d'autres formulaires ou autoriser l'utilisateur à faire autre chose pendant que le formulaire est affiché, utilisez un formulaire non modal. Si le programme doit être complètement interrompu tant que le formulaire est affiché à l'écran, utilisez un formulaire modal.

L'exemple précédent montre les deux types de formulaires. Si vous essayez de sélectionner UserForm1, vous n'y arriverez pas car l'affichage d'UserForm2 (modal) bloque le déroulement du programme. Dès que vous avez refermé UserForm2, le programme reprend, et vous pouvez accéder à UserForm1. Ce dernier formulaire, non modal, ne suspend pas l'exécution du programme (on pourrait, par exemple, imaginer qu'une boucle tourne pour mener à bien un calcul pendant qu'il est affiché). Si vous ne précisez pas *vbModeless* ou *vbModal* lors d'un appel à la méthode Show, VBA utilise un affichage modal (bloquant) par défaut.

Valider les saisies de l'utilisateur

La plupart des problèmes dans les programmes proviennent des saisies de l'utilisateur. Il faut donc veiller au grain. Si l'utilisateur saisit quelque chose que le programme n'a pas prévu, votre super génial programme que vous avez mis six mois à mettre au point se plantera. Ne pas accorder toute son attention aux saisies de l'utilisateur peut déboucher sur des problèmes de sécurité. Un dépassement de capacité (qui peut planter tout un système) est simplement le résultat de l'oubli de vérifier une saisie. La validation des saisies se traduit par :

✔ Toujours vérifier que la saisie utilise le bon type de données.

- ✔ **Toujours vérifier l'intervalle d'une saisie numérique.** Si vous attendez un nombre compris entre 1 et 5, ne laissez pas l'utilisateur saisir quoi que ce soit d'autre.

- ✔ **Toujours vérifier la validité des saisies textuelles.** Si vous attendez un e-mail, assurez-vous que la saisie contient un @.

- ✔ **Ne jamais autoriser l'utilisateur à saisir des caractères spéciaux à moins que ce ne soit indispensable au fonctionnement de votre programme.**

- ✔ **Simplifiez la vie de l'utilisateur en lui indiquant clairement ce que vous attendez.** Par exemple, si vous devez demander une adresse, utilisez des entrées séparées pour la ville et le code postal.

Une règle d'or : si un utilisateur est censé ne pas faire quelque chose, n'attendez pas qu'il le fasse pour avoir à lui dire ensuite : "Vous n'auriez pas dû faire ça !" Empêchez-le de faire cette chose, tout simplement ! Par exemple, désactivez un bouton s'il n'est pas censé être utilisable à un moment donné.

Gestion des événements liés aux formulaires

Les formulaires (comme tous les contrôles qu'ils contiennent) sont associés à un certain nombre d'événements. Regardez en haut de la fenêtre de code, et vous verrez deux listes déroulantes. La première est la liste de tous les objets associés avec le formulaire courant. La Figure 7.11 montre un exemple de cette liste. L'entrée "UserForm" correspond à l'objet associé au formulaire lui-même.

Quand vous sélectionnez un objet, VBA crée automatiquement une procédure pour l'événement par défaut supporté par l'objet (Click en général). Vous pouvez supprimer ces lignes si vous avez l'intention d'écrire du code pour un autre événement.

La deuxième liste déroulante est la liste des procédures (voir Figure 7.12). Cette liste contient les événements possibles associés avec l'objet sélectionné dans la liste de gauche.

Certaines entrées de la liste des événements sont en gras. Ce sont celles qui sont réellement gérées dans le programme en cours. Les éléments qui ne sont pas en gras correspondent à des événements que vous pouvez choisir de gérer mais que vous n'avez pas encore gérés (et que vous ne gérerez peut-être jamais si vous n'en avez pas besoin) pour l'instant. Pour créer un nouveau gestionnaire d'événement dans

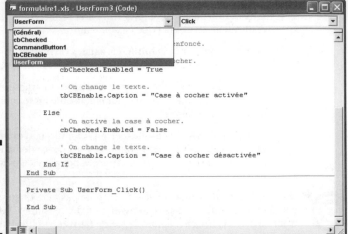

Figure 7.11 :
La liste des objets associés au formulaire en cours.

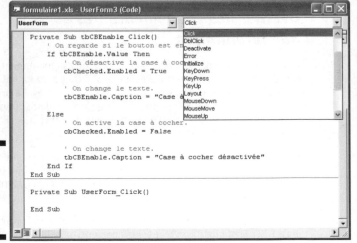

Figure 7.12 :
La liste des événements associés à l'objet sélectionné.

votre programme, sélectionnez simplement l'événement voulu dans la liste de droite. VBA ajoute automatiquement la Sub correspondante à votre code : vous n'avez plus qu'à taper vos instructions à l'intérieur.

Troisième partie

Elargir
votre horizon VBA

"J'ai tout le temps l'impression que ce projet
peut être enterré d'une minute à l'autre..."

Dans cette partie...

C'est la partie du livre où vous allez passer du simple apprentissage du langage à sa mise en œuvre véritable.

Dans le Chapitre 8, je montre comment VBA utilise des objets. Dans le Chapitre 9, je vous aide à comprendre le sens des éléments pris individuellement, et celui de la collection prise comme un tout.

Dans le Chapitre 10, j'explique quelques techniques relatives au stockage sur disque. Microsoft considère que XML est la prochaine technologie de stockage et que tout le monde va se l'arracher. Dans le Chapitre 11, je décris comment XML peut vous être profitable et comment l'utiliser au sein de VBA.

Chapitre 8
Programmation orientée objet

. . . .

Dans ce chapitre :

▶ Comprendre comment marchent les classes.

▶ Créer vos propres classes.

▶ Utiliser les classes que vous avez créées dans un programme.

▶ Apprendre à gérer les erreurs dans vos classes.

▶ Apprendre comment créer des classes bien construites.

▶ Signer vos classes.

. . . .

ans ce chapitre, je décris les mécanismes sous-jacents qui se cachent derrière les objets. Avec VBA, vous pouvez créer vos propres objets pour concevoir des classes, qui sont les prototypes des objets. En fait, vous pouvez créer ces objets et les partager avec d'autres personnes qui ont besoin des mêmes fonctionnalités. Créer et utiliser des objets en concevant des classes vont renforcer vos compétences en matière de programmation VBA.

Comprendre les classes

Une *classe* est la description d'un objet : c'est le schéma que VBA utilise pour construire un objet sur votre demande. La classe n'est pas un objet : c'est simplement le plan de construction de cet objet. Rappelez-vous bien la distinction.

Pour construire un objet, vous demandez à VBA d'*instancier* (créer une *instance* de) cet objet. Tout le code requis pour construire cet objet apparaît dans la classe. En tant qu'utilisateur de VBA, vous créez la classe et non l'objet. Vous créez la classe et c'est VBA qui crée l'objet.

Voici un exemple simple de processus en deux étapes utilisé pour instancier un objet :

```
' On crée une référence au système de fichiers.
Dim MyFileSystem As FileSystemObject

' On crée une référence pour le lecteur cible.
Dim MyDrive As Drive

' On remplit ces deux objets avec des données pour qu'ils
' indiquent la place disponible sur le lecteur C.
Set MyFileSystem = New FileSystemObject
Set MyDrive = MyFileSystem.GetDrive("C")
```

VBA crée l'objet MyFileSystem, basé sur le schéma fourni par la classe FileSystemObject. De même, VBA crée l'objet MyDrive, basé sur le schéma fourni par la classe Drive.

Dire à VBA que vous voulez créer ces deux objets en utilisant la directive *Dim* n'est pas la même chose que de les instancier. C'est la directive *Set* qui instancie l'objet. Vous affectez à un objet le schéma contenu dans la classe.

Vous pouvez instancier des objets en utilisant un certain nombre de techniques : l'exemple précédent en montre deux. Dans le premier cas, MyFileSystem est instancié en utilisant le mot-clé *New* et le nom de la classe, FileSystemObject. Dans le second cas, MyDrive est instancié en se basant sur un objet existant contenu dans l'objet MyFileSystem. La méthode *GetDrive* dit à VBA quel objet Drive utiliser avec l'objet MyFileSystem.

Il y a deux variétés de classes : les composants et les contrôles. Un *composant* est une classe qui décrit un objet sans interface utilisateur. Par exemple, la classe FileSystemObject est un composant. Il montre à VBA comment créer un objet dépourvu d'interface utilisateur. Il est très usuel de créer des composants avec VBA. Tous les exemples de ce livre (comme le prochain Listing 8.1) montrent comment créer des composants.

Un *contrôle* est une classe qui décrit un objet possédant une interface utilisateur ou affectant l'interface utilisateur. Par exemple, la classe CommandButton est un contrôle parce qu'elle possède une interface (en l'occurrence, le bouton). Ne croyez pas que chaque contrôle ait forcément un aspect visuel. Un *Timer* (sorte de chronomètre) est encore un contrôle bien qu'on ne puisse pas le voir. C'est quand même un contrôle car il interagit avec l'utilisateur et affecte l'interface utilisateur. C'est très difficile de créer des contrôles avec VBA. Si vous voulez créer des contrôles pour votre programme VBA, vous devez utiliser un autre langage, comme Visual Basic (pas VBA), Visual C++, ou Visual C#. Pour ma part, j'utilise Delphi, où le langage de programmation est le Pascal, beaucoup plus solide et puissant que le Basic (c'est le genre de langage où on n'a pas le droit d'affecter une chaîne à un nombre, si vous voyez ce que je veux dire !).

Concevoir une classe de base

Comme une classe est le plan d'un objet, vous devez avoir une petite idée de ce que vous voulez construire. Les meilleures classes sont celles qui répondent à un besoin spécifique.

Voici quelques points importants à prendre en considération quand vous écrivez vos propres classes :

- ✔ **Propriétés, méthodes et noms des événements :** Utilisez des noms reconnaissables (similaires) pour les propriétés, méthodes et événements. Par exemple, n'appelez pas un événement Click un événement "Mulot" parce que personne (à part notre ami Jacques) ne comprendra ce que vous voulez dire.

- ✔ **Fonctionnalités obligatoires :** On a vite fait d'oublier une fonctionnalité dans une classe. En regardant des classes existantes, vous prendrez l'habitude de ne rien oublier d'indispensable, comme, par exemple, une propriété Caption.

- ✔ **Style :** Votre nouveau super contrôle possède sûrement des fonctionnalités uniques. Cependant, il doit avoir le même look visuel que les contrôles similaires conçus par d'autres personnes. Il y a un standard. Par exemple, n'oubliez pas de prévoir une liste déroulante proposant les options True et False pour les propriétés booléennes.

- ✔ **Aides visuelles :** Prévoyez des boîtes de dialogue, des bulles d'aide et tout ce qui peut aider le quidam qui tombe sur votre truc. Inspirez-vous de ce qui existe pour rendre les choses les plus simples possible.

- ✔ **Discrétion :** Exposer tous les détails de votre classe n'est pas une bonne idée. Les objets sont supposés ne montrer que l'essentiel. Regardez dans des classes existantes et vous comprendrez ce qu'il convient de cacher dans la vôtre.

Définir les propriétés

Une propriété décrit une particularité de l'objet, comme sa couleur, son titre, son aspect (en creux ou en bosse). Ne croyez pas qu'une propriété doive nécessairement décrire une caractéristique physique de l'objet. Un nom de fichier fait une propriété très acceptable. Une propriété est une espèce spéciale de donnée spécifique à l'objet.

Méthodes de construction des propriétés

VBA fournit trois sortes de méthodes de construction pour les propriétés. Vous pouvez choisir d'utiliser l'une ou l'autre de ces méthodes, ou les trois. Une propriété requiert au moins une des méthodes que je décris dans cette liste.

- ✔ **Let :** La méthode *Let* permet de fixer la valeur de la propriété. Utilisez-la lorsque la propriété a un type de données standard.

- ✔ **Set :** Utilisez la méthode *Set* lorsque vous créez des objets qui contiennent d'autres objets. Par exemple, un objet FileSystemObject contient des objets Drive. Pour avoir accès à ces objets, vous devez utiliser la méthode Set et non la méthode Let.

- ✔ **Get :** La méthode *Get* retourne la valeur de la propriété au programme appelant. La méthode que vous utilisez pour les objets n'est pas la même que pour les autres types de données, mais vous pouvez retourner n'importe quelle valeur de propriété par cette méthode.

Quand vous créez une propriété, vous décidez non seulement le nom et le type de données, mais aussi son accessibilité. L'accès peut être en lecture seule (avec la méthode Get), en écriture seule (avec les méthodes Set et Let), ou en lecture/écriture (en utilisant conjointement Get avec Set ou Let).

Les propriétés ont une portée, comme n'importe quoi d'autre en VBA. En plus de Public et Private, une propriété peut aussi avoir la portée *Friend*. La portée Friend est intermédiaire entre Public et Private. Tout ce qui se trouve dans le projet courant peut voir la propriété, mais rien de ce qui se trouve à l'extérieur ne le peut. La portée Friend est utile pour les configurations locales. N'importe quelle partie d'un projet local – une partie du programme qui contrôle la fonctionnalité de l'objet – peut configurer la propriété, mais vos autres projets ne peuvent pas la voir.

Vous pouvez aussi ajouter le mot-clé *Static* aux propriétés. Ajoutez toujours ce mot-clé quand vous voulez que la valeur de la propriété reste en mémoire entre deux appels, mais pas quand vous voulez être sûr que la propriété reprenne sa valeur par défaut. Le mot clé Static est important quand vous voulez qu'un objet ait des réglages mémorisés.

Voici dans le Listing 8.1 deux exemples de propriétés en lecture/écriture.

Listing 8.1 : Créer une méthode pour une propriété.

```
Private UtiliseIcone As VbMsgBoxStyle
Private NouvelleIcone As Image

Public Static Property Let Icone(Value As IconTypes)
    ' On change l'icône de la boîte de message
    ' en fonction de la valeur passée.
    Select Case Value
        Case Critique
            UtiliseIcone = vbCritical
        Case Question
            UtiliseIcone = vbQuestion
        Case Exclamation
            UtiliseIcone = vbExclamation
        Case Information
            UtiliseIcone = vbInformation
    End Select
End Property

Public Static Property Get Icone() As IconTypes
    ' On retourne la valeur de l'icône.
    Select Case UtiliseIcone
        Case vbCritical
            Icone = Critique
        Case vbQuestion
            Icone = Question
        Case vbExclamation
            Icone = Exclamation
        Case vbInformation
            Icone = Information
    End Select
End Property

Public Static Property Set IconeSpeciale(Value As Image)
    ' On affecte la nouvelle icône.
    ' On vérifie que l'utilisateur a fourni une image valide.
```

```
    If Not Value Is Nothing Then
        Set NouvelleIcone = Value
    End If End Property

Public Static Property Get IconeSpeciale() As Image
    ' Retourne la valeur de l'icône personnalisée.
    Set IconeSpeciale = NouvelleIcone
End Property
```

La première propriété, Icone, utilise un type de données standard. Dans ce cas, c'est un type énuméré qui garantit que les valeurs fournies seront correctes. On va revoir les constantes énumérées un peu plus loin dans ce chapitre. Remarquez que le code n'affecte la valeur d'entrée à la variable privée UtiliseIcon qu'après avoir vérifié que cette valeur était correcte. Quand vous travaillez avec un type non énuméré, ça vaut le coup de mettre une clause Else Case qui affiche un message avec les valeurs d'entrées correctes. Avec un type énuméré, ce n'est pas la peine.

La seconde propriété, IconeSpeciale, reçoit un objet en entrée. Cela signifie que vous devez utiliser les méthodes Set et Get plutôt que Let et Get comme pour la première propriété. La vérification du type de données est moins délicate dans ce cas, car VBA affichera toujours un message d'erreur de type si vous fournissez une valeur incorrecte.

Remarquez que vous devez tester le cas où les objets sont vides. Le code montre comment on fait en utilisant la séquence de mots-clé Is Nothing. Quand les objets requièrent des types d'entrée spécifiques, vous devez aussi vérifier les valeurs de propriété des objets. Ce n'est pas fait dans cet exemple, mais c'est quelque chose à prendre en considération dans le cas de propriétés complexes. Par exemple, une image doit avoir une propriété Picture valide.

Considérations sur la manière de convertir les propriétés

Quand vous choisissez d'encapsuler une fonction pour la rendre plus facile à utiliser, vous pouvez vous retrouver dans des situations où il n'y a pas de conversion directe entre la fonction et la version objet. La fonction MsgBox inclut un style vbMsgBoxHelpButton. Cette fonctionnalité marche mieux en tant que propriété booléenne. Voici le code permettant de créer cette propriété :

```
Public Static Property Let BoutonAide(Value As Boolean)
    ' L'exemple doit-il utiliser le style vbMsgBoxHelpButton ?
    UtiliseBoutonAide = Value
End Property

Public Static Property Get BoutonAide() As Boolean
    ' Retourne la valeur vbMsgBoxHelpButton.
    BoutonAide= UtiliseBoutonAide
End Property
```

Le code de cette propriété est très simple. Il passe simplement la valeur UtiliseBoutonAide dans un sens puis dans l'autre. Remarquez que le commentaire pour la méthode Let inclut une référence au style vbMsgBoxHelpButton. À chaque fois que vous convertissez une fonction ou une autre entité du monde réel en objet, essayez de préserver l'information originale dans les commentaires que vous écrivez. Ici, le commentaire vous aide à vous rappeler que cette propriété remplace le style vbMsgBoxHelpButton.

Considérations sur la manière de nommer les propriétés

Vous voulez normalement utiliser les mêmes noms pour les propriétés de vos objets que ceux utilisés par d'autres programmeurs pour les leurs. Cette technique aide à se souvenir du rôle des propriétés. Cependant, vous voulez aussi éviter les confusions possibles. Si une propriété ne correspond pas exactement à celles qui existent, il vaut mieux lui donner un nom différent. Par exemple, la fonction MsgBox propose le style vbMsgBoxRight pour permettre l'alignement à droite du texte. Vous pourriez penser qu'il faut utiliser la propriété TextAlign d'autres objets comme le Label. Cependant, la propriété TextAlign autorise les alignements à gauche, à droite et centré. Utiliser ce nom dans l'exemple serait source de confusion car la fonction MsgBox n'autorise pas l'alignement centré. L'exemple utilise une valeur booléenne et un nom différent pour la propriété :

```
Public Static Property Let RightAlignText(Value As Boolean)
    ' L'exemple doit-il utiliser le style vbMsgBoxRight ?
    UseRightAlignment = Value
End Property

Public Static Property Get RightAlignText() As Boolean
    ' Retourne la valeur vbMsgBoxRight.
    RightAlignText = UseRightAlignment
End Property
```

Remarquez que le nom de la propriété est très précis. Il montre clairement que l'alignement est à gauche par défaut et que vous ne pouvez obtenir l'alignement à droite qu'en tant qu'option.

L'argument Context de MsgBox correspond avec la propriété HelpContextID utilisée par beaucoup d'objets, et le code utilise donc ce nom pour la propriété. J'ai eu un cas de conscience avec les arguments Prompt et Title. Théoriquement, les deux arguments devraient apparaître en tant que partie de la propriété Caption. Quand vous assignez la propriété Caption d'un UserForm, vous définissez le texte de la barre de titre. De même, la propriété Caption définit le texte qui apparaît dans un Label. L'exemple utilise une propriété Caption pour l'argument Prompt et une propriété Title pour l'argument Title. Comme on utilise l'argument Prompt plus souvent, le rendre égal à la propriété Caption a un sens.

Définir des méthodes

Une méthode peut reposer sur une Sub publique si elle ne retourne pas une valeur, ou sur une Function publique dans le cas contraire. Une méthode s'appelle de la même manière qu'une Sub ou une Function. La différence est que la méthode est associée avec un objet spécifique et dépend des valeurs de propriétés de cet objet. Quand vous appelez une méthode, vous n'avez pas besoin de préciser toutes les valeurs attendues par la méthode pour réaliser une tâche : c'est l'objet lui-même qui fournit la plupart (sinon tous) des arguments requis (Listing 8.2).

Listing 8.2 : Créer une méthode pour un objet.

```
Public Function Show() As VbMsgBoxResult
    ' On crée une variable qui contiendra le résultat de la boîte
      de message.
    Dim Result As VbMsgBoxResult

    ' On construit une liste d'options.
    Dim Options As VbMsgBoxStyle
    Options = UseIcon
    Options = Options Or UseButtons
    Options = Options Or UseDefault
    Options = Options Or UseModal

    ' Chacune des valeurs booléennes requiert une conversion
    ' dans un style équivalent
    If UseForeground Then
        Options = Options Or vbMsgBoxSetForeground
```

```
        End If
        If UseRightAlignment Then
            Options = Options Or vbMsgBoxRight
        End If
        If UseRightToLeft Then
            Options = Options Or vbMsgBoxRtlReading
        End If


        ' Le bouton d'aide réclame un traitement spécial.
        If UseHelpButton Then
            ' Vérifier que l'utilisateur a donné toutes
            ' les informations requises.
            If TheHelpFile = "" Then
                ' Si le nom du fichier d'aide est manquant, la boîte de
                ' message ne peut pas afficher l'aide. On lève une
                ' erreur pour prévenir l'utilisateur.
                Err.Raise vbObjectError + 1, _
                        "SpecialMsg.Show", _
                        "Vous devez donner un nom de fichier
                         d'aide " + _
                        "comme valeur de propriété pour pouvoir
                         afficher le " + _
                        "bouton d'aide dans une boîte de message."
            Else
                ' L'utilisateur a indiqué tout ce qu'il faut
                ' pour qu'on puisse ajouter le bouton d'aide.
                Options = Options Or vbMsgBoxHelpButton
            End If
        End If


        ' On détermine si la boîte de message va afficher l'aide.
        If ((TheHelpFile = "") And (Not UseHelpButton)) Then
            ' Une boîte de message sans aide.
            Result = MsgBox(ThePrompt, Options, TheTitle)
        Else
            ' Une boîte de message avec aide.
            Result = MsgBox(ThePrompt, Options, TheTitle, _
                        TheHelpFile, TheHelpContext)
        End If


        ' On lève l'événement Click pour que le programme appelant
        ' puisse y réagir.
        RaiseEvent Click(Result)


        ' On retourne un résultat.
        Show = Result
End Function
```

La fonction MsgBox donne accès à un certain nombre de styles. Il est facile d'oublier combien de styles il y a à moins de regarder le code précédent. Le code crée une variable Options qui contient toutes les options de style que vous avez mises en place grâce aux propriétés des objets. Il sélectionne : une icône, un ensemble de boutons, un bouton par défaut, et un type de modalité (application ou système). Ces options apparaissent toujours dans la liste, et la méthode Class_Initialize leur affecte des valeurs par défaut. La variable Options peut aussi contenir un certain nombre de réglages optionnels. Le code vérifie les valeurs booléennes, comme UseForeground, pour déterminer si vous voulez ou non inclure ces styles optionnels. Il ajoute ensuite le style réel à la variable Options.

Remarquez que la directive If UseHelpButton…Then inclut une gestion d'erreur. On va détailler plus loin la gestion des erreurs pour les classes. Dans ce cas, la classe détermine si vous avez ou non assigné un fichier d'aide à l'objet message. Si non, cliquer sur le bouton d'aide déclenche une erreur. La fonction MsgBox ne vous met pas à l'abri de cette erreur, alors que la classe SpecialMsg le fait.

Quand l'aide n'est pas définie, le code passe juste le prompt, les options de style et le titre à la fonction MsgBox. Si l'aide est définie, le code passe aussi le nom du fichier d'aide et l'identificateur d'aide contextuelle à la fonction MsgBox.

Arrivé à ce point, la méthode Show fait une pause. Elle attend que vous cliquiez sur l'un des boutons de la boîte de message. Quand c'est fait, la méthode Show reprend la main.

Le code appelle ensuite la méthode *RaiseEvent*. Dans ce cas, le code provoque l'événement Click pour montrer que vous avez cliqué sur un bouton. Remarquez que l'événement Click reçoit la valeur retournée par l'appel à la fonction MsgBox. Finalement, la méthode Show retourne aussi le résultat à l'appelant. Utiliser cette approche vous permet de réagir à une valeur de retour de boîte de message comme à un retour d'appel de méthode ou à un événement, ce qui augmente la flexibilité de la fonction MsgBox. Vous pouvez aussi choisir d'ignorer la valeur de retour.

Définir des événements

Le Listing 8.2 montre une façon de lever un événement. Pour cela, on utilise la méthode RaiseEvent. Avant de lever un événement, vous devez le définir. Les événements sont toujours publics (pas de cachotteries dans les coins), mais vous pouvez ajouter quand même le mot-clé Public pour être sûr que votre événement marchera avec les futures versions de VBA et pour rendre le code plus lisible. Voici quelques exemples de déclarations d'événements.

```
' On définit un événement qui se produit lorsque l'utilisateur clique
  sur un bouton.
Public Event Click(Result As VbMsgBoxResult)

' On définit des événements pour toutes sortes de changements dans
  les valeurs de propriétés.
Public Event ChangeButton(Result As ButtonTypes)
Public Event ChangeIcon(Result As IconTypes)
```

Les déclarations d'événements incluent toujours le mot-clé *Event* et le nom de l'événement. L'exemple utilise Click comme nom d'événement car c'est ce que les autres objets VBA utilisent pour ce type d'événement. Les arguments sont optionnels. Ici, les trois déclarations utilisent un argument unique.

Les modifications de données sont des événements importants. Quand une donnée change, il arrive qu'on ait besoin de faire une vérification ou de paramétrer différemment certains objets. Le Listing 8.3 montre un exemple typique d'événement lié à des modifications de données.

Listing 8.3 : Créer un événement pour un objet.

```
Public Static Property Let Buttons(Value As ButtonTypes)
    ' on change la valeur du bouton de message en fonction
    ' de la valeur passée.
    Select Case Value
        Case OKOnly
            UseButtons = vbOKOnly
        Case OKCancel
            UseButtons = vbOKCancel
        Case AbortRetryIgnore
            UseButtons = vbAbortRetryIgnore
        Case YesNoCancel
            UseButtons = vbYesNoCancel
        Case YesNo
            UseButtons = vbYesNo
        Case RetryCancel
            UseButtons = vbRetryCancel
    End Select

    ' On lève un événement pour montrer que le type du bouton a
      changé.
    RaiseEvent ChangeButton(Value)
End Property
```

Remarquez que la méthode RaiseEvent n'est pas appelée juste après l'action. Vous devez toujours lever l'événement après avoir vérifié qu'il s'est produit. Sinon, vous pourriez réagir à un événement qui ne s'est pas encore produit (et ne se produira peut-être jamais).

Utiliser des constantes énumérées

L'exemple utilise un certain nombre de constantes énumérées. Ces constantes servent à limiter le nombre de valeurs acceptables en entrée. Elles servent aussi à se rappeler ce que signifient ces entrées. Le Listing 8.4 contient un exemple d'énumération publique.

Listing 8.4 : Utiliser des constantes dans un objet.

```
' Cette énumération montre les différents types de boutons.
Public Enum ButtonTypes
    OKOnly = 0
    OKCancel = 1
    AbortRetryIgnore = 2
    YesNoCancel = 3
    YesNo = 4
    RetryCancel = 5
End Enum
```

Avec l'énumération, vous assignez des valeurs à chacune des constantes. Les valeurs n'ont pas besoin de suivre un ordre particulier, et il n'est pas nécessaire de commencer par 0. Cela dit, on le fait quand même parce que ça aide ! L'exemple utilise l'ordre qui est suivi dans le fichier d'aide de VBA. Vous pouvez aussi trier les entrées alphabétiquement ou par ordre de popularité. Quand une classe utilise une énumération pour une valeur particulière, VBA affiche les valeurs acceptables, comme c'est montré sur la Figure 8.1.

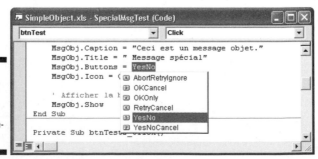

Figure 8.1 : Utilisez des constantes énumérées comme aide-mémoire.

Regardez la ligne MsgObj.Buttons. Sélectionnez la constante "YesNo" et faites un clic droit dessus. Choisissez "Répertorier les constantes". Une liste de toutes les constantes possibles pour cette propriété s'affiche alors. Encore plus fort : avant même de taper la constante, au moment où vous taperez le "=", cette liste s'affichera pour vous proposer tous les choix possibles ! Merci qui ? Le gros avantage, c'est que vous n'avez pas à mémoriser tout ce bazar et, du coup, la probabilité de saisir une valeur incorrecte devient négligeable. Utilisez toujours des constantes énumérées pour réduire les risques d'erreur et le temps de saisie.

Définir l'initialisation

Chaque classe devrait posséder une initialisation pour les propriétés et les variables locales. Ajouter une initialisation garantit que votre classe ne va pas planter à cause d'un manque de paramètres. De plus, l'initialisation peut vous aider à créer des objets avec moins de code parce que la plupart des valeurs sont déjà définies. La méthode *Class_Initialize* réalise l'initialisation de n'importe quelle classe. Le code d'initialisation de l'exemple est montré dans le Listing 8.5.

Listing 8.5 : Initialisation d'une classe.

```
Private Sub Class_Initialize()
    ' Le prompt initial.
    ThePrompt = "Bonjour"

    ' On définit un titre simple.
    TheTitle = ""

    ' On ne définit pas de fichier d'aide ni d'aide contextuelle.
    TheHelpFile = ""
    TheHelpContext = 0

    ' On initialise les variables.
    ' On veut une icône Information.
    UseIcon = vbInformation

    ' Juste un bouton OK.
    UseButtons = vbOKOnly

    ' Le premier bouton doit être le bouton par défaut.
    UseDefault = vbDefaultButton1

    ' Il faut que la boîte de message soit modale. L'utilisateur
```

```
            ' doit absolument refermer cette boîte pour pouvoir continuer
            ' à faire autre chose.
            UseModal = vbApplicationModal

            ' Pas de bouton d'aide a priori.
            UseHelpButton = False

            ' Il n'est pas primordial que la boîte de message apparaisse
            ' toujours au premier plan.
            UseForeground = False

            ' Le texte du message doit être aligné à gauche.
            UseRightAlignment = False

            ' Affichage de gauche à droite.
            UseRightToLeft = False

            ' On initialise l'icône spéciale, mais on n'y charge pas d'image.
            Set SpecialIcon = New Image
    End Sub
```

Le code montre que l'initialisation consiste tout simplement à assigner une valeur à chaque variable. Cependant, il y a aussi quelques subtilités à prendre en considération. La fonction MsgBox n'a qu'un paramètre : son "prompt" (le texte du message lui-même). Le code définit une valeur pour ThePrompt parce que c'est un paramètre requis. La méthode Show marche même quand vous vous contentez d'instancier l'objet et de faire appel à la méthode.

Le titre, le fichier d'aide et l'aide contextuelle sont optionnels. Le code ne définit donc pas de valeur pour ces paramètres. La chaîne vide garantit que la variable est utilisable, mais rien d'autre.

Les variables comme UseIcon doivent utiliser une des valeurs énumérées. Dans ce cas, le processus d'initialisation affecte à la variable la valeur par défaut utilisée par la fonction MsgBox ou celle utilisée le plus souvent. Par exemple, la fonction MsgBox ne requiert pas que vous fournissiez une icône, mais l'objet en fournit une pour des raisons esthétiques.

Régler la propriété Instancing

La plupart du temps, vous réutiliserez les classes que vous créez dans de nombreux programmes. Dans ce cas, il faut régler la propriété *Instancing* de ces classes sur Public. La Figure 8.2 montre la propriété Instancing dans la fenêtre de propriétés.

Figure 8.2 :
Modification
de la
propriété
Instancing en
fonction de
l'usage de la
classe.

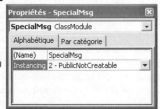

La partie "not-creatable" de cette valeur de propriété signifie que
d'autres programmes VBA peuvent utiliser les objets contenus dans
votre classe, mais seulement si c'est votre classe qui les crée. Dans le
cas de notre exemple, cela signifie que d'autres programmes peuvent
utiliser l'objet SpecialIcon, mais ils ne peuvent pas créer directement
un tel objet. La classe SpecialMsg doit créer l'objet SpecialIcon et,
ensuite seulement, le programme appelant peut assigner une valeur à
cet objet.

Créer des classes utiles

Vous pourriez vous demander pourquoi une classe qui encapsule la
fonction MsgBox présente un intérêt. Cette classe est utile pour un
certain nombre de raisons. La principale est qu'elle permet d'utiliser la
fonction MsgBox sans avoir à se souvenir du nombre et du contenu de
ses paramètres. En créant cette classe qui élimine l'exercice de
mémoire, vous économisez du temps et de l'énergie.

Utiliser cette classe minimise aussi les risques d'erreur. Chaque
propriété donne accès à des styles qui s'excluent mutuellement. Vous
pouvez essayer de combiner plusieurs types d'icônes en utilisant la
fonction MsgBox comme ça :

```
MsgBox "Bonjour", vbCritical Or vbInformation
```

Le résultat est un message qui n'affiche aucune icône... La version
classe (vraiment très classe, non ?!) élimine ce problème. Vous ne
pouvez choisir qu'une icône et vous n'avez pas à mémoriser les
différents choix d'icônes possibles.

L'exemple de ce chapitre montre les trois raisons d'encapsuler des
fonctions et en même temps les trois choses que vous devez considérer quand vous créez de nouveaux objets :

✔ **Facilité d'utilisation :** Une classe devrait toujours faciliter l'écriture du code. Les classes utiles réduisent le temps de programmation.

✔ **Réduction du nombre de choses à mémoriser :** Une classe devrait éviter d'avoir à mémoriser des tonnes de constantes ou des techniques de programmation bizarres. Une classe doit fournir des méthodes, propriétés et événements faciles à comprendre.

✔ **Fiabilité améliorée :** Une classe bien conçue procure une gestion d'erreurs que l'on ne trouve pas dans une fonction. Une classe réduit le nombre des actions pouvant potentiellement aboutir à des erreurs de codage. Elle vérifie aussi les entrées de manière à garantir la circulation d'informations correctes.

Utiliser votre nouvel objet dans une application

La classe SpecialMsg est maintenant prête à être utilisée. Vous pouvez vous en servir en remplacement de la fonction MsgBox… et dans certains cas où la fonction MsgBox ne marchera carrément pas ! Par exemple, vous ne pouvez pas demander à la fonction MsgBox de générer des événements, alors que c'est possible avec SpecialMsg. Le Listing 8.6 montre un exemple où la classe SpecialMsg entre en action.

Listing 8.6 : Test du nouvel objet.

```
Private WithEvents MsgObj As SpecialMsg

Private Sub btnTest_Click()
    ' On instancie la boîte de message spéciale.
    If MsgObj Is Nothing Then
        Set MsgObj = New SpecialMsg
    End If
    ' On assigne quelques valeurs de propriétés.
    MsgObj.Caption = "Ceci est un message objet."
    MsgObj.Title = "Message special"
    MsgObj.Buttons = YesNoCancel
    MsgObj.Icon = Question

    ' On affiche la boîte de message.
    MsgObj.Show
End Sub
```

```
Private Sub MsgObj_ChangeButton(Result As ButtonTypes)
    ' On montre le nouveau type de bouton.
    lblButtonType = Result
End Sub

Private Sub MsgObj_Click(Result As VbMsgBoxResult)
    ' On montre la valeur retournée.
    lblReturnValue = Result
End Sub
```

Ajouter la gestion des erreurs aux classes

Vous pouvez ajouter d'autres formes de traitements d'erreur à votre
classe. Surveiller les valeurs saisies réelles est une autre (bonne)
forme de gestion des erreurs quand vous ne pouvez pas utiliser de
constantes énumérées. Il est aussi important de suivre les valeurs de
propriétés basées sur d'autres valeurs saisies. Le Listing 8.7 surveille
la propriété DefaultButton qui dépend du nombre de boutons de la
boîte de message. Le code garantit que le bouton par défaut existe
bien.

Listing 8.7 : Implémenter une gestion d'erreur dans un objet.

```
Public Static Property Let DefaultButton(Value As DefaultButtonTypes)
    ' On change l'icône de message en fonction
    ' de la valeur passée.
    Select Case Value
        Case Button_1
            UseDefault = vbDefaultButton1
        Case Button_2
            If ((UseButtons = vbOKOnly) And _
                (Not UseHelpButton)) Then
                ' On ne peut pas avoir un réglage de bouton unique
                ' s'il n'y a pas de bouton d'aide, donc
                ' on lève une erreur.
                Err.Raise vbObjectError + 2, _
                "SpecialMsg.DefaultButton", _
                "La valeur sélectionnée pour le bouton par défaut
                est " + _
                "incorrecte. Choisissez un bouton par défaut " + _
                "qui correspond aux réglages de la boîte de message."
            Else
                ' On assigne la valeur du bouton par défaut.
                UseDefault = vbDefaultButton2
```

```
            End If
        Case Button_3
            If ((UseButtons = vbOKOnly) Or _
                (((UseButtons = vbOKCancel) Or _
                  (UseButtons = vbRetryCancel) Or _
                  (UseButtons = vbYesNo)) And _
                  (Not UseHelpButton))) Then
                ' Ce réglage ne supporte pas un bouton unique.
                ' Il ne supporte pas non plus les options de double
                ' bouton s'il n'y a pas
                ' de bouton d'aide. On lève une erreur
                ' si une de ces conditions est remplie..
                Err.Raise vbObjectError + 2, _
                "SpecialMsg.DefaultButton", _
                "La valeur sélectionnée pour la bouton par défaut
                 est " + _
                "incorrecte. Choisissez un bouton par défaut " + _
                "qui correspond aux réglages de la boîte de message."
            Else
                ' On assigne la valeur du bouton par défaut.
                UseDefault = vbDefaultButton3
            End If
        Case Button_4
            If Not UseHelpButton Then
                ' On ne peut pas avoir quatre boutons s'il n'y a pas
                ' de bouton d'aide, donc on lève une erreur.
                Err.Raise vbObjectError + 2, _
                "SpecialMsg.DefaultButton", _
                "La valeur sélectionnée pour le bouton par défaut
                 est " + _
                "incorrecte. Choisissez un bouton par défaut " + _
                "qui correspond aux réglages de la boîte de message."
            Else
                ' On assigne la valeur du bouton par défaut.
                UseDefault = vbDefaultButton4
            End If
    End Select
End Property
```

La logique que vous utilisez pour traiter les erreurs peut devenir très complexe. Il n'y a pas de traitement d'erreur pour une valeur de DefaultButton égale à Button_1 car vous ne pouvez pas créer une boîte de message sans bouton (il en faut au moins un). Il n'y a qu'un réglage qui aboutit à une boîte de message avec un seul bouton : c'est quand vous avez la valeur vbOKOnly et pas de bouton d'aide. La clause Case Button_2 vérifie cette possibilité et génère une erreur quand vous demandez que le second bouton soit le bouton par défaut.

La logique de gestion d'erreur du Case Button_3 est particulièrement complexe. Quand vous rencontrez une situation où la logique devient aussi tordue, ça vaut le coup de prendre le problème à part, de le décomposer en une série de problèmes plus simples et, ensuite seulement, de reconstituer le puzzle. Une boîte de message a trois boutons quand vous choisissez l'option vbYesNoCancel. C'est également le cas si vous choisissez vbYesNo et que vous ajoutez un bouton d'aide. La boîte de message ne peut jamais avoir trois boutons si vous choisissez vbOKOnly : même en ajoutant un bouton d'aide, ça ne fera jamais que deux boutons. Le code utilise tous ces critères pour traquer les situations où la boîte de message n'aura jamais trois boutons. Quand le nombre de boutons est incorrect, le code produit une erreur.

La logique de gestion d'erreur du Case Button_4 montre une situation où il est possible de transformer un machin incompréhensible en quelque chose de méga-trop-simple. Aucune des options de boutons n'amène à avoir plus de trois boutons. Ainsi, le seul cas où vous pouvez décider que le quatrième bouton sera le bouton par défaut est le cas où il y a un bouton d'aide. Le code cherche ce bouton. Si vous l'avez oublié, le code génère une erreur.

Utiliser la directive With

VBA met à votre disposition un outil précieux pour simplifier l'écriture du code d'un objet. La directive *With* dit à VBA que vous vous apprêtez à faire un certain nombre de choses en utilisant le même objet. En utilisant cette technique, vous réduisez drastiquement la quantité de code à taper et minimisez du même coup les risques de fautes de frappe. Le Listing 8.8 montre un exemple d'utilisation de la directive With.

Listing 8.8 : Une technique alternative pour tester un objet.

```
Private Sub btnTest2_Click()
    ' On instancie la boîte de message spéciale.
    If MsgObj Is Nothing Then
        Set MsgObj = New SpecialMsg
    End If
    ' On assigne quelques valeurs de propriétés.
    With MsgObj
        .Caption = "Ceci est un objet message."
        .Title = "Message spécial"
        .Buttons = YesNoCancel
```

```
        .Icon = Question

        ' On affiche la boîte de message.
        .Show
    End With
End Sub
```

La différence avec la version que j'avais présentée avant est qu'il n'y a plus besoin de taper MsgObj toutes les trois secondes (tous les .Machin qui suivent sont automatiquement considérés comme des propriétés ou des méthodes de MsgObj grâce à la directive With MsgObj). Le code fait exactement la même chose que précédemment, mais c'est quand même beaucoup plus élégant. Ce n'est pas seulement une question de goût : ça fait gagner du temps et ça améliore la lisibilité.

Ajouter une signature digitale à votre œuvre

Il se pourrait que vous vouliez envoyer votre classe à quelqu'un d'autre. Dans certains cas, cela se traduit par l'envoi du projet entier. Quand vous envoyez votre projet à quelqu'un d'autre, pensez à le signer afin que le destinataire comprenne bien que c'est vous l'auteur. Utilisez les étapes suivantes pour signer votre œuvre :

1. **Dans l'IDE de VBA, cliquez sur Outils/Signature électronique.**

   Vous voyez alors la boîte de dialogue "Signature numérique" montrée dans la Figure 8.3.

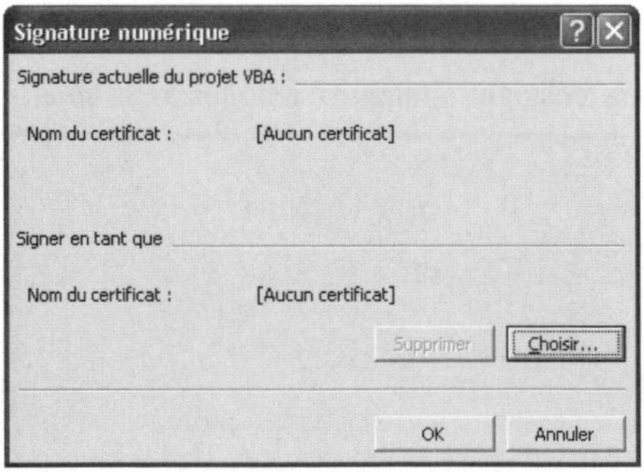

Figure 8.3 : Signez votre projet.

2. Cliquez sur le bouton "Choisir".

Vous voyez alors la boîte de dialogue "Sélectionner un certificat".

3. Cliquez sur un certificat dans la liste puis cliquez OK.

VBA signe alors votre projet en utilisant le certificat choisi.

4. Cliquez OK pour fermer la boîte de dialogue "Signature numérique".

Chapitre 9
Tableaux
et collections

. . . .

Dans ce chapitre :
▶ Utiliser les tableaux dans un programme.
▶ Utiliser les collections dans un programme.
▶ Création de nouveaux types de données.
▶ Définir des collections dans un programme.

. . . .

*L*es *tableaux* permettent de stocker plusieurs éléments dans un seul contenant. Imaginez un tableau comme une grande boîte avec plein de petites boîtes dedans. Chaque petite boîte peut stocker une unique valeur. Quand vous créez le tableau, vous décidez combien de petites boîtes il doit contenir. Utilisez un tableau quand vous voulez stocker un certain nombre d'objets apparentés possédant le même type de données.

Les *collections* sont toujours relatives à des *objets*. Dans la plupart des cas, un objet principal contient un ou plusieurs sous-objets. Par exemple, un objet Excel Application contient une collection de Workbooks (classeurs), et chaque objet Workbook contient une collection de Sheets (feuilles). L'objet Application peut contenir un ou plusieurs Workbooks, et un Workbook peut contenir une ou plusieurs Sheets. Un objet Word Section peut contenir une collection de HeadersFooters.

Des tableaux pour un stockage structuré

Un tableau est une liste d'éléments. Quand vous rédigez une liste de choses à faire dans la journée, vous créez un tableau. La feuille de papier est un unique contenant qui contient un certain nombre de chaînes de caractères, chacune d'elles représentant une chose à faire. De même, vous pouvez créer une unique feuille de papier dans un programme VBA : ça s'appelle alors un tableau et ça permet de stocker de nombreux éléments.

Du bon usage des tableaux

Vous pouvez définir des tableaux en utilisant plusieurs techniques. Cependant, toutes ces techniques sont basées sur la même approche. Le Listing 9.1 contient un exemple qui explique l'essentiel sur l'usage des tableaux.

Listing 9.1 : Créer et utiliser un tableau pour stocker des chaînes.

```
' On dit à VBA de numéroter tous les tableaux à partir de 0.
Option Base 0

Public Sub UneDimension()
    ' Une chaîne de sortie.
    Dim Sortie As String

    ' On définit un variant pour contenir les chaînes individuelles.
    Dim ChaineIndividuelle As Variant

    ' On définit le tableau de chaînes.
    Dim TableauDeChaines(5) As String

    ' On remplit chaque élément du tableau.
    TableauDeChaines(0) = "Ceci"
    TableauDeChaines(1) = "est"
    TableauDeChaines(2) = "un"
    TableauDeChaines(3) = "tableau"
    TableauDeChaines(4) = "de"
    TableauDeChaines(5) = "chaînes"

    ' On utilise une boucle For Each...Next pour récupérer chaque
    ' élement et le placer dans une chaîne.
    For Each ChaineIndividuelle In TableauDeChaines

        ' On fabrique une chaîne unique où sont concaténés
        ' tous les éléments du tableau.
        Sortie = Sortie + ChaineIndividuelle + " "
    Next

    ' On affiche le résultat.
```

```
        MsgBox Trim(Sortie), _
               vbInformation Or vbOKOnly, _
               "Contenu du tableau"
    End Sub
```

Le code commence par la directive *Option Base 0*. Cette directive dit à VBA qu'il doit considérer que les éléments des tableaux sont numérotés à partir de 0 (0, 1, 2, ...). Option Base 1 signifie que l'on numérote à partir de 1 (1, 2, 3, ...). La valeur par défaut est 0, comme c'est le cas dans la plupart des langages de programmation (cependant, de vieilles versions de Visual Basic et de VBA numérotaient à partir de 1, histoire de ne rien faire comme tout le monde).

Quand vous voulez créer un tableau, vous faites suivre le nom de la variable par une paire de parenthèses qui contient le nombre d'éléments moins un (à cause d'Option Base 0). Vous pouvez aussi créer un tableau vide en ne précisant pas le nombre d'éléments, mais vous devrez alors ensuite utiliser la directive *ReDim* pour indiquer le nombre d'éléments.

Dans l'exemple, il y a un 5 après le nom de la variable. Cela signifie que vous pourrez stocker 6 éléments dans le tableau, puisque la numérotation commence à zéro. Le nombre qui figure entre les parenthèses est en fait le plus grand indice possible pour un élément.

Le code remplit ensuite chacun des éléments du tableau avec une chaîne. Les éléments du tableau sont indexés. L'instruction TableauDeChaines(1) = "est" place le mot "est" dans le deuxième élément du tableau (l'élément d'indice 1, puisque la numérotation commence à partir de zéro). On peut accéder à n'importe quel élément de tableau en utilisant son indice.

Cet exemple montre comment utiliser une boucle For Each...Next pour parcourir les éléments du tableau. Remarquez que vous n'avez pas besoin d'utiliser d'indice dans ce cas, car c'est la boucle elle-même qui se charge de passer en revue les éléments dans l'ordre d'indexation. La variable ChaineIndividuelle est de type Variant, car c'est le seul type possible dans une boucle For Each...Next. Vous n'avez pas besoin de convertir ChaineIndividuelle en chaîne quand vous l'ajoutez à Sortie car VBA s'occupe tout seul du transtypage Variant/String. Regardez cette instruction dans le débogueur, et vous verrez comment ça marche.

La dernière instruction affiche un message contenant la valeur de Sortie (une chaîne concaténée avec tous les éléments – des mots – du tableau).

Les différents types de tableaux

Vous pouvez classifier les tableaux de plusieurs façons. D'abord en fonction du genre de données contenues par le tableau. Un tableau de strings est différent d'un tableau d'integers. Un tableau ne peut avoir qu'un seul type. Le seul moyen de mélanger des données de types différents dans un tableau est de déclarer un tableau de variants. Je vous déconseille vivement de faire ça, car c'est une inépuisable source d'ennuis : ça conduit à des bugs très difficiles à déboguer. De toutes façons, je vous l'ai déjà dit : typez, typez si m'en croyez. Mélanger les types provoque des maladies graves.

Ensuite, il est possible de définir le nombre de dimensions d'un tableau. Une simple liste, comme dans l'exemple précédent, est un tableau de dimension 1. Une table avec des lignes et des colonnes est un tableau de dimension 2. Le nombre de dimensions d'un tableau peut être quelconque.

Le Listing 9.2 montre un exemple de tableau de dimension 2 qui contient le résultat d'un calcul : une table de multiplication. On y voit aussi comment utiliser l'instruction ReDim.

Listing 9.2 : Un tableau de dimension 2.

```
' On définit quelques variables pour échanger des valeurs avec
' le formulaire DimensionsTableau.
Public ValeurSaisie1 As Integer
Public ValeurSaisie2 As Integer
Public TypeClic As VbMsgBoxResult

Public Sub DimensionDeux()
    ' On crée un tableau pour y mettre les résultats du calcul.
    Dim ResultatCalcul() As Integer

    ' Quelques variables de boucles pour le calcul.
    Dim Boucle1 As Integer
    Dim Boucle2 As Integer

    ' Une chaîne de sortie pour l'affichage.
    Dim Sortie As String

    ' On affiche un formulaire pour demander les dimensions du
        tableau.
    DimensionsTableau.Show

    ' On regarde quel bouton l'utilisateur a cliqué.
```

```
    If TypeClic= vbCancel Then

        ' Si l'utilisateur a cliqué "Annuler", on sort.
        Exit Sub
    End If


    ' On redimensionne le tableau.
    ReDim ResultatCalcul(ValeurSaisie1, ValeurSaisie2)

    ' On fait le calcul.
    For Boucle1 = 1 To ValeurSaisie1
        For Boucle2 = 1 To ValeurSaisie2
            ResultatCalcul(Boucle1, Boucle2) = Boucle1 * Boucle2
        Next
    Next


    ' Un en-tête.
    Sortie = "Résultat des calculs" + vbCrLf + _
            "sous forme de table" + vbCrLf + vbCrLf

    ' Les en-têtes de colonnes.
    For Boucle1 = 1 To ValeurSaisie2
        Sortie = Sortie + vbTab + CStr(Boucle1)
    Next

    ' Les lignes.
    For Boucle1 = 1 To ValeurSaisie1
        Sortie = Sortie + vbCrLf + CStr(Boucle1)
        For Boucle2 = 1 To ValeurSaisie2
            Sortie = Sortie + vbTab + _
                    CStr(ResultatCalcul(Boucle1, Boucle2))
        Next
    Next

    ' Une boîte de message pour afficher le résultat.
    MsgBox Sortie, vbInformation Or vbOKOnly, "Une jolie table de
                                            multiplication"
End Sub
```

Le programme déclare trois variables publiques. Ces variables
contiennent les valeurs saisies dans le formulaire qui demande les
dimensions du tableau ainsi que le numéro du bouton sur lequel on a
cliqué. Cette façon de récupérer des informations saisies dans un
formulaire est très classique.

La routine DimensionDeux commence par quelques déclarations de variables. Remarquez que l'indice maximal du tableau ResultatCalcul n'est pas indiqué : le code dit juste à VBA qu'il s'agit d'un tableau.

Le code affiche la boîte de dialogue montrée dans la Figure 9.1 en utilisant la méthode DimensionsTableau.Show. Le programme se sert de ce formulaire pour demander les dimensions du tableau.

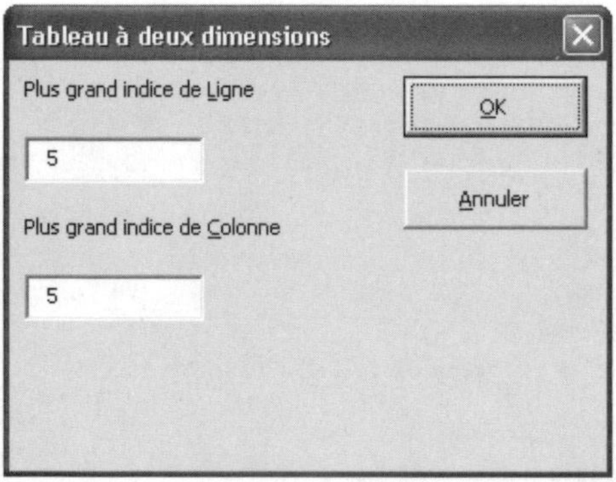

Figure 9.1 :
Un formulaire pour demander des paramètres.

Cette boîte de dialogue a plusieurs fonctionnalités intéressantes. D'abord, au contraire des boîtes de dialogue autonomes du Chapitre 7, celle-ci interagit avec une procédure. Par conséquent, vous ne pouvez pas vous contenter de fermer la boîte de dialogue : le code lié à celle-ci doit renvoyer à la procédure appelante les valeurs saisies. C'est à ça que servent les variables Public ValeurSaisie1, ValeurSaisie2 et TypeClic. Le Listing 9.3 montre le code de la boîte de dialogue elle-même.

Listing 9.3 : Le code du formulaire de saisie.

```
Private Sub btnOK_Click()
    ' On change le type de clic.
    ExempleTableau.TypeClic= vbOK

    ' On vérifie les deux valeurs saisies.
    txtInput1_Change
    txtInput2_Change

    ' On ferme le formulaire.
    Me.Hide
End Sub
```

```
Private Sub txtInput1_Change()
    ' On vérifie que l'utilisateur a saisi un nombre supérieur à 1.
    If Val(txtInput1.Text) = 0 Then
        ' Sinon, on affiche un message d'erreur.
        MsgBox "Veuillez saisir un nombre supérieur 1."

        ' On remet une valeur acceptable dans le champ de saisie.
        txtInput1.Text = "5"
    Else
        ' Si c'est bon, on mémorise la valeur saisie.
        ExempleTableau.ValeurSaisie1= CInt(txtInput1.Text)
    End If
End Sub
```

La procédure txtInput1_Change surveille tout changement intervenant dans le contrôle de saisie txtInput1 (il y a évidemment un gestionnaire d'événement similaire associé à txtInput2). La directive If...Then vérifie que vous avez bien tapé un nombre en utilisant la fonction *Val* pour comparer la saisie à 0. Vous ne pouvez pas utiliser ici la fonction CInt car elle génère un message d'erreur de type quand vous saisissez autre chose qu'un nombre. Dans l'exemple, quand vous tapez un caractère incorrect, le code prend les choses en main en affichant son propre message d'erreur et en remettant une valeur correcte dans le champ de saisie. Si le nombre saisi est correct, celui-ci est mémorisé dans la variable ValeurSaisie1 du module ExempleTableau (celui qui contient la procédure appelant le formulaire de saisie).

La procédure btnOK_Click affecte la valeur vbOK à la variable TypeClic du module ExempleTableau (de même, il existe un gestionnaire d'événement similaire qui met TypeClic à vbCancel quand vous cliquez sur le bouton "Annuler"). Le code appelle ensuite Me.Hide (textuellement "Cache-moi"). Le mot clé *Me* se réfère à l'objet courant (ici, le formulaire). La méthode *Hide* retire le formulaire de l'écran, mais pas de la mémoire.

Quand vous voulez retirer un objet de la mémoire, vous devez utiliser la méthode *Unload* en lui passant le nom de l'objet. De même, quand vous voulez charger un objet en mémoire (sans pour autant l'afficher), vous devez utiliser la méthode *Load*. Cette méthode n'aboutit que si VBA dispose de suffisamment de mémoire.

Quand le formulaire DimensionsTableau est refermé (vous avez cliqué sur OK ou Annuler), la procédure DimensionDeux reprend la main. Le code vérifie alors la valeur TypeClic. Si vous avez cliqué sur Annuler dans le formulaire, on sort de la procédure.

Arrivé à ce point, le code dispose de toutes les informations pour *dimensionner* le tableau, c'est-à-dire réserver une certaine taille mémoire pour lui. Pour cela, on utilise l'instruction ReDim afin de changer les dimensions du tableau ResultatCalcul. Changer les dimensions du tableau efface tout ce qui se trouve à l'intérieur à moins que vous n'utilisiez le mot-clé *Preserve*. Une double boucle sert ensuite à parcourir les éléments du tableau (colonnes, puis lignes). Le calcul consiste ici en une simple multiplication, mais on pourrait réaliser n'importe quelle tâche dans la boucle.

Après avoir rempli le tableau avec le résultat des calculs, on construit une chaîne de sortie. Le code utilise une simple assignation pour créer un en-tête pour les colonnes, puis une boucle pour créer les en-têtes de lignes. Enfin, une double boucle sert à ajouter les cellules du tableau lui-même. La dernière instruction affiche un message contenant la table, comme vous pouvez le voir sur la Figure 9.2.

Figure 9.2 :
Le programme utilise un tableau pour afficher un tableau (!)

Copie de données d'un tableau dans un autre

On peut avoir besoin de copier les données d'un tableau dans un autre pour, par exemple, créer un nouveau tableau basé sur le premier. Cela peut aussi être une méthode pour assurer la sécurité des données : il est plus prudent de faire des modifications sur une copie du tableau plutôt que de risquer d'endommager l'original.

Listing 9.4 : Copie d'un tableau.

```
Public Sub CopieTableau()
    ' Une variable de boucle.
```

```
    Dim Compteur As Integer

    ' On crée deux tableaux de chaînes.
    Dim TableauSource(4) As String
    Dim TableauCible(5) As String

    ' Une variable pour l'affichage...
    Dim Sortie As String

    ' On remplit le premier tableau.
    TableauSource(0) = "Ceci"
    TableauSource(1) = "est"
    TableauSource(2) = "le"
    TableauSource(3) = "tableau"
    TableauSource(4) = "original !"

    ' On fait la copie.
    For Compteur = 0 To UBound(TableauSource)
        TableauCible(Compteur) = TableauSource(Compteur)
    Next

    ' On fait quelques modifs dans la copie.
    TableauCible(2) = "la"
    TableauCible(3) = "copie"
    TableauCible(4) = "du premier,"

    ' On ajoute un élément.
    TableauCible(5) = "nom d'un petit bonhomme !"

    ' On crée la première partie de la chaîne d'affichage.
    Sortie = "Première chaîne : " + vbCrLf
    For Compteur = 0 To UBound(TableauSource)
        Sortie = Sortie + TableauSource(Compteur) + " "
    Next

    ' On crée la seconde partie de la chaîne d'affichage.
    Sortie = Sortie + vbCrLf + "Deuxième chaîne : " + vbCrLf
    For Compteur = 0 To UBound(TableauCible)
        Sortie = Sortie + TableauCible(Compteur) + " "
    Next

    ' On affiche tout ça.
    MsgBox Sortie, vbInformation Or vbOKOnly, "C'est pas cool, les
                                             tableaux ?"
End Sub
```

Examinons le Listing 9.4. Le code commence par créer deux tableaux et remplir le premier. La copie vient ensuite. Suivez le processus dans le débogueur, et vous verrez que les deux tableaux sont identiques à une exception près : le deuxième tableau a un élément de plus. La fonction *UBound* retourne l'indice du dernier élément du tableau (de la même façon, *LBound* retournerait l'indice du premier).

Le code modifie ensuite la copie. D'abord, il change le contenu de trois éléments. Ensuite, il remplit le dernier élément. Ces modifications n'affectent pas le tableau original. Si une erreur se produit, vous pouvez toujours reconstruire la copie en repartant de l'original qui n'a subi aucune modification. Le message final, que vous pouvez voir sur la Figure 9.3, montre que le premier tableau n'a pas changé, au contraire de la copie.

Figure 9.3 :
Copiez un
tableau et
modifiez la
copie.

C'est pas cool, les tableaux ?

Première chaîne :
Ceci est le tableau original !
Deuxième chaîne :
Ceci est la copie du premier, nom d'un petit bonhomme !

OK

Utiliser des collections pour créer des ensembles de données

Vous pouvez voir une collection comme une forme de tableau plus sophistiqué. Comme un tableau, une collection contient une liste d'éléments à l'intérieur d'un contenant unique. Comme ces éléments sont très apparentés (comme un groupe de feuilles de calcul Excel), on a l'habitude d'appeler leur réunion un "ensemble de données". On n'utilise pas une collection de la même façon qu'un tableau. Il y a des chances que vous préfériez utiliser les collections, car elles présentent un certain nombre d'avantages. Par exemple, il n'y a pas besoin de l'instruction ReDim. En revanche, les collections sont un peu plus compliquées à utiliser, mais on s'y fait très vite, comme nous allons le voir maintenant.

Du bon usage des collections

La façon la plus simple de comprendre ce qu'est une collection est d'en créer une vous-même. Vous pouvez créer des collections et les

ajouter à une classe que vous avez créée, ou les utiliser directement.
Le Listing 9.5 donne un exemple de collection simple. Il crée la
collection et fournit les outils pour ajouter, supprimer et lister les
éléments de la collection.

Listing 9.5 : Créer et utiliser une collection simple.

```
' On déclare la collection.
Private MyCollection As Collection

Private Sub btnAdd_Click()
    ' On ajoute un nouvel élément.
    MyCollection.Add _
        InputBox("Saisissez un nouvel élément.", "Ajout d'un
                                            élément", "Bonjour")

    ' On liste les éléments.
    ListItems
End Sub

Private Sub btnDelete_Click()
    ' Quelques variables pour mémoriser la sélection.
    Dim SaisieUtilisateur As String
    Dim Selection As Integer

    ' Une variable de résultat pour la gestion d'erreurs.
    Dim Result As VbMsgBoxResult

    ' On récupère la saisie de l'utilisateur.
RecommencerSaisie:
    SaisieUtilisateur = InputBox("Tapez un numéro d'élément
                            existant.", _
                        "Suppression d'un élément", _
                        "1")

    ' On valide la saisie.
    If Val(SaisieUtilisateur) > 0 And _
        Val(SaisieUtilisateur) < MyCollection.Count + 1 Then

        ' On utilise cette saisie (correcte) pour supprimer
          l'élément.
        Selection = CInt(SaisieUtilisateur)
    Else
        ' On affiche un message d'erreur.
        Result = MsgBox("Tapez un nombre supérieur à 1 " + _
                        "et inférieur ou égal au " + _
```

```
                              "nombre des éléments.", _
                              vbExclamation Or vbRetryCancel, _
                              "Erreur de saisie")

        ' On autorise un nouvel essai.
        If Result = vbRetry Then
            GoTo RecommencerSaisie
        Else
            Exit Sub
        End If
    End If

    ' On supprime l'élément existant.
    MyCollection.Remove Selection

    ' On liste les éléments.
    ListItems
End Sub

Private Sub UserForm_Initialize()
    ' On initialise la collection.
    Set MyCollection = New Collection
End Sub

Public Sub ListItems()
    ' Une variable pour la liste des éléments.
    Dim Element As Variant

    ' On efface la liste courante.
    lblCollection.Caption = ""

    ' On affiche les éléments un par un.
    For Each Element In MyCollection
        lblCollection.Caption = lblCollection.Caption + _
                                Element + vbCrLf
    Next

    ' On regarde s'il faut activer le bouton "Supprimer".
    If MyCollection.Count > 0 Then
        btnDelete.Enabled = True
    Else
        btnDelete.Enabled = False
    End If
End Sub
```

Ce programme tourne dans un formulaire autonome. Le code déclare MyCollection comme variable privée globale de manière à ce que toutes les procédures du module puissent y avoir accès. La procédure UserForm_Initialize initialise la collection.

L'exemple fournit deux boutons de commande pour modifier la collection : Ajouter et Supprimer. Le bouton Supprimer est désactivé au démarrage du programme car vous ne pouvez pas supprimer un élément de la collection qui n'existe pas sans déclencher une erreur. Par conséquent, le premier bouton sur lequel vous cliquez est Ajouter. Le gestionnaire d'événement btnAdd_Click affiche une boîte de saisie (*InputBox*) permettant de taper une chaîne. Après avoir ajouté l'élément en utilisant la méthode *Add*, le code appelle la routine ListItems.

La procédure ListItems est un endroit commode pour placer du code relatif aux événements. N'hésitez pas à utiliser ce genre de (bonne) technique de programmation. Le code commence par créer un Variant pour contenir individuellement les éléments de la collection. Il affecte aussi "" (chaîne vide, rien) à lblCollection.Caption pour effacer l'affichage courant. Remarquez comment lblCollection.Caption est rempli en utilisant une boucle For Each...Next.

Il est important de vérifier l'état de la collection pour que le programme sache s'il faut ou non activer le bouton "Supprimer". La directive If...Then compare à 0 le nombre d'éléments de la collection en utilisant sa méthode *Count*. Si ce nombre est nul, la collection est vide et on désactive btnDelete. Sinon, on l'active.

Le gestionnaire d'événement btnDelete_Click requiert un peu de traitement des erreurs pour garantir que le programme fonctionne comme prévu. Vous pouvez ajouter autant de chaînes que vous le désirez à la collection, mais vous ne pouvez rien saisir pendant une suppression sans causer une erreur.

La fonction InputBox place les informations qu'elle reçoit dans la variable SaisieUtilisateur. Une directive If...Then compare SaisieUtilisateur à des valeurs numériques spécifiques. Quand vous tapez un caractère ou un symbole spécial, c'est comme si vous tapiez un 0 : la fonction *Val* retourne un 0 pour toute saisie non numérique. La directive If...Then compare SaisieUtilisateur avec le plus grand indice des objets de la collection en utilisant la méthode Count. Si la saisie est conforme aux critères, le code place la partie entière de la saisie dans la variable Selection en utilisant la fonction CInt.

Quand une erreur de saisie se produit, le code affiche un message décrivant à quoi devrait ressembler une saisie correcte, puis demande si vous voulez recommencer. Une directive If...Then compare votre

clic sur un bouton à la constante vbRetry et prend la décision appropriée.

Le processus de suppression repose sur la méthode *Remove*. Vous
pouvez indiquer une valeur entière égale à l'indice de l'entrée que vous
voulez supprimer. Une collection peut aussi utiliser des clés, c'est-à-
dire des chaînes qui se substituent à la valeur réelle des indices. On
reverra cela dans un prochain paragraphe. Le gestionnaire d'événement se termine avec un appel à ListItems.

Savoir quand utiliser une collection

Il faut bien peser les avantages et les inconvénients au moment de
faire un choix. Voici une liste de choses à prendre en considération.

- ✔ Les tableaux ont un tout petit avantage en termes de performance et utilisent moins de mémoire.

- ✔ Les collections sont plus flexibles que les tableaux : on peut les
  agrandir ou les rétrécir à volonté.

- ✔ Les tableaux sont plus faciles à conceptualiser et vous les
  trouvez peut-être plus faciles à utiliser.

- ✔ Les collections sont idéales pour stocker des objets et peuvent
  travailler avec des types de données complexes.

- ✔ Les tableaux peuvent avoir de nombreuses dimensions : il n'y a
  pas de limite. En revanche, les collections sont limitées à une
  simple liste à une dimension.

Ajouter des données à une collection en utilisant des clés

L'exemple suivant montre une base de données de contacts Access. Il
utilise des clés pour faciliter la recherche d'entrées. La base de
données contient seulement trois champs : un nom de contact, le
numéro de téléphone, et la dernière date de contact. Pour pouvoir
faire fonctionner cet exemple, vous devez ajouter une référence à
Microsoft DAO 3.6 Object Library. Le Listing 9.6 montre le code pour
cet exemple.

Listing 9.6 : Utilisation de clés avec une collection.

```
Public Sub AfficherContacts()
    ' Un compteur pour la boucle.
    Dim Compteur As Integer
    Compteur = 1

    ' On crée un objet Recordset.
    Dim DonneeCourante As DAO.Recordset

    ' On crée la variable de collection.
    Dim ListeContacts As Collection
    Set ListeContacts = New Collection

    ' Une variable pour l'affichage...
    Dim Element As Variant
    Dim Sortie As String

    ' On récupère la donnée courante.
    Set DonneeCourante = _
        Application.CurrentDb.OpenRecordset("Contacts")

    ' On crée la collection à partir des données.
    While Not DonneeCourante.EOF

        ' On récupère l'information
        ListeContacts.Add _
            DonneeCourante.Fields("Nom").Value, _
            "Nom" + CStr(Compteur)
        ListeContacts.Add _
            DonneeCourante.Fields("Telephone").Value, _
            "Telephone" + CStr(Compteur)
        ListeContacts.Add _
            DonneeCourante.Fields("Dernier_contact").Value, _
            "Dernier_contact" + CStr(Compteur)

        ' On incrémente le compteur
        Compteur = Compteur + 1

        ' On se déplace sur le prochain enregistrement.
        DonneeCourante.MoveNext
    Wend

    ' On crée une chaîne de sortie avec les valeurs de
    ' la collection.
    For Compteur = 1 To (ListeContacts.Count / 3)
```

```
        ' On accède aux éléments de la collection par leur nom.
        Element = ListeContacts("Nom" + CStr(Compteur))
        Sortie = Sortie + Element

        Element = ListeContacts("Telephone" + CStr(Compteur))
        Sortie = Sortie + vbTab + Element

        Element = ListeContacts("Dernier_contact" + CStr(Compteur))
        Sortie = Sortie + vbTab + CStr(Element) + vbCrLf
    Next

    ' On affiche le message.
    MsgBox Sortie, vbInformation, "Liste de contacts"
End Sub
```

Le code commence par définir et initialiser quelques variables. Remarquez la déclaration de DonneeCourante. C'est un DAO.Recordset et non pas l'objet ADODB.Recordset par défaut. Si vous utilisez le type par défaut, le programme plante sur une erreur de type. Cet exemple met le doigt sur les problèmes que vous risquez de rencontrer en travaillant avec des objets. Vérifiez que vous utilisez des références d'objet spécifiques si nécessaire.

Vous pouvez utiliser plusieurs méthodes pour accéder à la table Contacts dans la base de données de l'exemple. La plus simple est d'utiliser la méthode Application.CurrentDb.OpenRecordset. Cette méthode inclut des constantes qui déterminent comment VBA ouvre l'ensemble de données. Par exemple, vous pouvez dire à VBA que vous voulez seulement lire l'ensemble de données en utilisant la constante dbReadOnly. Allez voir la rubrique OpenRecordset de l'aide pour plus d'informations.

Le code utilise une boucle While…Wend pour récupérer les données. Remarquez l'usage d'une chaîne pour accéder à la collection Fields (champs), qui sert de premier argument à la méthode ListeContacts.Add. Le deuxième argument de la méthode Add, utilisée pour ajouter un nouvel élément à la collection ListeContacts, est la clé. Quand vous regardez ListeContacts dans le débogueur, vous voyez que cet objet contient une simple liste d'entrées. Vérifiez bien que vous utilisez la méthode DonneeCourante.MoveNext pour sélectionner l'enregistrement suivant en fin de boucle, sinon la fin de fichier de la base de données (signalée par la mise à True de la propriété EOF – End Of File) ne sera jamais atteinte.

Dans ce cas, le code repose sur une boucle For…Next pour créer la chaîne de sortie. La collection n'est pas configurée de telle sorte que chaque élément corresponde à un enregistrement de la base de données : le code requiert trois éléments pour chaque enregistrement de la base de données. Le code montre comment vous pouvez utiliser une boucle pour venir à bout de cette difficulté.

La boucle For...Next de l'exemple n'est pas optimisée. J'ai fait ça pour rendre les choses plus claires. Remarquez la quantité ListeContacts.Count / 3. VBA est obligé de l'évaluer à chaque tour de boucle. Il eût été plus judicieux de calculer cette valeur à l'extérieur de la boucle (elle n'en dépend pas) et d'utiliser une variable.

Accès aux éléments d'une collection prédéfinie

La bulle d'aide que vous voyez quand vous tapez un nom d'objet contient normalement les méthodes et les propriétés de cet objet. Elle peut aussi contenir d'autres objets et collections. Quand vous voyez une liste d'éléments, c'est en général une collection.

Il y a encore un autre truc intéressant à voir quand vous double-cliquez sur une propriété et que vous appuyez sur F1 pour afficher l'aide. VBA vous dit non seulement que l'objet est une collection, mais il affiche une vue arborescente pour montrer où se trouve la collection dans la hiérarchie des objets et quels types d'objets la collection peut contenir.

Le débogueur peut aussi vous aider à fureter dans les collections. La fenêtre Espions de la Figure 9.4 montre comment l'objet DonneeCourante.Recordset contient la collection Fields, qui contient elle-même plusieurs objets Field. Vous pouvez cliquer sur le signe plus à côté des éléments pour voir chaque champ et son contenu courant. Jetez un coup d'œil dans la colonne Type où vous pouvez voir le type de données utilisé pour chaque élément de la collection.

L'explorateur d'objets est un autre endroit où trouver des informations sur les collections. Le fichier d'aide n'est utile que quand vous savez ce que vous cherchez. Le débogueur n'est pas forcément non plus d'un grand secours parce que vous êtes obligé de construire quelque chose pour voir ce qu'il contient. L'explorateur d'objets est différent. Quand vous savez de quoi vous avez besoin mais pas comment ça s'appelle, vous pouvez sélectionner une bibliothèque et vous promener dedans.

La Figure 9.5 montre la bibliothèque DAO utilisée pour l'exemple de la section précédente. Cette figure montre trois collections et les objets qu'elles contiennent : Errors, Fields et Groups. Quand vous trouvez quelque chose d'intéressant, sélectionnez-le et appuyez sur F1. Quand vous savez ce que vous cherchez, l'aide peut être utile.

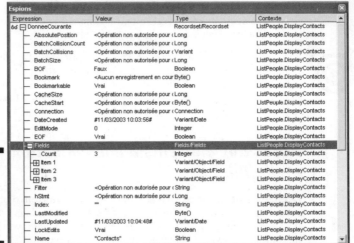

Figure 9.4 :
Utilisez le
débogueur
pour voir les
collections
prédéfinies.

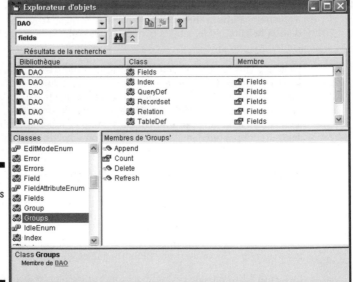

Figure 9.5 :
Baladez-vous
dans les
collections
dont vous
avez besoin
dans votre
programme.

Définir vos propres types de données

Un type de données personnalisé n'est rien d'autre qu'une liste (collection) d'éléments que vous voulez utiliser ensemble. En fait, vous ne créez pas réellement un nouveau type de données : en tout cas pas un que l'on pourrait identifier comme une entité isolée comme String ou Integer. Dans cette section, je vais vous montrer quel parti vous pouvez tirer des types personnalisés et vous expliquer comment les utiliser.

Comprendre les types de données personnalisés

Créer un type de données personnalisé signifie définir les données que vous comptez utiliser ensemble et décider quel type de données natif marche le mieux. L'exemple de la section précédente utilise une connexion à une base de données pour récupérer des informations et les placer dans une collection. L'implémentation (le codage proprement dit) est difficile dans cet exemple parce que vous devez créer trois entrées dans la collection pour chaque enregistrement de la base de données. Voici un type personnalisé qui englobe toutes les informations dans une entrée unique.

```
' On définit un type personnalisé.
Public Type Personne
    Nom As String        ' Le nom de la personne.
    Telephone As String ' Le numéro de téléphone de la personne.
    Dernier_contact As Date ' La dernière fois qu'on l'a vue (snif).
End Type
```

Vous créez un type personnalisé en utilisant le mot-clé Type, suivi par le nom du nouveau type de données. La structure contient des types de données natifs. Chaque variable a aussi un nom. VBA vous permet de créer des types de données personnalisés de complexité quelconque. Vous pouvez inclure des tableaux, d'autres types personnalisés, et même des objets. Cependant, vous voudrez certainement concevoir vos types personnalisés aussi simplement que possible et les documenter avec précision de manière à vous souvenir plus tard de ce qu'ils font.

Savoir quand créer votre propre type de données

Un type de données personnalisé peut vous faire gagner du temps et des efforts en vous permettant de déclarer d'un seul coup tous les éléments du même type dont vous allez avoir besoin. Il peut aussi regrouper des données de telle sorte que vous n'ayez pas à faire trop de gymnastique digitale pour retrouver vos données. Cependant, la principale raison pour créer un type de données personnalisé est la clarté de votre programme. Un type de données bien conçu peut simplifier votre code et en réduire substantiellement la longueur.

Accéder aux données et les manipuler

L'exemple avec les données repérées par des clés marche bien parce qu'il ne travaille pas avec des données complexes. Un programme qui doit modifier de nombreuses tables et gérer 20 ou 30 champs ne marcherait pas aussi bien en utilisant les mêmes techniques (il marcherait, mais ce ne serait pas le pied à programmer !). En utilisant le nouveau type de données que nous venons de créer, vous pouvez considérablement améliorer le programme des contacts.

Dans cette section, nous allons montrer un nouvel exemple qui repose sur un type de données personnalisé. Il construit un objet de ce type puis ajoute l'objet à une collection. Cet exemple montre comment créer vos propres collections afin de pouvoir travailler plus vite et plus facilement avec vos données.

Définir un contact

Quand vous décidez de créer votre propre collection, commencez par les objets eux-mêmes. Vérifiez bien que vous savez à quoi ressemble un de ces objets avant d'en créer des centaines de clones !

```
' On crée une instance de ce type.
Private LaPersonne As Personne

Public Property Get Nom() As String
    ' On récupère le nom.
    Nom = LaPersonne.Nom
End Property

Public Property Let Nom(Value As String)
    ' On donne le nom.
```

```
      LaPersonne.Nom = Value
   End Property
```

Le code consiste en trois paires de déclarations de propriétés : une
pour chaque variable de type Personne (on laisse au lecteur le soin
d'écrire les paires correspondant à Telephone et Dernier_contact).
Chaque propriété est accessible en lecture et en écriture. Bien qu'il
s'agisse d'un objet, les variables individuelles ne sont pas des objets,
et donc on utilise les méthodes Let et Get.

Définir une collection de contacts

Une collection n'a pas à implémenter les méthodes et propriétés
trouvées dans la classe Collection, mais c'est mieux si elle le fait. Ça
vaut la peine de jeter un coup d'œil aux collections de VBA pour
piquer des idées sur les méthodes et les propriétés que vous pourriez
implémenter. Implémentez toujours la propriété Item car on en a
besoin pratiquement tout le temps. Le Listing 9.7 montre un exemple
typique de collection.

Listing 9.7 : Manipulation de données dans des collections.

```
' On déclare la collection.
Private CollectionDePersonnes As Collection

Public Sub Ajoute(Item As Personne, _
            Optional Key As String, _
            Optional Before As Integer, _
            Optional After As Integer)

   ' On regarde s'il y a une clé ou non.
   If Not Key = "" Then

      ' On regarde s'il y a une valeur Before ou non.
      If Before > 0 Then

         ' On ajoute une entrée avec une clé et une valeur Before.
         CollectionDePersonnes.Add Item, Key, Before

      ' On regarde s'il y a une valeur After ou non.
      ElseIf After > 0 Then

         ' On ajoute une entrée avec une clé et une valeur After.
         CollectionDePersonnes.Add Item, Key, , After
```

```
            Else

                ' L'entrée est juste un item et une clé.
                CollectionDePersonnes.Add Item, Key
            End If
        Else
            ' On regarde s'il y a une valeur Before ou non.
            If Before > 0 Then

                ' On ajoute une entrée avec une valeur Before.
                CollectionDePersonnes.Add Item, , Before

            ' On regarde s'il y a une valeur After ou non.
            ElseIf After > 0 Then

                ' On ajoute une entrée avec une valeur After.
                CollectionDePersonnes.Add Item, , , After

            Else

                ' L'entrée est juste un Item.
                CollectionDePersonnes.Add Item
            End If
        End If
End Sub

Public Property Get Nombre() As Long
    ' Retourne le nombre d'éléments de la collection.
    Nombre = CollectionDePersonnes.Count
End Property

Public Sub Supprime(Index As Variant)
    ' On supprime l'élément.
    CollectionDePersonnes.Remove Index
End Sub

Public Property Get Item(Index As Variant) As Personne
    ' Retourne l'élément demandé.
    Set Item = CollectionDePersonnes.Item(Index)
End Property

Private Sub Class_Initialize()
    ' Initialise la collection.
    Set CollectionDePersonnes = New Collection
End Sub
```

Remarquez que le code commence par créer un objet Collection. Vous pourriez aussi utiliser la directive *Implements* pour implémenter la classe Collection, mais cette technique est plus simple. La méthode Class_Initialize initialise CollectionDePersonnes afin que d'autres méthodes puissent l'utiliser.

La méthode Ajoute est, dans la plupart des cas, la procédure la plus complexe que vous puissiez écrire pour une collection. La raison de cette complexité est que cette méthode a des tonnes d'arguments facultatifs. De plus, quand vous ajoutez un argument *before*, vous ne pouvez pas ajouter un argument *after* : les deux s'excluent mutuellement. Ces expressions indiquent une position relative au sein de la collection. Le membre à ajouter est inséré dans la collection juste avant le membre désigné par l'argument *before*. Il est inséré dans la collection juste après le membre désigné par l'argument *after*. S'il s'agit d'une expression numérique, l'argument *after* doit être un nombre compris entre 1 et la valeur de la propriété Count de la collection. S'il s'agit d'une chaîne, l'argument *after* doit correspondre à la valeur de l'argument *key* indiqué lorsque le membre auquel il est fait référence a été ajouté à la collection. Vous pouvez indiquer la position *before* ou *after*, mais pas les deux. Que l'argument *before* ou *after* soit une expression de chaîne ou une expression numérique, il doit faire référence à un membre existant de la collection ; sinon, une erreur se produit. Une erreur se produit également si un argument *key* duplique l'argument *key* d'un membre existant de la collection.

Le code distingue deux cas : il y a une clé ou pas. Il regarde ensuite si vous avez un argument *before*, un argument *after* ou aucun des deux. Observez bien le code de la méthode Ajoute, et vous verrez que chaque décision prise résulte d'une syntaxe différente d'appel à la méthode Add.

La propriété Nombre retourne le nombre d'éléments de CollectionDePersonnes. Vous n'avez jamais besoin d'ajouter une gestion d'erreurs à ce genre de propriété parce qu'elle est en lecture seule. Ne déclarez jamais une telle propriété accessible en écriture ! Vous n'aimeriez pas que quelqu'un change le nombre d'éléments de la collection sans aucune intervention sur ces éléments... Ça provoquerait un joli plantage !

La méthode Supprime fait un appel direct à la méthode CollectionDePersonnes.Remove. Vous pourriez ajouter une vérification d'étendue à cette méthode en utilisant les conseils que je vous ai donnés précédemment. La méthode CollectionDePersonnes.Remove provoque une erreur lorsqu'on lui passe une valeur incorrecte. Remarquez l'utilisation d'un Variant dans cette méthode : une chaîne ou un nombre seront également acceptés comme paramètre.

La propriété Item est aussi en lecture seule. Elle ne doit jamais être en écriture. Utilisez toujours la méthode Add pour ajouter de nouveaux éléments à la collection. Remarquez que cette méthode retourne un objet : vous devez donc utiliser la directive Set.

Créer une propriété par défaut

Quelle que soit la collection considérée, sa propriété par défaut est Item. La Figure 9.6 montre qu'Item utilise un symbole spécial. L'explication de Item dans la partie inférieure de l'explorateur d'objets dit aussi que c'est la propriété par défaut de la collection Fields. Le seul problème, c'est que VBA ne fournit pas de méthode directe pour créer une propriété (ou une méthode) par défaut.

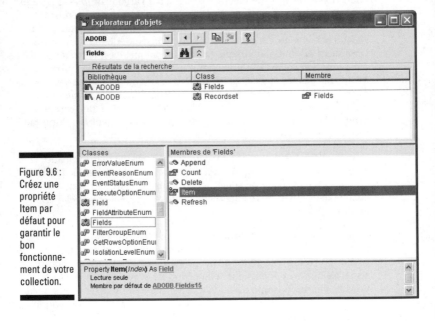

Figure 9.6 : Créez une propriété Item par défaut pour garantir le bon fonctionnement de votre collection.

Pour faire ça, vous devez utiliser une méthode non documentée peu connue. Si vous téléchargez le fichier Persons.cls (vous pouvez trouver toutes les sources – en anglais – du livre ici : http://www.dummies.com/go/mueller), vous verrez qu'il ressemble au code du Listing 9.8.

Listing 9.8 : Créer une déclaration de propriété par défaut.

```
Public Property Get Item(Index As Variant) As Personne
' On dit à VBA que c'est la propriété par défaut.
Attribute Item.VB_UserMemId = 0

    ' On retourne l'élément demandé.
    Set Item = CollectionDePersonnes.Item(Index)
End Property
```

Cependant, vous remarquerez que la ligne "Attribute Item.VB_UserMemId = 0" n'apparaît pas dans l'IDE ! VBA vous oblige à faire une manipulation simple mais très bizarre pour ajouter cette ligne de code. Voici la marche à suivre :

1. **Faites un clic droit sur Persons dans la fenêtre de projet et choisissez "Exporter un fichier" dans le menu contextuel.**

   Vous voyez alors la boîte de dialogue d'exportation.

2. **Cliquez sur Enregistrer pour enregistrer le fichier sous le nom Persons.cls.**

   VBA exporte le fichier.

3. **Ouvrez le fichier dans un éditeur de texte comme le Bloc-notes.**

   N'utilisez surtout pas Word pour faire ça, car il pourrait ajouter des caractères indésirables au fichier.

4. Tapez **Attribute Item.VB_UserMemId = 0** comme première ligne de la propriété Item.

5. **Enregistrez le fichier Persons.cls et refermez l'éditeur.**

6. **Faites un clic droit sur Persons dans la fenêtre de projet et choisissez "Supprimer Persons" dans le menu contextuel.**

   VBA vous demande si vous voulez ou non exporter Persons avant de le supprimer.

7. **Répondez Non.**

   VBA supprime le module de classe.

8. **Faites un clic droit n'importe où dans la fenêtre de projet et choisissez "Importer un fichier" dans le menu contextuel.**

   Vous voyez alors la boîte de dialogue d'importation.

9. **Sélectionnez le fichier Persons.cls et cliquez sur "Ouvrir".**

   VBA importe le fichier modifié. Apparemment, rien n'a changé.
   Le code ressemble toujours à la même chose. Cependant,
   l'invisible entrée *Attribute* a changé.

10. **Ouvrez l'explorateur d'objets et regardez la classe Persons.**

    Vous remarquerez qu'Item est maintenant la propriété par
    défaut de cette classe.

Développer le programme de test

Le programme de test du Listing 9.9 est similaire à celui utilisé dans le
Listing 9.6. Le nouvel exemple du Listing 9.9 commence par créer des
variables, puis ouvre le même ensemble de données. Voici les
principales différences entre les deux programmes :

**Listing 9.9 : Mise à jour du programme sur les collections avec clés
(Listing 9.6).**

```
' On crée la collection à partir des données.
While Not DonneeCourante.EOF

    ' On définit un nouvel élément.
    Set Individu = New Personne

    ' On récupère l'information et on la place dans le type
    ' de donnée personnalisé.
    Individu.Nom = _
        DonneeCourante.Fields("Nom").Value
    Individu.Telephone = _
        DonneeCourante.Fields("Telephone").Value
    Individu.Dernier_contact = _
        DonneeCourante.Fields("Dernier_contact").Value

    ' On ajoute l'information à la collection.
    ListeContacts.Add Individu, Individu.Nom

    ' On se déplace sur l'enregistrement suivant de la base de
      données.
    DonneeCourante.MoveNext
Wend

' On crée une chaîne de sortie avec les valeurs de
' la collection.
For Compteur = 1 To ListeContacts.Count
```

```
' On récupère l'élément courant.
Set Individu = ListeContacts(Compteur)

' On accède aux éléments de la collection par leur nom.
Sortie = Sortie + Individu.Nom + _
         vbTab + Individu.Telephone + _
         vbTab + _
         CStr(Individu.Dernier_contact) + vbCrLf
Next
```

Le code est désormais plus facile à comprendre car vous pouvez
rapidement identifier les données : chaque entrée de la collection
correspond à un unique enregistrement dans la base de données.
Remarquez que vous créez un unique objet du type Personne (l'objet
Individu) pour stocker l'information. Un simple appel à un objet de la
collection Personne, ListeContacts, ajoute toute l'information d'un seul
coup.

La confection du message à afficher est également simple. Un simple
appel à ListeContacts place l'information dans Individu. La chaîne
Sortie utilise l'information de cet unique objet pour constituer le
message. Remarquez que vous n'avez plus besoin de mathématiques
tordues pour la condition de sortie de la boucle For…Next.

Chapitre 10

Travailler
avec les fichiers

. . . .

Dans ce chapitre :

▶ Différentes techniques de stockage de données.

▶ Interaction avec les données trouvées dans des fichiers.

▶ Mémoriser les paramètres d'un programme en utilisant les fichiers INI.

. . . .

C e chapitre expose plusieurs méthodes pour travailler avec des
fichiers disque. Vous allez voir, c'est très simple et ça va vous
donner envie de stocker des données dans des formats fabuleux et de
sauvegarder dans des fichiers INI les paramètres de tous vos programmes.

Utiliser le stockage sur disque

Placer des informations sur disque est une tâche essentielle pour la
plupart des applications, pour la bonne raison que pratiquement
toutes créent des informations. En principe, une application gère déjà
les sauvegardes, si bien que vous vous fichez peut-être d'en savoir
plus. Vous pensez peut-être qu'il n'y a pas besoin d'aller plus loin,
mais, là, vous vous fourrez le doigt dans l'œil. Votre programme crée
aussi des données de valeur qu'il serait dommage de perdre.

Informations de configuration
des applications

Le meilleur endroit où mettre ce genre de choses est un fichier INI.
Voici une liste d'endroits possibles où mettre ce type de fichier :

✔ **Le dossier utilisateur** : Il est logique de placer des informations spécifiques à un utilisateur dans son dossier utilisateur, qui se trouve dans le répertoire \Documents and Settings. Chaque utilisateur dispose d'un dossier personnel et vous pouvez y créer un sous-répertoire pour les informations relatives à votre programme. Cette technique permet à plusieurs utilisateurs d'avoir des réglages différents.

✔ **Le répertoire du document** : Si une série de réglages s'applique à un document particulier, ça vaut le coup de sauver la configuration dans le répertoire de ce document. L'avantage, c'est que si on copie le dossier ailleurs, les réglages resteront avec le document.

✔ **Le répertoire du projet** : Un réglage peut affecter tous les documents d'un projet. Vous pouvez stocker la configuration avec le projet pour garantir que quiconque travaillant avec ce projet aura ces réglages.

✔ **Le répertoire du groupe de travail** : Votre programme peut influer sur la façon dont les membres d'un groupe de travail interagissent. Quand tout le monde utilise les mêmes réglages, il vaut mieux les mettre dans un endroit accessible.

Conversion des données

La conversion des données est une tâche qui peut vous incomber de temps en temps. C'est le cas quand vous devez transférer des informations sur un autre système, ou simplement quand vous avez besoin de ces informations sous une autre forme. Avant de vous lancer dans un programme de conversion, vérifiez toujours que l'application que vous utilisez ne prend pas en charge cette conversion. La plupart des applications sont capables d'importer et d'exporter dans de nombreux formats.

Une fois que vous êtes sûr d'avoir à faire la conversion vous-même, essayez de choisir un format simple à utiliser. Le texte brut est encore la meilleure solution, bien qu'aucune forme de formatage ou d'enrichissement ne soit supportée dans ce cas. Il risque donc d'y avoir des pertes en route.

Simplifier l'accès au stockage de données

Nous avons déjà rencontré au Chapitre 6 le FileSystemObject au moment où nous étions en train de travailler avec les lecteurs (objets

Drive). Cette classe est très utile en matière de stockage de données. Vous pouvez créer, supprimer, lire et écrire des fichiers texte en utilisant l'objet *TextStream* associé au FileSystemObject.

Ecriture dans un fichier

Ecrire dans un fichier est la première chose à faire dans de nombreux cas car il est nécessaire de créer les données que vous utiliserez ensuite dans le programme. L'exemple qui suit repose sur le FileSystemObject , donc vous devez ajouter une référence à Microsoft Scripting Runtime en cliquant sur Outils/Références. Le Listing 10.1 montre un exemple typique de code écrivant dans un fichier.

Listing 10.1 : Ecrire dans un fichier.

```
Public Sub EcritureFichier()
    ' On définit une variable qui contiendra le chemin.
    Dim CheminDonnees As String

    ' On prend comme chemin le chemin par défaut pour
    ' les réglages de l'application hôte. On crée un répertoire
    ' spécial pour notre programme.
    CheminDonnees = Application.UserLibraryPath + "PremierFichier\"

    ' On crée un FileSystemObject.
    Dim FS As FileSystemObject
    Set FS = New FileSystemObject

    ' On regarde si le répertoire existe.
    If Not FS.FolderExists(CheminDonnees) Then
        ' sinon, on le crée.
        FS.CreateFolder CheminDonnees
    End If

    ' On crée un objet fichier texte.
    Dim Sortie As TextStream
    Set Sortie = FS.CreateTextFile(CheminDonnees + "Config.txt")

    ' On écrit quelque chose dans le fichier.
    Sortie.WriteLine "Bonjour, utilisateur."
    Sortie.Write "Ceci est une information juste pour toi."

    ' On ferme le fichier.
    Sortie.Close
End Sub
```

Cet exemple suppose que vous voulez écrire une information de configuration personnelle pour un utilisateur. Le code commence par créer puis affecter la variable CheminDonnees en utilisant la propriété Application.UserLibraryPath (attention, à partir d'Office XP seulement).

Après avoir créé un FileSystemObject judicieusement nommé FS, le code vérifie l'existence du répertoire de sortie. Vous devez faire ça à chaque fois parce que vous ne pouvez pas savoir si c'est la première fois ou non que le programme est exécuté (en fait, si, vous pourriez le savoir en l'écrivant dans un fichier INI !). Et surtout parce qu'il est possible que quelqu'un (de sûrement très mal intentionné !) ait supprimé le répertoire. S'il n'existe pas, le code crée le répertoire en utilisant la méthode *CreateFolder*.

Une fois que le programme est sûr que le répertoire existe bien, il crée l'objet TextStream qui écrit les données dans le fichier. Utilisez la méthode *CreateTextFile* quand vous ne savez pas si le fichier existe déjà ou non. Cette méthode écrase le fichier s'il existe déjà et le crée sinon. Il existe un argument facultatif (regardez dans le fichier d'aide !) qui permet d'ajouter l'information à la fin d'un fichier existant. En faisant comme cela, vous êtes sûr de n'écraser aucune donnée.

Le code utilise la méthode *WriteLine* pour écrire la première ligne de texte dans le fichier. Cela reviendrait au même d'utiliser *Write* et d'ajouter un vbCrLf à la fin de la chaîne à écrire. Utiliser WriteLine quand il y a plusieurs lignes de texte est plus pratique parce que vous n'avez pas à vous souvenir qu'il faut ajouter la constante.

Utilisez toujours la méthode *Close* pour fermer le fichier avant que le programme se termine. Sinon, VBA n'écrira rien du tout dans le disque dur, et vous aurez perdu toutes ces précieuses informations qui ne résidaient jusque-là que dans la mémoire.

Lecture dans un fichier

Après avoir écrit quelque chose dans un fichier, il serait du meilleur goût de parvenir à le relire (Listing 10.2). Bien sûr, c'est encore FileSystemObject qui va s'y coller.

Listing 10.2 : Lire dans un fichier.

```
Public Sub LectureFichier()
    ' On définit une variable qui contiendra le chemin.
    Dim CheminDonnees As String
    CheminDonnees = Application.UserLibraryPath + "PremierFichier\"
```

```
    ' On crée un FileSystemObject.
    Dim FS As FileSystemObject
    Set FS = New FileSystemObject

    ' On regarde si le fichier existe.
    If Not FS.FileExists(CheminDonnees + "Config.txt") Then

        'On dit à l'utilisateur que le fichier n'existe pas.
        MsgBox "Fichier de configuration introuvable.", _
            vbCritical, _
            "Fichier introuvable"

        ' On sort de la Sub sans lire le fichier.
        Exit Sub
    End If

    ' On crée un objet fichier texte.
    Dim Sortie As TextStream
    Set Sortie = FS.OpenTextFile( _
        CheminDonnees + "Config.txt", ForReading)

    ' On regarde s'il y a quelque chose dans le fichier.
    If Sortie.AtEndOfStream Then

        ' On dit à l'utilisateur que le fichier est vide.
        MsgBox "Informations de configuration introuvables.", _
            vbExclamation, _
            "Aucune donnée trouvée"

        ' On sort de la Sub sans lire le fichier.
        Exit Sub
    End If

    ' On crée une variable pour contenir l'information.
    Dim DonneesLues As String

    ' On lit dans le fichier.
    DonneesLues = Sortie.ReadLine()
    DonneesLues = DonneesLues + " " + Sortie.ReadLine()

    ' On affiche le résultat.
    MsgBox DonneesLues, vbInformation, "Contenu du fichier"

    ' On ferme le fichier.
    Sortie.Close
End Sub
```

Cet exemple montre l'utilité de la propriété Application.UserLibraryPath (attention, à partir d'Office XP seulement). À chaque fois qu'un utilisateur se connecte sur le système, la valeur de cette propriété change automatiquement et contient le chemin d'accès au répertoire personnel de l'utilisateur. Tous les utilisateurs ont leurs propres dossiers, et donc, leurs propres réglages.

Vous ne savez pas toujours si un fichier existe au moment où vous en avez besoin : le fichier a pu être effacé, ou tout simplement ne jamais avoir été créé. La méthode *FileExists* retourne True si le fichier qu'on lui passe en paramètre existe.

Le code ouvre ensuite le fichier en utilisant la méthode *OpenTextFile*. Cette méthode marche aussi quand vous voulez écrire dans un fichier. Comme vous savez que le fichier existe, ça ne provoquera pas d'erreur. Cependant, vous ne savez pas si le fichier contient quelque chose ou non. Une erreur système ou un utilisateur malveillant aurait pu effacer le contenu du fichier. La propriété *AtEndOfStream* vous dit si un fichier fraîchement ouvert contient quelque chose ou non : cette propriété retournera True si la taille du fichier est égale à 0 octet.

Maintenant que vous savez que le fichier contient des données, vous pouvez lire son contenu. La méthode *ReadLine* retourne une ligne à la fois, tandis que *ReadAll* renvoie tout le contenu du fichier d'un seul coup. Il y a même la méthode *Read* qui permet de lire juste une série d'octets. VBA ne retourne pas la constante vbCrLf de fin de ligne quand vous utilisez la méthode ReadLine.

Enfin, le code affiche le contenu du fichier dans une boîte de message, puis ferme le fichier. N'oubliez jamais l'appel à la méthode Close après avoir lu le contenu d'un fichier, sinon vous pourriez endommager sérieusement le fichier.

Travailler avec des réglages

Les fichiers INI sont un bon moyen pour stocker des réglages afin de les réutiliser ultérieurement. L'objet Dictionary est une occasion parfaite pour travailler avec des fichiers INI car il utilise des paires clé/valeur pour stocker les informations. L'exemple de la section suivante explique comment lire et écrire dans un fichier INI.

Ecrire un fichier INI

Il est très utile de créer un objet *Dictionary* pour chaque section de
votre fichier INI. En utilisant les objets de cette façon, vous trouverez
plus facilement l'information dont vous avez besoin. L'inconvénient,
c'est que vous aurez plus d'objets avec lesquels travailler et que votre
programme sera un tout petit peu moins performant. Le Listing 10.3
contient le code dont vous avez besoin pour utiliser un objet
Dictionary afin d'écrire dans un fichier INI.

Listing 10.3 : Utiliser un objet Dictionary.

```
Public Sub WriteDictionary()
    ' On crée une variable pour contenir la donnée.
    Dim ChaineDeDonnees As Variant

    ' On crée le dictionnaire pour les réglages utilisateurs.
    Dim ReglageUtilisateur As Dictionary
    Set ReglageUtilisateur = New Dictionary
    ReglageUtilisateur.Add "Salutation", "Bonjour"
    ReglageUtilisateur.Add "Langage", "Français"

    ' On crée le dictionnaire pour la config de l'appli.
    Dim AppConfig As Dictionary
    Set AppConfig = New Dictionary
    AppConfig.Add "MontrerMenuAide", "True"
    AppConfig.Add "AutoriserModifications", "True"

    ' On crée le fichier de config.
    Dim TheConfig As TextStream
    OpenWriteConfig "DictionaryDemo", "Data.INI", TheConfig

    ' On écrit le dictionnaire ReglageUtilisateur.
    TheConfig.WriteLine "[ReglageUtilisateur]"
    For Each ChaineDeDonnees In ReglageUtilisateur
        TheConfig.Write ChaineDeDonnees
        TheConfig.Write "="
        TheConfig.WriteLine ReglageUtilisateur.Item(ChaineDeDonnees)
    Next

    'On écrit le dictionnaire AppConfig.
    TheConfig.WriteLine "[AppConfig]"
    For Each ChaineDeDonnees In AppConfig
        TheConfig.Write ChaineDeDonnees
        TheConfig.Write "="
        TheConfig.WriteLine AppConfig.Item(ChaineDeDonnees)
```

```
      Next

          ' On ferme le fichier de configuration.
          TheConfig.Close
      End Sub
```

Le code commence par créer deux objets Dictionary : un pour chaque
section du fichier INI. Il remplit ces objets avec des données bidon.
Dans un programme réel, vous rempliriez les objets Dictionary avec
vos réglages de programme ou d'autres données.

Le code appelle ensuite la routine OpenWriteConfig. C'est une fonction
spéciale que j'ai écrite et qui ressemble furieusement au Listing 10.1.
Au retour de cet appel, TheConfig pointe sur un TextStream que le
code peut utiliser pour écrire.

Il est important d'inclure un en-tête pour chacun de vos objets
Dictionary, sinon vous serez incapable de relire le fichier plus tard. Le
code écrit d'abord cet en-tête, puis chacune des paires clé/valeur en
utilisant une boucle For Each...Next. Vous pourriez créer une procédure pour faire ça, puisqu'on fait la même chose deux fois : les
procédures, c'est indiqué dès qu'on constate qu'on fait deux fois la
même chose. C'est comme pour les maths. Quand mes élèves demandent ce qu'est un théorème, je leur réponds que c'est une astuce qu'on
a rencontrée au moins deux fois ! Cela dit, utiliser la technique
montrée dans le code est certainement plus facile à comprendre.
Comme d'habitude, n'oubliez pas de fermer la porte en sortant (euh,
pardon, le fichier !). Sinon, rien n'est écrit...

Lire un fichier INI

La lecture est un peu plus hard que l'écriture. Le problème, c'est que
vous avez du texte brut et que vous ne savez pas *a priori* si quelqu'un
n'a pas modifié quelque chose dans le fichier. Il va donc falloir
parcourir tout le fichier mot par mot (ce qu'on appelle *parser* le fichier,
du mot anglais *parsing*). Le Listing 10.4 vous montre ça.

Listing 10.4 : Lecture dans un fichier INI à l'aide d'un dictionnaire.

```
Public Sub ReadDictionary()
    ' On crée un élément de donnée individuel.
    Dim ElementDeDonnee As String

    ' On crée le dictionnaire Selecteur.
```

```
    Dim Selecteur As Dictionary

    ' On crée un index de chaîne.
    Dim Index As Long

    ' On crée le dictionnaire pour les réglages utilisateurs.
    Dim ReglageUtilisateur As Dictionary
    Set ReglageUtilisateur = New Dictionary

    ' On crée le dictionnaire pour la config de l'appli.
    Dim AppConfig As Dictionary
    Set AppConfig = New Dictionary

    ' on essaye d'ouvrir le fichier de configuration.
    Dim TheConfig As TextStream
    If Not OpenReadConfig("DictionaryDemo", "Data.INI", TheConfig)
       Then

        'On sort en cas d'échec.
        Exit Sub
    End If

    ' On met le contenu du fichier dans les dictionnaires.
    While Not TheConfig.AtEndOfStream

        ' On lit l'élément de donnée.
        ElementDeDonnee = TheConfig.ReadLine

        Select Case ElementDeDonnee
            Case "[AppConfig]"
                Set Selecteur = AppConfig

            Case "[ReglageUtilisateur]"
                Set Selecteur = ReglageUtilisateur

            ' on remplit le bon dictionnaire avec les données.
            Case Else
                Index = InStr(1, ElementDeDonnee, "=")
                Selecteur.Add Left(ElementDeDonnee, Index - 1), _
                              Mid(ElementDeDonnee, Index + 1)
        End Select
    Wend

    ' On ferme le fichier de configuration.
    TheConfig.Close
End Sub
```

Le code commence par créer deux objets Dictionary dont vous aurez besoin pour contenir l'information. Il crée aussi un objet Dictionary spécial nommé Selecteur et quelques variables dont il va avoir besoin pour procéder à l'analyse du contenu du fichier.

Le programme ouvre ensuite le fichier de configuration et crée le TextStream en utilisant la fonction OpenReadConfig. C'est une fonction spéciale que j'ai écrite et qui ressemble furieusement au Listing 10.2. Au retour de cet appel, le résultat est à True si le fichier a été ouvert. Si la valeur retournée est False, on sort de la procédure ReadDictionary parce qu'il n'y a aucun fichier à analyser.

Remarquez comment cet exemple utilise la propriété AtEndOfStream. Cet usage est plus habituel que celui que j'avais montré dans le Listing 10.2. La boucle While…Wend continue de lire les données jusqu'à ce qu'il n'y ait plus rien à lire. À chaque itération, on prend une décision basée sur le contenu d'ElementDeDonnee.

Remarquez aussi l'instruction "Set Selecteur = AppConfig". Cette instruction fait beaucoup plus de choses que vous ne pourriez le penser. Elle affecte réellement AppConfig à Selecteur, si bien que tout changement fait à Selecteur est immédiatement reflété dans AppConfig. Cette technique est une référence générique quand vous voulez chercher les paires clé/valeur dans le fichier. La routine n'a pas grand-chose à faire de spécial, car l'objet Dictionary correct est déjà sélectionné.

La dernière partie à étudier attentivement est la recherche des paires clé/valeur. Le fichier INI les stocke dans deux chaînes séparées par un signe égal. L'information tient sur une seule ligne. En utilisant les fonctions de manipulation de chaînes, on sépare les deux valeurs de sorte que le code puisse les ajouter au dictionnaire approprié.

Chapitre 11

Programmation VBA avec XML

. . . .

Dans ce chapitre :

▶ Apprendre à connaître eXtensible Markup Language (XML).

▶ Définition des fonctionnalités de Word Markup Language (WordML).

▶ Concevoir votre premier document XML.

▶ Travail avec des données XML.

▶ Créer un document XML.

▶ Utiliser eXtensible Style Language Transformation (XSLT) pour modifier la présentation.

. . . .

Ce chapitre décrit XML et comment vous pouvez l'utiliser pour améliorer les documents créés avec Office. Bien qu'il soit possible de réaliser à la main beaucoup des tâches que je décris dans ce chapitre, utiliser VBA est tout indiqué car ces tâches sont répétitives et fastidieuses. De plus, il existe des tâches XML qu'il n'est pas possible d'accomplir sans l'aide de VBA. Le chapitre parle aussi des méthodes pour afficher le XML. Nous verrons aussi comment écrire des programmes qui savent interpréter le XML, dans le but d'envoyer de l'information dans n'importe quel format.

Comprendre XML

Cette section décrit les bases de XML et la manière de construire des fichiers XML simples. Dans de nombreux cas, vous n'aurez besoin de rien d'autre pour pouvoir utiliser XML dans un programme VBA. Avec un simple fichier, vous pourrez enregistrer des informations de configuration ou transférer des données d'une machine à une autre. Si vous voulez en savoir plus sur XML, vous trouverez un excellent tutorial ici : `http://www.w3schools.com/xml/` (en anglais) ou là : `http://pages.infinit.net/etias/` (en français).

Affichage d'un fichier XML

Les fichiers XML contiennent du texte formaté (un peu comme les fichiers RTF). Vous pouvez ouvrir un fichier XML dans le Bloc-notes et voir tout ce qu'il contient. Si vous avez déjà vu du HTML (HyperText Markup Language, "Langage de balisage hypertexte" dans la langue de Navarro, utilisé pour construire les pages Web), ça y ressemble beaucoup. Voici un exemple de document XML simple tel qu'il apparaît dans le Bloc-notes.

```
<?xml version="1.0"?>
<Root_Element>
    <!--Ceci est un commentaire.-->
    <Element1 Attribute1="Ceci est un attribut.">
        <ChildElement1>Ceci est un élément enfant.</ChildElement1>
    </Element1>
    Ceci est tout bêtement du texte.
    <Element2>Ceci est le second élément.</Element2>
</Root_Element>
```

Evidemment, utiliser le Bloc-notes pour visualiser un fichier XML n'est pas la meilleure façon de faire parce que la syntaxe n'est pas du tout mise en évidence. Internet Explorer est un outil plus approprié. La Figure 11.1 montre un exemple typique de ce à quoi ressemble un fichier XML. Les différents composants du fichier XML apparaissent avec des couleurs différentes. Vous pouvez contracter ou développer les nœuds de l'arborescence en cliquant sur les lignes qui constituent la hiérarchie du texte. C'est magique ! Ça marche exactement comme le volet gauche de l'explorateur de Windows (celui qui affiche l'arborescence des répertoires).

Malheureusement, Internet Explorer ne permet pas d'éditer le fichier XML, et vous ne pouvez donc pas vraiment travailler avec le XML de cette façon à moins de faire de fastidieux allers et retours entre IDE et le Bloc-notes. Microsoft se doute bien que vous avez besoin d'éditer facilement du XML, et il a donc créé un programme gratuit (mais il ne le supporte plus) qui s'appelle Microsoft XML Notepad (voir Figure 11.2). Vous pouvez télécharger ce logiciel ici : `http://www.webattack.com/get/xmlnotepad.shtml`. Un autre bon éditeur XML freeware est XRay2 XML Editor que vous pouvez trouver ici : `http://www.architag.com/xray/`. Il y a aussi XMLSpy

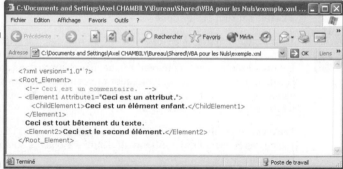

(http://www.xmlspy.com). Je suis sûr que vous en trouverez bien
d'autres ! Dans ce livre, nous ferons référence à XML Notepad.

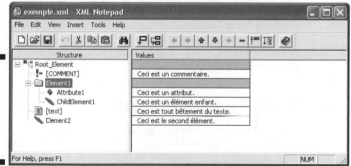

La Figure 11.2 montre que chaque morceau du fichier XML est affiché
sur une ligne différente. Comme dans Internet Explorer, vous pouvez
développer ou réduire l'arborescence à volonté. Pour éditer une
entrée, sélectionnez la ligne. La ligne sélectionnée s'indente légère-
ment, vous montrant ainsi qu'elle peut être éditée. L'éditeur vous
permet aussi bien de changer les valeurs que le nom des parties.

Travailler avec les éléments

La hiérarchie d'un document XML repose sur les éléments. En termes
de code, un élément ressemble à une balise HTML. Un élément fournit
de l'information contextuelle pour les valeurs et les attributs que vous

créez. Dans beaucoup de cas, un élément joue un peu le rôle d'une variable dans un programme VBA.

Tous les documents XML doivent avoir un *root element* (élément racine) : c'est l'élément de base de toute la hiérarchie. Vous devez indiquer exactement un élément racine, pas deux ou trois. Imaginez l'élément racine comme un conteneur qui contient tous les autres éléments. L'élément racine est représenté dans XML Notepad par une icône spéciale (voir Figure 11.2).

Les éléments peuvent contenir d'autres éléments. À part l'élément racine, les éléments qui contiennent d'autres éléments sont représentés par une icône de dossier. Ce sont les *nœuds*. Un élément qui se trouve en bout d'arborescence et qui ne contient aucun autre élément est une *feuille*. Les feuilles sont représentées par des barres rouges (je sais, ça ne ressemble pas à une feuille !). Un élément contenu dans un autre élément s'appelle un *child element* (élément enfant).

Pour ajouter un nouvel élément à un document XML avec XML Notepad, faites un clic droit à l'emplacement où vous voulez insérer l'élément. Si cet élément doit être au même niveau que celui sur lequel vous avez cliqué, choisissez Insert/Element dans le menu contextuel. Sinon, choisissez Insert/Child Element. Si vous vous trompez, il suffit de déplacer l'élément à la souris.

Travailler avec les attributs

Seuls les éléments peuvent contenir de l'information. L'une des deux formes usuelles de cette information est l'attribut. On utilise normalement un attribut pour modifier la signification d'un élément. C'est aussi pratique d'utiliser les attributs quand un élément a plus d'une valeur, mais il vaut mieux éviter de faire ça car une valeur et un attribut sont deux choses différentes.

On peut comparer les attributs aux propriétés d'une méthode car on les utilise souvent de la même façon. Chaque attribut contient un nom, un signe égal, et une valeur. Un élément peut avoir plusieurs attributs.

Les attributs sont représentés dans XML Notepad par de petits diamants roses. Ils apparaissent toujours comme enfants de l'élément qu'ils affectent. Par conséquent, Attribute1 dans la Figure 11.2 affecte Element1, mais pas ChildElement1. Pour ajouter un attribut avec XML Notepad, faites un clic droit sur l'élément voulu, puis choisissez Insert/Attribute dans le menu contextuel.

Travailler avec les valeurs

Les valeurs sont le second type d'information que peut contenir un élément. Une valeur apparaît entre des balises de début et de fin comme ceci :

```
<ChildElement1>Ceci est un élément enfant.</ChildElement1>
```

La valeur est le contenu que vous voyez normalement dans le fichier texte. C'est l'information décrite par l'élément. Seuls les éléments feuilles peuvent avoir des valeurs, et vous devez donc en tenir compte pour concevoir vos documents XML.

Travailler avec les commentaires

Les commentaires servent à documenter vos documents XML. En général, on ne commente pas beaucoup les documents XML car il est rare qu'on les lise sous forme codée. Si on en met trop, ça fait inutilement augmenter la taille du fichier et, par conséquent, son temps de transmission. Un commentaire doit décrire quelque chose d'essentiel dans le document qui ne soit pas évident au premier coup d'œil.

Les commentaires sont représentés par un point d'exclamation bleu dans XML Notepad. Pour ajouter un commentaire, faites un clic droit sur l'élément concerné, puis choisissez Insert/Comment dans le menu contextuel. Les commentaires en XML sont balisés exactement comme en HTML :

```
<!--Ceci est un commentaire.-->
```

Comparaison entre le WordML et du XML standard

Quand vous enregistrez un document Word manuellement ou par programme, vous pouvez le faire au format XML (uniquement à partir d'Office 2003). Cependant, tous les documents XML ne naissent pas égaux. La Figure 11.3 montre une boîte de dialogue "Enregistrer sous" de Word paramétrée pour une sauvegarde XML.

Cette boîte de dialogue montre le réglage par défaut, qui consiste à enregistrer le document en utilisant WordML et non pas le XML standard. WordML enregistre l'information dans un format XML que

Word peut comprendre. La Figure 11.4 montre une vue d'un simple document Word dans XML Notepad.

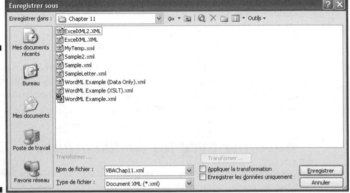

Figure 11.3 : Enregistrez vos documents au format XML grâce à la boîte de dialogue "Enregistrer sous".

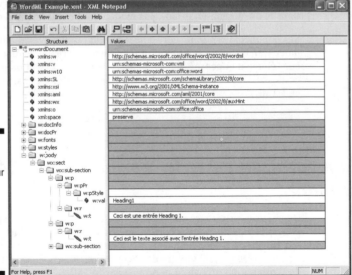

Figure 11.4 : Utilisez XML Notepad pour découvrir d'importantes informations sur votre fichier WordML.

Vous pourriez penser que ce document est complexe, mais il n'est pas trop compliqué à comprendre si vous regardez les morceaux un par un. Par exemple, si vous développez l'élément W:DOCINFO, vous voyez une liste d'informations sur le document comme le nom de l'auteur et

la société. Chaque entrée qui apparaît dans la boîte de dialogue
"Propriétés" du document apparaît aussi comme une partie de cet
élément. Vous pouvez aussi voir des éléments dédiés aux propriétés
du document (comme le mode d'affichage et la position par défaut des
tabulations), aux polices et aux styles.

La Figure 11.4 montre une partie développée de W:BODY. Cet élément
contient le contenu du document. Chaque en-tête commence un
nouvel élément WX:SUB-SECTION. Contenu avec cet élément, on
trouve aussi le nom du style et le texte associé avec cette entrée.

Quand vous enregistrez un document Word standard en pur XML en
cochant la case "Enregistrer seulement les données" (en bas à droite
sur la Figure 11.3), Word ne génère pas du WordML, mais du XML
standard. Malheureusement, votre fichier modèle par défaut n'inclut
sans doute pas les paramètres requis pour créer du XML standard. Du
coup, le résultat va être un fichier de taille égale à 0 octet. C'est bien
vrai : rien n'est enregistré parce que votre document n'est pas balisé
pour être utilisé en XML standard. Plus loin, dans la section "Créer un
simple document Word XML", on verra comment créer un modèle qui
enregistre vos données en XML standard.

Quand vous n'avez pas besoin d'enregistrer toutes les informations
fournies par WordML et que vous n'avez pas envie de créer un modèle
spécial pour faire le boulot, vous pouvez utiliser une eXtensible Style
Language Transformation (XSLT) pour transformer vos données en
XML standard. L'avantage de faire comme ça, c'est que ça va plus vite
qu'en utilisant un modèle spécialisé. L'inconvénient, c'est que vous
risquez une conversion incomplète si vous n'utilisez pas les bonnes
balises ou si le fichier XSLT n'est pas formaté correctement. On va
revenir là-dessus un peu plus loin.

Manipuler des données XML avec VBA

Microsoft facilite la création, la modification, la suppression, l'importation et l'exportation de fichiers XML grâce à Office. XML facilite la
gestion et l'échange de données sur Internet. Cette section montre
plusieurs façons de travailler avec des données XML en utilisant
Office.

Ecriture des données sur disque

La façon la plus simple d'exporter vos données sur disque est de les
enregistrer sous la forme d'un document XML en utilisant la méthode
SaveAs. Voici un exemple de cette méthode.

```
Public Sub OutputInventory()
    ' On utilise la méthode standard SaveAs pour exporter en XML.
    Sheet1.SaveAs "ExcelXML.XML", xlXMLSpreadsheet
End Sub
```

Vous pouvez aussi accomplir cette tâche en cliquant sur Fichier/
Enregistrer sous. L'avantage de cette méthode est que vous pouvez
enregistrer juste une feuille de calcul, ou juste une zone de la feuille
sans avoir besoin d'enregistrer le document en entier. Le premier
argument est le nom du fichier. Le second dépend de l'application
hôte Office utilisée. Excel utilise la constante xlXMLSpreadsheet pour
créer la version XML, et Word utilise wdFormatXML.

Le seul problème avec cette technique est qu'elle enregistre uniquement le contenu et l'information à propos du contenu. La Figure 11.4
montre typiquement le résultat que l'on obtient avec Word. Cette
méthode marche très bien si vous avez l'intention de manipuler les
données à l'extérieur d'Office en utilisant un autre logiciel ou d'interpréter les données en utilisant XSLT.

Définir un schéma

Un *schema* est une définition de la structure de vos données. Vous
pouvez vous représenter la structure juste en regardant les données,
mais l'ordinateur ne le peut pas : il a besoin de plus d'information. Les
gestionnaires de bases de données comme Access utilisent toujours
un schéma (vous le définissez quand vous créez la table), alors que
d'autres applications Office ne le font pas parce que vous n'avez
normalement pas besoin d'organiser l'information en utilisant un
schéma. La Figure 11.5 montre une feuille de calcul classique. La
structure des données vous paraît peut-être évidente parce que
chaque ligne est nommée, mais l'ordinateur, lui, n'a pas la moindre
idée de tout ce que cela veut dire.

Un fichier XSD (XML Schema Definition, "Définition de schéma XML"
dans la langue de Claire Chazal) contient une description de l'information que vous voulez exporter vers ou importer depuis une application
Office. L'application que vous utilisez n'a pas d'importance, car, arrivé
à un moment, vous êtes obligé de créer un fichier XSD pour réaliser
des transferts de données en pur XML. Le Listing 11.1 montre un
exemple de fichier XSD décrivant les données que vous pouvez voir
sur la Figure 11.5.

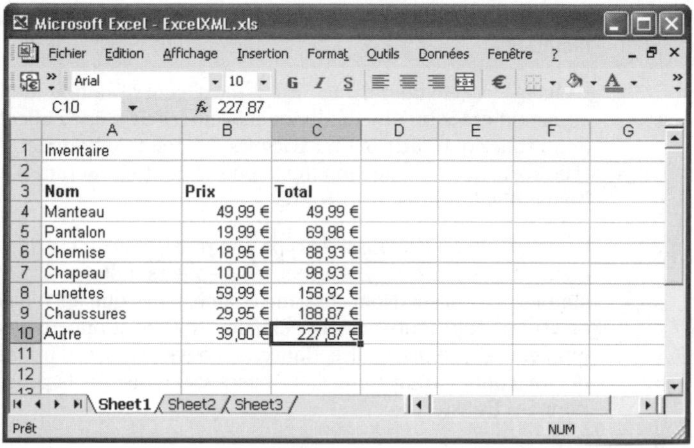

Figure 11.5 :
Comprendre
le format des
données est
facile pour
vous, mais
pas pour un
ordinateur !

Listing 11.1 : Créer une description XSD.

```
<?xml version="1.0"?>
<xs:schema xmlns:xs="http://www.w3.org/2001/XMLSchema">

<xs:element name="Items">
  <xs:complexType>
    <xs:sequence>
      <xs:element name="Item" maxOccurs="unbounded">
        <xs:complexType>
          <xs:sequence>
            <xs:element name="Nom" type="xs:string"/>
            <xs:element name="Prix" type="xs:decimal"/>
            <xs:element name="Total" type="xs:decimal"/>
          </xs:sequence>
        </xs:complexType>
      </xs:element>
    </xs:sequence>
  </xs:complexType>
</xs:element>

</xs:schema>
```

C'est encore un fichier XML, donc il commence avec les instructions
XML usuelles. La deuxième ligne contient l'URL du fichier de définitions XSD. Vous devez inclure cette ligne dans tous vos fichiers XSD.

Vous pouvez ajouter d'autres informations dans l'en-tête, mais c'est facultatif.

La balise <xs:element name="Item" maxOccurs="unbounded"> montre comment créer un objet individuel à l'intérieur d'une collection XSD. Remarquez que l'attribut maxOccurs est défini unbounded (illimité) de telle sorte que la collection Items puisse contenir autant d'éléments Item individuels que nécessaire.

La balise <Item> est aussi de type complexe et requiert des éléments dans un ordre précis. Cette fois, les éléments individuels sont de types simples. La balise <Nom> est une chaîne, alors que les balises <Value> et <Total> sont toutes deux décimales. XSD ne supporte pas pour le moment le type monétaire, donc vous devez choisir d'utiliser le type décimal pour garantir que l'analyseur XSD conserve la précision des données transférées.

Définir un lien entre XSD et une feuille de calcul

En écrivant un fichier XSD, vous créez une définition que vous pouvez utiliser pour travailler avec des données dans Excel. Cependant, vous n'avez pas encore créé de lien entre le fichier XSD et le document Excel (vous pouvez réaliser cette tâche en utilisant un modèle dans Word : on va voir ça un peu plus loin). Voici comment on crée un lien dans Excel.

1. **Ouvrez Excel et chargez le document que vous voulez exporter.**

2. **Cliquez sur Données/XML/Source du XML.**

   Excel affiche le volet de source XML.

3. **Cliquez sur Mappages du classeur dans le volet de source XML.**

   Excel affiche la boîte de dialogue de choix d'une source XML.

4. **Sélectionnez le fichier XSD que vous voulez utiliser (ExcelXMLSchema.XSD pour l'exemple), puis cliquez sur Ouvrir.**

   Excel affiche le contenu du fichier XSD dans le volet de source XML, comme montré sur la Figure 11.6.

5. **Faites un clic droit sur l'élément de plus haut niveau (Items) et choisissez "Mapper un élément" dans le menu contextuel.**

Figure 11.6 :
Utilisez le
volet de
source XML
pour gérer
vos fichier
XSD.

Excel affiche la boîte de dialogue "Insérer une liste XML".

6. **Sélectionnez ou tapez la plage de données que vous voulez exporter, puis cliquez sur OK.**

Excel affiche la plage sélectionnée sous forme d'une liste.

Exportation des données sur disque

Après avoir créé un schéma et l'avoir lié à un document Office, vous pouvez faire une véritable exportation en XML. Il y a deux méthodes distinctes pour faire ça. La première, *ExportXml*, crée une chaîne que vous pouvez manipuler en utilisant les nombreuses fonctionnalités XML disponibles dans Office. La seconde, *Export*, réalise une exportation standard dans un fichier. Le Listing 11.2 montre un exemple de chaque méthode.

Listing 11.2 : Deux méthodes pour exporter des données en XML.

```
Public Sub OutputInventory2()
    ' On utilise ExportXml pour enregistrer les données et leur
    ' interprétation.
    MsgBox Workbooks(1).XmlMaps("Items_Map").ExportXml()
```

```
' On utilise Export pour créer un fichier.
Workbooks(1).XmlMaps(1).Export "ExcelXML2.XML", True
End Sub
```

Dans les deux cas, vous vous appuyez sur des collections pour obtenir l'information. Remarquez que vous pouvez utiliser un nombre ou une chaîne pour référencer la carte XML particulière que vous voulez utiliser pour l'export. Les deux méthodes ExportXml et Export incluent un argument facultatif qui force l'analyseur syntaxique à vérifier le format XML avant l'export. Quand vous utilisez la méthode Export, vous devez passer une chaîne et indiquer à la méthode d'écraser tout fichier existant du même nom.

Importation des données depuis un disque

Importer des données depuis un disque est plus ou moins compliqué suivant le type de fichier XML que vous voulez importer. Excel fait normalement du bon boulot pour importer un fichier XML de format correct. Le Listing 11.3 montre le code permettant d'importer un fichier XML standard.

Listing 11.3 : Importer du XML depuis un disque.

```
Public Sub ImportInventory()
    ' On récupère le XML du disque en utilisant XmlImport.
    ThisWorkbook.XmlImport "ExcelXML2.XML", _
                           True, _
                           Sheet2.Range("A1")
End Sub
```

La méthode *XmlImport* requiert trois arguments. Le premier est le nom du fichier à importer. Le deuxième précise si vous voulez ou non écraser les données existantes. Enfin, vous devez indiquer un emplacement où mettre les données.

Créer un simple document Word XML

Word automatise le processus de liaison d'un fichier XSD à votre document en utilisant les modèles de document. Quand vous créez un document en utilisant un modèle bien conçu, les balises XML sont automatiquement ajoutées conformément au schéma XSD que vous avez créé.

Vous pourriez par exemple vouloir créer des lettres dans lesquelles il est facile de rechercher des informations. Une façon de faire ça consiste à exporter les lettres en XML et à utiliser un moteur de recherche. Commencez par créer un modèle de lettre. L'exemple inclut des fonctionnalités usuelles comme les adresses de l'expéditeur et du destinataire, la date, une formule de salutation, le corps de la lettre et une formule de politesse. Le Listing 11.4 montre le fichier XSD utilisé pour décrire ce document.

Listing 11.4 : Créer un fichier XSD pour exporter une lettre.

```
<?xml version="1.0"?>
<xs:schema xmlns:xs="http://www.w3.org/2001/XMLSchema"
 targetNamespace="http://www.monsite.com"
 xmlns="http://www.monsite.com"
 elementFormDefault="qualified">

<xs:element name="MaLettre">
  <xs:complexType mixed="true">
    <xs:sequence>
      <xs:element name="Exp" type="xs:string"/>
      <xs:element name="Date" type="xs:string"/>
      <xs:element name="Dest" type="xs:string"/>
      <xs:element name="Societe" type="xs:string"/>
      <xs:element name="Adresse" type="xs:string"/>
      <xs:element name="Ville" type="xs:string"/>
      <xs:element name="Etat" type="xs:string"/>
      <xs:element name="Code_postal" type="xs:string"/>
      <xs:element name="Salutation" type="xs:string"/>
      <xs:element name="Corps" type="xs:string"
                     maxOccurs="unbounded"/>
      <xs:element name="Politesse" type="xs:string"/>
    </xs:sequence>
  </xs:complexType>
</xs:element>

</xs:schema>
```

Cet exemple n'a pas besoin d'une collection d'objets comme on peut en trouver dans une base de données. Il n'a donc pas besoin d'une structure complexe. Chaque élément n'apparaît qu'une seule fois, à l'exception de l'élément "Corps", qui peut apparaître une fois pour chaque paragraphe de la lettre. Remarquez que ce fichier XSD inclut un *targetNamespace*. Vous pouvez vous représenter ce truc-là comme le nom de domaine par défaut du fichier XSD. Word requiert cette entrée. Word requiert aussi que vous incluiez l'attribut mixed="true" pour la balise <xs:complexType>. Si cet attribut est omis, Word considérera que l'élément MaLettre ne contient aucun texte.

Après avoir créé le modèle et le fichier XSD, vous devez lier les deux. La procédure pour faire ça est différente de ce que l'on fait avec un fichier unique. Voici les étapes que vous devez suivre :

1. **Cliquez sur Outils/Modèles et compléments.**

   Word affiche la boîte de dialogue Modèles et compléments.

2. **Sélectionnez l'onglet "Schéma XML".**

3. **Cliquez sur le bouton "Ajouter un schéma".**

   Word affiche une boîte de dialogue "Ajouter un Schéma".

4. **Sélectionnez le schéma que vous voulez ajouter (WordLetterSchema.XSD dans l'exemple), puis cliquez sur Ouvrir.**

   Word demande si vous voulez ou non que le schéma soit disponible pour tous les utilisateurs.

5. **Cliquez sur OK.**

   Word ajoute le nouveau schéma dans l'onglet Schéma XML.

6. **Cochez la case du nouvel élément pour l'attacher au modèle et cliquez sur OK.**

   Word affiche le volet de source XML.

7. **Sélectionnez un élément et cliquez sur le schéma en bas du volet.**

   Word demande si vous voulez ou non appliquer le schéma au document entier.

8. **Cliquez sur Oui.**

   Word applique au modèle des balises de début et de fin pour le schéma.

9. **Sélectionnez successivement chaque élément puis cliquez sur son entrée de schéma dans le volet de source XML.**

   Word applique des balises d'élément individuel à chaque champ dans le modèle.

10. **Enregistrez le nouveau modèle.**

Après avoir créé un nouveau document basé sur le nouveau modèle, vous pouvez utiliser la case à cocher "Enregistrer les données uniquement" de la boîte de dialogue Enregistrer sous que vous pouvez voir sur la Figure 11.3. Le nouveau document contient juste les données que vous avez créées en pur format XML. La Figure 11.7 montre un exemple de lettre fournie avec le code source.

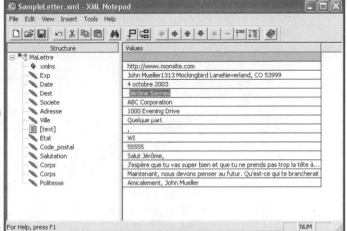

Figure 11.7 : L'ajout d'un modèle modifié rend possible avec Word l'exportation en pur XML.

Changer la face de XML avec XSLT

Cette section décrit la manière d'utiliser XSLT pour modifier l'aspect des données exportées par votre application. Après avoir enregistré votre document en XML, vous pouvez le présenter sur un site Web. XSLT peut transformer le XML en HTML de sorte que le monde entier puisse admirer votre œuvre.

Comprendre XSLT

Un fichier XSLT est simplement un fichier XML formaté qui peut contenir des balises HTML ou du texte. À chaque fois qu'un programme voit un fichier XSLT, il crie très fort et appelle l'interpréteur XSL pour lire et interpréter le fichier. XSLT travaille en isolant un élément ou un attribut dans le fichier XML. Quand l'interpréteur XSL en trouve un, il utilise un modèle pour convertir l'information en quelque chose d'autre, comme une balise HTML, du texte, du contenu, ou même du XML différent. L'idée est de transformer les données en quelque chose d'utile.

Le fichier XML montré dans les Figures 11.1 et 11.2 est intéressant, mais il est dur à lire. Le Listing 11.5 montre un fichier XSLT qui transforme les balises XML en quelque chose de plus utile.

Listing 11.5 : Utiliser XSLT pour transformer des données XML.

```
<?xml version='1.0'?>
<xsl:stylesheet version='1.0'
xmlns:xsl='http://www.w3.org/1999/XSL/Transform'>
<xsl:output method="xml" indent="yes" />
<xsl:template match="/">

<!-- On crée le code HTML Code pour cette feuille de style. -->
<HTML>
<HEAD>
   <TITLE>Affichage du fichier Sample2.XML</TITLE>
</HEAD>

<BODY>
<H1>Affichage du fichier Sample2.XML</H1>

<xsl:apply-templates select="//Element1"/>
<xsl:apply-templates select="//Element2"/>
<xsl:apply-templates select="//comment()"/>
<H2>Texte :</H2>
<xsl:apply-templates select="//text()"/>

</BODY>
</HTML>

</xsl:template>

<!-- Modèle XSL template section that describes XML content. -->

<xsl:template match="Element1">
   <H2>Contenu de Element1</H2>
   <xsl:value-of select="@Attribute1"/>
   <BR/>
   <xsl:value-of select="ChildElement1"/>
</xsl:template>

<xsl:template match="Element2">
   <H2>Contenu de Element2</H2>
```

```
    <xsl:value-of select="."/>
</xsl:template>

<xsl:template match="comment()">
    <H2>Commentaire :</H2>
    <xsl:value-of select="."/>
</xsl:template>

<xsl:template match="text()">
    <xsl:value-of select="."/>
        <BR/>
</xsl:template>

</xsl:stylesheet>
```

Un document XSLT commence comme n'importe quel document XML avec le numéro de version XML. La ligne suivante définit le numéro de version XSL et fournit un pointeur sur l'espace de noms XSL. Un *espace de noms* est un endroit spécial sur Internet qui définit les termes XSL comme "stylesheet", "output" et "template" de façon qu'Internet Explorer puisse les comprendre. Chaque fois que vous utilisez un terme XSL spécial dans le fichier XSLT, vous devez le faire précéder par l'indicateur spécial xsl:namespace.

La balise <xsl:output> dit à Internet Explorer quel genre d'affichage il doit produire. Dans ce cas, le code utilise la méthode XML et indente le texte pour qu'il soit plus facile à lire.

Le véritable processus de transformation commence avec la balise <xsl:template>. Cette balise indique l'endroit où il faut commencer le traitement. Il est ainsi possible de ne transformer qu'une partie du document.

Le modèle commence par créer la sortie HTML avec la liste de balises usuelles : <HTML>, en-tête (head), corps (body). Les choses changent quand on en arrive au contenu lui-même. Chacun des objets est une balise <xsl:apply>. Le premier contenu du fichier XML à être traité est la balise <Element1> montrée sur la Figure 11.1.

Remarquez la balise </xsl:template> à la fin de la sortie HTML. Cette balise détermine où le code spécifique du modèle commence et où les balises HTML finissent. Quand l'interpréteur XSL rencontre la balise <xsl:apply> dans la section HTML, il cherche l'entrée correspondante <xsl:template match="Element1"> dans la section template. L'interpréteur XSL ajoute l'information trouvée dans ce modèle au contenu dans la section HTML.

La balise <xsl:value-of> dit à l'interpréteur XSL comment utiliser l'information qui correspond au critère que vous donnez. L'attribut "select" définit ce qui doit être affiché. Pour la balise <Element1>, le modèle génère la valeur de Attribute1, suivie par une balise HTML <BR>, et la valeur de ChildElement1. XSL utilise le signe @ pour désigner un attribut, comme vous pouvez le voir dans le code.

Quand vous voulez générer la valeur de la valeur correspondante, vous utilisez un point comme valeur select. Regardez dans le code le modèle de Element2 et vous comprendrez comment ça marche.

XSL fournit tout un tas de fonctions pour indiquer des valeurs spéciales. Le code exemple en montre deux. La première est la fonction *comment()*, qui dit à l'interpréteur XSL de faire quelque chose avec un commentaire. La seconde est la fonction *text()*, qui concerne les valeurs textuelles. Le code exemple utilise les deux fonctions pour repérer les entrées dans le fichier XML et les exporter dans la page HTML.

Avant de pouvoir admirer les résultats de cette transformation, vous devez créer une connexion entre le fichier XML et le fichier XSLT. Il y a plusieurs façons de faire ça, mais la plus directe consiste à ajouter une directive de traitement juste après l'entrée <?xml version='1.0'?>. Il y a une directive de traitement qui dit à Internet Explorer de trouver le fichier Exemple2Format.XSLT et de l'utiliser pour formater le contenu du fichier Exemple2.XML.

```
<?xml-stylesheet type="text/xsl" href="Exemple2Format.XSLT"?>
```

Cette directive de traitement est la seule différence entre les fichiers Sample.XML et Sample2.XML que vous pouvez télécharger sur le site. La Figure 11.8 montre l'affichage correspondant à l'exemple.

Enregistrer votre document Word en utilisant XSLT

Vous pouvez utiliser XSLT pour travailler avec n'importe quel fichier XML généré par une application Office : même les documents WordML créés avec Word. Quand vous utilisez la boîte de dialogue "Enregistrer sous" montrée sur la Figure 11.3 pour enregistrer un document Word en XML, vous pouvez choisir d'utiliser un fichier XSLT pour modifier l'exportation. Vous pouvez choisir d'exporter les informations relatives au document ou seulement son contenu. Il est même possible d'obtenir une liste de toutes les polices utilisées dans les documents Word se trouvant sur votre machine. Toute information fournie par WordML est disponible.

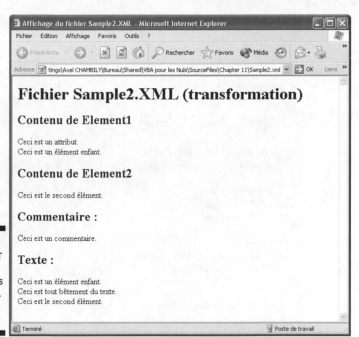

Figure 11.8 :
Utilisez XSLT pour convertir des fichiers XML en HTML lisible.

L'exemple de cette section va vous aider à surmonter une des difficultés liées aux options d'exportation proposées par Word. En utilisant XSLT, vous pouvez créer une page HTML contenant toutes les informations concernant votre document. Cet exemple est basé sur les propriétés de document, mais la technique marche aussi bien avec des polices, des options, ou même le contenu du fichier lui-même. La principale raison pour laquelle j'ai choisi les propriétés de document est que cette technique marche particulièrement bien si vous voulez créer un site Web contenant une liste de tous les documents que vous avez créés.

Avant de pouvoir exporter des données depuis un document Word en utilisant XSLT, vous devez créer un fichier XSLT contenant le code approprié. Le Listing 11.6 montre le code XSLT pour cet exemple.

Listing 11.6 : Utiliser XSLT pour enregistrer un document Word.

```
<?xml version='1.0'?>
<xsl:stylesheet version='1.0'
xmlns:xsl='http://www.w3.org/1999/XSL/Transform'
```

```
xmlns:w="http://schemas.microsoft.com/office/word/2002/8/wordml">
<xsl:output method="html" indent="yes" />
<xsl:template match="/">

<!-- On crée le code HTML Code pour cette feuille de style. -->
<HTML>
<HEAD>
   <TITLE>Propriétés du document Word</TITLE>
</HEAD>

<BODY>
<CENTER><H3>Valeurs des propriétés du document Word</H3></CENTER>

<TABLE BORDER="2">
   <TR>
      <TH>Propriété</TH>
      <TH>Valeur</TH>
   </TR>
      <xsl:apply-templates select="//w:title"/>
</TABLE>

</BODY>
</HTML>
</xsl:template>

<!-- Section modèle XSL qui décrit le contenu du tableau. -->

<xsl:template match="w:title">
   <TR>
      <TD>
         Titre
      </TD>
      <TD>
         <xsl:value-of select="@w:val"/>
      </TD>
   </TR>
</xsl:template>

</xsl:stylesheet>
```

Le code montre seulement une des valeurs W:DOCINFO. Ce document
commence par les balises XSL standard. Remarquez qu'il y a une
entrée spéciale pour l'espace de noms : xmlns:w= http://
schemas.microsoft.com/office/word/2002/8/wordml. Vous
devez inclure cet espace de noms pour transformer des documents
WordML. Sinon, vous ne pourrez pas les interpréter en utilisant XSLT.

Remarquez que la balise <xsl:output> utilise l'attribut method="html" pour garantir que le fichier sera converti en pur HTML. Le résultat est affiché en HTML dans Internet Explorer même si vous utilisez l'attribut method="xml". Cependant, vous risquez d'avoir des problèmes avec d'autres navigateurs si vous utilisez l'attribut method="html".

La balise <xsl:apply-templates> est le premier endroit où vous pouvez remarquer que vous travaillez avec WordML. Cette balise référence le nouvel espace de noms ajouté au début du fichier. Si vous oubliez l'espace de noms, aucune des entrées dans le fichier WordML ne correspondra, et rien ne sera généré dans le fichier XSLT.

Regardez la section "template". Elle inclut aussi l'espace de noms WordML. Vous devez aussi l'inclure pour les entrées comme les attributs. Beaucoup de valeurs W:DOCINFO se basent sur l'attribut @w:val pour stocker leur contenu.

Pour utiliser le fichier XSLT afin de convertir un fichier Word, cochez simplement la case "Appliquer la transformation" (en bas à droite de la Figure 11.3), et sélectionnez le fichier XSLT en cliquant sur le bouton "Transformer" (grisé sur la Figure 11.3). Le fichier produit a une extension .xml. Changez-la simplement en .htm, et vous verrez le résultat comme une page Web. La Figure 11.9 montre ce que ça donne.

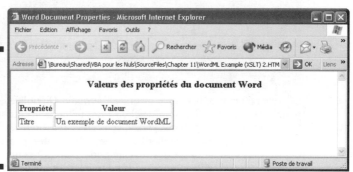

Figure 11.9 : Créer des exportations Word spécialisées est facile en utilisant XSLT.

Automatiser le processus Word XML

Vous pouvez facilement automatiser l'enregistrement de votre document Word en utilisant de nombreux filtres XSLT. Tout ce dont vous avez besoin est un programme VBA du genre de celui montré dans le Listing 11.7.

Listing 11.7 : Sauvegarde automatique Word XML.

```
Public Sub EnregistreXMLDocumentInfo()
    ' On crée une boîte de dialogue "Ouvrir".
    Dim Dialogue As FileDialog
    Set Dialogue = Application.FileDialog(msoFileDialogOpen)

    ' On modifie les réglages pour montrer le filtre XSLT.
    Dialogue.Filters.Clear
    Dialogue.Filters.Add "Fichiers XSLT", "*.XSLT"
    Dialogue.Show

    ' On s'assure que le processus d'enregistrement utilise le
        modèle.
    ThisDocument.XMLSaveThroughXSLT = _
        Dialogue.SelectedItems (1)

    ' On recrée Dialogue en tant que boîte de dialogue "Enregistrer
                                                           sous".
    Set Dialogue = Nothing
    Set Dialogue = Application.FileDialog(msoFileDialogSaveAs)

    ' On modifie les réglages pour montrer le filtre HTM.
    Dialogue.FilterIndex = 4
    Dialogue.Show

    ' On enregistre le document.
    ThisDocument.SaveAs Dialogue.SelectedItems(1), _
                        wdFormatXML
End Sub
```

Le code commence par créer un objet *FileDialog*. On utilise cet objet pour permettre à l'utilisateur de choisir des fichiers au cours de l'exécution d'un programme. Quand vous créez une boîte de dialogue "Ouvrir", vous pouvez modifier les filtres pour adapter le formulaire à des besoins spécifiques. Utilisez la méthode *Clear* pour supprimer les filtres par défaut, et la méthode *Add* pour créer les nouveaux filtres. Un *filtre* est constitué d'une description et de l'extension de fichier que vous voulez voir supportée par le formulaire d'ouverture. Un formulaire d'enregistrement ne vous permet pas de modifier les filtres, mais vous pouvez choisir un filtre par défaut pour aider l'utilisateur du programme à choisir rapidement le type de fichier correct pour la sauvegarde.

Cet exemple montre les deux étapes essentielles que vous devez franchir pour enregistrer un fichier en utilisant XSLT. Elles comprennent l'affectation du nom du modèle à utiliser à la propriété

XMLSaveThroughXSLT et l'utilisation proprement dite du formulaire d'enregistrement pour enregistrer le document. Remarquez la nouvelle option de format de fichier *wdFormatXML*. Cette option n'apparaît pas dans les versions de Word antérieures à Office 2003 et n'est pas documentée au moment où j'écris ces lignes. Le code exemple force l'enregistrement au format HTM, de sorte qu'il ne soit pas nécessaire de renommer le fichier après la sauvegarde.

Quatrième partie

Programmation VBA au service des applications

"Salut Philippe ! Je crois qu'on y est. Je vais essayer de me connecter, mais passe-moi une cagoule au cas où ça marcherait. J'ai pas envie que tout New York sache que Jerry DeMarco, du 14 Queensberry, Bronx NY, a piraté l'écran géant de Times Square."

Dans cette partie...

Dans cette partie du livre, je vais explorer en détail la façon d'utiliser VBA avec des applications spécifiques. En fait, vous allez découvrir que VBA est capable de franchir les frontières des applications et de réaliser des tâches fantastiques en utilisant plusieurs applications à la fois. En général, Office permet de personnaliser facilement ses applications. Bien que ce soit souvent possible à la main, c'est pas mal non plus de savoir le faire automatiquement. Dans le Chapitre 12, je vais vous montrer une technique pour modifier l'environnement Office.

Dans les Chapitres 13 à 15, j'explique comment ajouter des fonctions à Word, Excel et Access. Chacune de ces applications hôte met à votre disposition tout ce qui est nécessaire pour modifier des données ou créer de nouvelles informations d'un seul clic.

Chapitre 12

Programmation VBA dans Office

. . . .

Dans ce chapitre :

▶ Création de nouvelles fonctionnalités dans l'interface.

▶ Modification de menus et d'outils afin de satisfaire certaines conditions.

▶ Rendre l'interface plus agréable avec le Compagnon Office.

. . . .

*V*ous avez désormais les connaissances requises pour écrire n'importe quel programme destiné à Office. Les programmes qui sont les plus efficaces sont ceux qui affectent l'interface. Une toute petite modification peut augmenter spectaculairement votre productivité.

Ce chapitre explique deux choses. D'abord, comment modifier l'interface d'Office en utilisant VBA afin de satisfaire vos besoins spécifiques et non pas ceux imaginés par Microsoft. Ensuite, comment automatiser ces changements avec VBA en fonction de chaque tâche à accomplir.

Travailler avec l'interface

L'interface est l'endroit où vous passez le plus clair de votre temps. C'est la partie visible de toute application. C'est elle qui vous permet de prendre vos décisions. La manière dont vous jugez une application est souvent conditionnée par les premières impressions que vous avez eues quand vous avez découvert son interface.

L'environnement de l'utilisateur se compose de plusieurs éléments :

✔ **Interface** : Partie active de l'environnement, elle contient les contrôles permettant de mettre en œuvre les fonctions d'une application.

✔ **Eléments graphiques** : L'aspect physique de l'environnement influe sur votre appréhension du programme. Des éléments graphiques bien pensés peuvent vous aider à trouver plus facilement certaines fonctions. L'aspect esthétique n'est pas négligeable : on peut travailler de façon plus agréable sans que les choses soient pour autant plus compliquées.

✔ **Couleurs** : La couleur a une influence sur l'humeur. En n'utilisant pas les bonnes couleurs, vous pouvez dérouter un utilisateur. Il faut évidemment éviter les couleurs criardes ou les polices illisibles. Un logiciel peut être beau à regarder !

✔ **Accessibilité** : Une aide contextuelle, en plus d'une aide classique, est un atout important. Les fonctions doivent être facilement accessibles, que ce soit à l'aide du clavier ou de la souris.

✔ **Logique** : Les contrôles doivent être disposés suivant une logique d'utilisation. Par exemple, on ne place pas un bouton "Enregistrer" avant un bouton "Nouveau" ou "Ouvrir". Les champs de saisie doivent se succéder dans un ordre logique (par exemple le code postal avant la ville) et être suffisamment grands pour contenir les informations tapées par l'utilisateur. Ils ne doivent pas non plus être trop grands pour éviter au maximum qu'on ait à utiliser des barres de défilement.

Changements intelligents à faire

Un programme peut être une œuvre d'art. Avant tout, il doit être efficace et facile à utiliser. Au moment de la conception de votre programme, vous pensez surtout au code et à la façon de réaliser les tâches essentielles. Quand le travail est un peu avancé, il est temps de penser à l'utilisateur en lui proposant un environnement agréable. Voici quelques idées à prendre en considération :

✔ **Menus et barres d'outils** : Créez un menu spécial pour les fonctions qui sont utilisées à chaque session. Quand je parle de fonction, je ne parle pas forcément d'un programme VBA. Cela pourrait être un raccourci vers un modèle de document ou une barre d'outils pour accéder rapidement à des symboles spéciaux. Les entrées de menu doivent être toujours visibles et faciles à utiliser. Utilisez une barre d'outils spéciale pour les fonctions que vous utilisez dans certaines sessions et pas dans d'autres (les barres d'outils sont faciles à cacher). Pour les fonctions que vous utilisez tout le temps, créez un menu et une barre d'outils pour toujours permettre un accès rapide.

✓ **Bulles d'aide** : Il faut définir la propriété *ControlTipText* pour chaque contrôle. Y compris les barres d'outils.

✓ **Affichage simplifié** : Les choses peuvent finir par devenir confuses quand vous ajoutez vos propres outils à ceux déjà prévus (et nombreux !) par Microsoft. Dans ce cas, prévoyez des boutons qui changeront les barres d'outils en fonction du contexte. Par exemple, on pourrait imaginer travailler dans Word avec un bouton pour le courrier, un autre pour les notes, un troisième pour la liste des courses, etc.

✓ **Paramètres utilisateur** : Si l'utilisateur peut configurer votre programme, il faut absolument enregistrer ses choix et lui permettre de les retrouver.

Problèmes dont il faut être conscient

À chaque fois que vous changez quelque chose à une interface, vous devez prendre en considération les problèmes que cela risque de poser. L'interface est le squelette d'un programme. Elle peut faire de lui un logiciel pratique comme un machin inutilisable. Vous serez peut-être tenté d'ajouter des fonctionnalités à des menus, de mettre des couleurs partout, ou de décorer partout avec de super beaux graphiques méga pétants. Seulement, attention ! Ça peut avoir comme conséquences :

✓ **Augmentation du temps (et donc du coût) d'apprentissage** : En changeant l'interface, vous allez forcément dérouter l'utilisateur, au moins au début. Les nouvelles fonctionnalités vont l'obliger à se poser des questions. Il risque de ne pas comprendre. Bref, il va falloir le former. Et ça, ça coûte des sous !

✓ **Incompatibilité de version** : Une nouvelle fonctionnalité peut avoir une incompatibilité avec de futures versions de l'application hôte.

✓ **Efficacité réduite** : S'il y a trop de nouveaux éléments à appréhender, l'utilisateur, même expérimenté, va perdre en efficacité. Il est obligé de chercher ce dont il a besoin, et ça lui fait perdre du temps. Les programmes les plus efficaces sont ceux qui contiennent ce dont il a besoin et rien d'autre.

> ✔ **Trous de sécurité** : Une modification faite à une application peut créer un trou de sécurité parce que l'éditeur n'avait pas prévu cette circonstance. Et vous, vous ne pouvez pas le savoir, parce que vous ne disposez pas du code source de l'application hôte. Autoriser les macros dans une application peut ouvrir la porte à certains types de virus. En tous cas, vous devez faire des tests approfondis pour être sûr que vous n'avez pas introduit un problème de sécurité.

Manipulation des barres d'outils et des menus

Quel que soit le programme considéré, vous devez fournir un moyen de l'exécuter. Utiliser le menu Outils/Macro/Macros pour afficher la boîte de dialogue des macros est acceptable pour un programme que vous n'utilisez pas souvent, mais il y a quand même des façons plus agréables de lancer un programme ! Ajouter à la main un bouton ou une entrée de menu est une bonne idée si vous voulez que la fonction soit toujours disponible. Le problème, c'est qu'il y aura peut-être des jours où vous n'aurez pas envie de voir ce bouton ou cette entrée de menu !

Cette section décrit la façon de modifier les barres d'outils et les menus d'une application Office pour la plier à vos besoins. Vous pouvez modifier des menus et des barres d'outils existants aussi bien qu'en créer de nouveaux. Ces changements peuvent se produire automatiquement en fonction de conditions environnementales, comme le résultat d'actions de votre part. Les applications Office se comportent déjà comme ça naturellement (par exemple, Word cesse de vous montrer certaines entrées de menu quand il constate que vous ne vous en servez jamais). Nous allons simplement prolonger cette idée.

Afficher ou cacher barres d'outils et menus

Il est important de garder un espace de travail propre et aéré pour éviter la confusion et augmenter l'efficacité. Le travail avec les menus est un peu lourd parce qu'il vous faut commencer par trouver le nom de la barre de menu. Ç'aurait été sympa si Microsoft avait eu la bonne idée de donner les mêmes noms aux mêmes menus dans toutes ses applications. Ce n'est malheureusement pas le cas… Par exemple, la barre de menu d'Excel s'appelle "Barre de menus Feuille de calcul" (Worksheet Menu Bar, dans la langue d'Elton John), alors que celle de

Word s'appelle juste "Barre de menus" (Menu Bar, dans la langue de Tony Blair). Pour connaître le nom de la barre de menu de votre application Office, déplacez celle-ci à la souris en plein milieu de l'écran. Le nom apparaît dans la barre de titre, comme vous pouvez le voir sur la Figure 12.1 pour la barre de menu de Word.

Figure 12.1 :
La barre de menu de Word sortie de sa cachette.

Dans un programme, vous devez malheureusement utiliser les noms anglais des barres de menu.

Une fois que vous connaissez le nom du menu ou de la barre d'outils que vous voulez changer, vous pouvez utiliser cette information pour faire vos modifications. Le Listing 12.1 est un exemple qui montre comment travailler avec l'option de menu Edition/Couper.

Listing 12.1 : Cacher l'entrée de menu Edition/Couper.

```
Public Sub CacherEtMontrerLeMenuEditionCouper()
    ' On crée une barre de menu.
    Dim TopMenu As CommandBar
    Set TopMenu = _
        Application.CommandBars("Menu Bar")

    ' On accède à l'entrée de menu Edition.
    Dim EditControl As CommandBarControl
    Set EditControl = TopMenu.Controls("Edition")

    ' On utilise l'entrée pour accéder à la barre de menu.
    Dim EditMenu As CommandBar
    Set EditMenu = _
        TopMenu.Controls(EditControl.Index).CommandBar

    ' On accède à l'élément Couper.
    Dim EditCut As CommandBarControl
    Set EditCut = EditMenu.Controls("Couper")
```

```
' On change la visibilité
EditCut.Visible = Not EditCut.Visible

' On affiche l'état des choses.
If EditCut.Visible Then
    MsgBox "L'option Couper est visible."
Else
    MsgBox "L'option Couper est invisible."
End If
End Sub
```

Le code commence par récupérer le menu principal en utilisant la collection *Application.CommandBars*. On lui passe le nom (qui est utilisé comme un index) du menu ou de la barre d'outils avec lequel on souhaite travailler. Ce nom est "Menu Bar" car j'ai utilisé Word pour l'exemple. Si j'avais pris Excel, il aurait fallu indiquer "Worksheet Menu Bar".

Le programme va ensuite s'occuper de l'option de menu Edition/ Couper. Ne partez pas du principe que l'utilisateur du programme n'aura pas déjà modifié des choses lui-même. Vous devez rechercher les entrées de menu par leur nom et non en utilisant une valeur numérique. Par conséquent, le code doit retrouver le menu Edition (de type *CommandBarControl*) en utilisant la collection Controls. Un objet *CommandBarControl* représente la véritable entrée de menu et non la liste des éléments que contient le menu.

Pour récupérer le menu Edition (de type *CommandBar*, qui est l'objet contenant la liste des éléments de ce menu, le code utilise la propriété EditControl.Index. Cette propriété contient un nombre qui indique la position du menu Edition sur la barre de menu. VBA ne retourne pas l'objet CommandBar si ce nombre n'est pas précisé. C'est une source d'erreurs assez commune.

Le code accède alors à l'option Couper du menu Edition en utilisant la collection EditMenu.Controls. La propriété Visible (qui fonctionne comme une bascule) sert à cacher ou à montrer l'option.

Modifier une barre d'outils ou le contenu d'un menu

Les barres d'outils et les menus ont plein de propriétés que vous pouvez changer. Tout ce que vous pouvez modifier en utilisant la fonction "Personnaliser" d'une application Office est également aussi modifiable par code. Par exemple, vous pouvez améliorer les bulles d'aide de votre programme en en changeant le texte. Voici un exemple de code qui modifie la bulle d'aide du bouton **G** (gras) de la barre d'outils "Mise en forme".

```
Public Sub ModifierBulleAideGras()
    ' On récupère la barre d'outils "Mise en forme".
    Dim FormatBar As CommandBar

    ' Le nom de la barre d'outils doit être le nom anglais.
    Set FormatBar = Application.CommandBars("Formatting")

    ' On récupère le bouton "Gras".
    Dim GrasControl As CommandBarControl

    ' Ici, c'est le nom français qu'il faut mettre….
    Set GrasControl = FormatBar.Controls("&Gras")

    ' On change le texte de la bulle d'aide.
    GrasControl.TooltipText = "Mets le texte en gras, chien !"
End Sub
```

C'est à dessein que j'ai choisi la propriété ToolTipText, car c'est une de celles qui sont très difficiles (voire impossibles) à modifier à la main. Si vous voulez ajouter des bulles d'aide aux menus ou aux barres d'outils habituels, vous devez le faire par programme. C'est une honte qu'on soit obligé d'en passer par là, car de nombreux périphériques pour personnes handicapées se basent sur les bulles d'aide pour expliquer à la personne à quoi sert un contrôle. C'est le cas, par exemple, de la plupart des lecteurs d'écran pour malvoyants. Ne pas mettre de bulles d'aide rendra votre programme difficile à utiliser pour une personne ayant des problèmes d'accessibilité.

Le code de cet exemple est similaire à celui du Listing 12.1. Au lieu de modifier un menu, le code modifie la barre d'outils "Mise en forme" qui se trouve dans toutes les applications Office (vous pouvez donc faire fonctionner le programme dans Word ou Access sans y changer une ligne).

Après avoir accédé à la barre d'outils, le code accède au bouton **G**. Remarquez que la collection FormatBar.Controls fait référence à "&Gras" et non à "Gras". Vous devez donc connaître la valeur de la propriété Name du bouton à modifier. Pour obtenir cette valeur, procédez de la manière suivante :

1. **Faites un clic droit n'importe où dans la barre d'outils et cliquez sur "Personnalisez" dans le menu contextuel.**

L'application Office affiche la boîte de dialogue "Personnaliser".

2. **Faites un clic droit sur l'entrée de menu ou la barre d'outils qui vous intéresse.**

L'application Office affiche une liste de propriétés associées à l'objet.

3. **Notez la valeur de la propriété Nom et cliquez sur Fermer.**

Création d'éléments graphiques spécialisés

Ajouter des images aux menus et aux barres d'outils pour habiller votre programme est sans conteste une valeur ajoutée. Par exemple, vous pourriez décider de laisser la commande Format/Style en place et de la marquer avec une icône spéciale montrant que l'usage de cette commande à la place d'une feuille de style n'est pas recommandé.

La première chose à faire est de trouver l'icône à utiliser. Vous pouvez toujours la dessiner vous-même. Cependant, si vous ne vous sentez pas une âme d'artiste, il y a peut-être plus simple. Windows est livré avec des tonnes d'éléments graphiques que vous pouvez utiliser. Le plus difficile est souvent de les trouver. Les plus intéressants se trouvent dans trois DLL du répertoire \Windows\System32 :

- ✔ Shell32.dll : 46 images, 5 curseurs, 239 icônes

- ✔ User32.dll : 7 images, 27 curseurs, 6 icônes

- ✔ Moricons.dll : 113 icônes

Un fichier DLL (Dynamic Link Library ou "Bibliothèque de liens dynamiques" dans la langue de Roger Hanin) contient habituellement du code qu'un certain nombre de programmes peuvent utiliser. Windows charge automatiquement la DLL quand l'application a besoin de ce code. Cependant, une DLL peut aussi contenir des ressources comme des icônes, des images bitmap et des curseurs.

Le seul souci, c'est que vous avez besoin d'un programme pour extraire les éléments graphiques que vous voulez utiliser car VBA ne sait pas aller les chercher tout seul dans une DLL. Vous pouvez utiliser un programme comme IconForge (http://www.cursorarts.com/ca_if.html) capable d'afficher la liste des éléments graphiques contenus dans la DLL et de les récupérer. L'éditeur propose une version d'essai à télécharger. Utilisez la commande *File/Acquire Icon from Resource* pour ouvrir la DLL avec laquelle vous voulez travailler. La Figure 12.2 montre un exemple typique extrait de User32.dll.

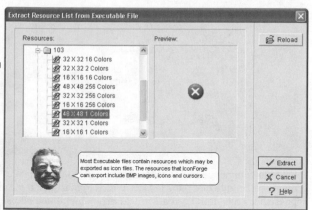

Figure 12.2 :
Récupérez
des icônes,
bitmaps et
curseurs
dans les DLLs
de Windows
et utilisez-les
dans vos
programmes.

Enregistrez tous les éléments graphiques que vous voulez utiliser dans
un même répertoire. D'habitude j'utilise le répertoire du document ou
le répertoire personnel de l'utilisateur, en fonction de l'usage que je
fais du graphique. Vous pouvez aussi utiliser un dossier partagé sur le
réseau ou même le répertoire Windows.

Après avoir récupéré un ou plusieurs éléments graphiques, vous
pouvez les charger dans une application Office. Le Listing 12.2 montre
le code utilisé pour ajouter une icône à la commande Format/Style.

Listing 12.2 : Ajouter une icône à un bouton.

```
Public Sub AjouterIconeAFormatStyle()
    ' On crée la barre de menu.
    Dim TopMenu As CommandBar
    Set TopMenu = _
        Application.CommandBars("Menu Bar")

    ' On accède au menu Format.
    Dim FormatControl As CommandBarControl
    Set FormatControl = TopMenu.Controls("Format")

    ' On utilise le contrôle pour accèder à la barre de menu.
    Dim FormatMenu As CommandBar
    Set FormatMenu = _
        TopMenu.Controls(FormatControl.Index).CommandBar

    ' On accède à l'élément Style.
    Dim FormatStyle As CommandBarButton
```

```
    Set FormatStyle = FormatMenu.Controls("&Style...")

    ' On charge l'image.
    Dim NewPict As IPictureDisp
    Set NewPict _
        = stdole.StdFunctions.LoadPicture( _
            ThisDocument.Path + "\Stop.BMP")

    ' On met l'image dans le menu.
    FormatStyle.Picture = NewPict
End Sub
```

Le code commence par accéder au menu Format/Style en utilisant la même technique que dans le Listing 12.1. Remarquez que l'indice passé à la collection FormatMenu.Controls inclut une ellipse (les points de suspension). Ceci est encore une démonstration du fait que l'indice doit correspondre exactement au nom du contrôle auquel vous essayez d'accéder.

Le chargement du graphique vient ensuite. L'objet *IPictureDisp* va contenir l'image pendant le chargement. Pour charger l'image, le code utilise la fonction spéciale stdole.StdFunctions.LoadPicture. Vous obtiendrez de meilleurs résultats en utilisant un fichier BMP car les autres formats de fichiers ne sont pas toujours reconnus ou comportent parfois des couleurs incompatibles. Remarquez que le code utilise la propriété ThisDocument.Path pour aller chercher l'image dans le répertoire du document courant.

L'étape finale consiste à placer l'image dans le menu en utilisant la propriété *Picture* (seulement à partir d'Office 2003). Après avoir exécuté le programme, vous remarquerez un petit panneau stop à côté de l'option de menu Format/Style. Si vous voulez enlever l'icône, utilisez l'instruction FormatStyle.FaceId=0.

Ajouter ou enlever menus et barres d'outils

Le Listing 12.3 montre une technique pour ajouter une nouvelle barre d'outils.

Listing 12.3 : Ajouter une nouvelle barre d'outils.

```
Public Sub AjouterBarre()
    ' On ajoute la barre d'outils.
    Dim MaBarre As CommandBar
    Set MaBarre = _
```

```
        Application.CommandBars.Add("Ma barre à moi")

    ' On ajoute un bouton à la barre d'outils.
    Dim DitBonjour As CommandBarButton
    Set DitBonjour = _
        MaBarre.Controls.Add(msoControlButton)

    ' On configure le bouton.
    With DitBonjour
        .Caption = "Dit Bonjour"
        .DescriptionText = "Ce bouton affiche un message."
        .OnAction = "ProcDitBonjour"
        .TooltipText = "Ceci est le texte de la bulle d'aide."
        .Visible = True
        .Style = msoButtonIconAndCaption
        .FaceId = 59
    End With

    ' On rend MaBarre visible.
    MaBarre.Visible = True
End Sub
```

Dans Office, toute l'organisation des barres d'outils repose sur des collections. Comme avec toute collection, vous utilisez la méthode Add pour ajouter un nouvel élément. Comme il n'y a qu'un seul menu principal, tout objet CommandBar que vous ajouterez sera considéré comme une barre d'outils. Quand vous ajoutez une nouvelle entrée de menu, vous devez retrouver d'abord le menu principal puis, seulement alors, lui ajouter votre menu.

Microsoft fournit un certain nombre de contrôles que vous pouvez ajouter à une barre d'outils. Le plus commun est l'objet *CommandBarButton*. Vous pouvez aussi choisir *CommandBarComboBox*, *CommandBarControl*, ou *CommandBarPopup*. Le fichier d'aide vous montre seulement quelques exemples d'objets CommandBarControl. Si vous êtes curieux, regardez l'énumération *MsoControlType* dans l'explorateur d'objets. Cependant, si vous souhaitez vous cantonner aux contrôles recommandés par Microsoft, utilisez les types msoControlButton, msoControlEdit, msoControlDropdown, msoControlComboBox, ou msoControlPopup.

Après avoir ajouté un contrôle à votre nouvelle barre d'outils, vous devez le configurer. Le nouveau bouton est vierge. Les choses que vous devriez toujours ajouter apparaissent dans le code. N'oubliez pas de définir une méthode *OnAction* appelant une commande Office existante ou bien une Public Sub de votre cru. Dans le cas de l'exemple, je n'ai pas rédigé la procédure ProcDitBonjour, mais je vous laisse le soin de le faire, car vous avez maintenant toutes les connaissances requises pour le faire ! La valeur Faceld correspond ici à un smiley standard. Vous pouvez, en changeant le nombre, obtenir des tas d'autres icônes. Malheureusement, les numéros de ces icônes ne sont pas documentés. Remarquez aussi que vous pouvez rendre visible des contrôles individuels aussi bien que la barre d'outils elle-même en utilisant la propriété Visible.

Supprimer la barre d'outils n'est pas plus difficile que de la créer. Voici ce qu'il faut écrire :

```
Public Sub VireBarre()
    ' Supprime la barre d'outils personnalisée.
    Application.CommandBars("Ma barre à moi").Delete
End Sub
```

Cette simple instruction supprime définitivement la barre d'outils. Malheureusement, il n'existe pas de façon simple d'enregistrer des barres d'outils sur disque. Cacher la barre d'outils en utilisant sa propriété Visible ou la supprimer complètement sont les deux seules options possibles.

Proposer de l'aide en utilisant le Compagnon Office

Vous n'avez pas besoin d'aimer cette fonctionnalité pour l'utiliser efficacement. Cette technologie a sa place.

Si vous comptez utiliser cette technologie, ça vaut le coup de vous tenir au courant des derniers développements de Microsoft Agent. Vous trouverez le site dédié ici : http://www.microsoft.com/msagent/. Le coin des téléchargements se trouve ici : http://www.microsoft.com/products/msagent/downloads.htm. Et les outils de développement, là : http://www.microsoft.com/products/msagent/devdownloads.htm.

Comprendre le genre d'aide que vous pouvez prodiguer

Quand je communique par e-mail avec des potes, j'ai parfois l'impression qu'ils ne me comprennent pas. Ce n'est pas que mes mots soient confus ou que je ne sache pas écrire. Le problème est que le langage du corps, que les gens perçoivent normalement quand je leur parle de vive voix, est absent. Les gestes sont très importants dans la communication.

Les fichiers d'aide sont un peu comme les e-mails. Le texte vous permet de communiquer vos idées. En plus, vous pouvez ajouter des images et prendre le temps de laisser quelqu'un d'autre relire ce que vous avez dit pour être sûr que c'est bien clair. Cependant, en fin de compte, vous êtes toujours tributaire des mots pour transmettre vos idées, et ça peut être problématique.

Avec une aide créée avec le Compagnon Office, les gens retrouvent un peu du langage corporel qui manque aux autres formes d'aide. En plus, les personnages ont l'air tellement idiots que ça détend l'atmosphère un peu austère d'Office en faisant rire tout le monde.

Le Compagnon Office est tout indiqué lorsque vous avez à faire un tutorial présentant une série d'étapes que l'utilisateur doit accomplir. Les gestes du personnage accompagnent l'utilisateur à chaque étape. Vous devez considérer le personnage comme un pointeur car l'utilisateur va naturellement le regarder quand il apparaîtra à l'écran.

Il est aussi possible d'utiliser le Compagnon Office dans les situations où vous voulez montrer quelque chose à l'utilisateur. Par exemple, on pourrait imaginer que l'utilisateur n'a pas rempli un champ dans un formulaire. Plutôt que de simplement mettre le champ en surbrillance, vous pourriez afficher un personnage montrant à l'utilisateur que le champ n'est pas rempli, et donnant quelques indications sur la manière de le remplir.

Vous devez joindre la parole au simple texte affiché car certaines personnes ne seront pas en mesure de lire ce qui est affiché ou préféreront peut-être écouter le personnage pendant qu'il explique une manip.

Savoir quand le Compagnon Office est plus gênant qu'utile

Tout dépend de l'auditoire. Si vous écrivez un programme pour vous-même ou pour d'autres personnes avancées, il est clair qu'il faut oublier le Compagnon Office si vous n'avez pas envie de vous faire agresser par les utilisateurs. En revanche, si vous vous adressez à un novice, il trouvera peut-être ça sympa et rigolo.

Le problème, c'est quand vous ne savez pas qui va utiliser votre programme. La technique employée par Microsoft dans ce cas consiste à montrer le compagnon au début. Les utilisateurs expérimentés le shootent au bout de dix secondes. Avec les autres, ça prend un peu plus de temps. En tout cas, cette façon de faire marche assez bien dans la plupart des cas.

Vous devez toujours prévoir une option de menu permettant de virer le Compagnon Office parce que même un novice va se lasser très vite. De plus, si l'utilisateur se trouve dans un bureau surpeuplé ou un lieu public, la nuisance sonore générée par le Compagnon ne sera peut-être pas bienvenue. Cela dit, il est toujours possible d'utiliser la bestiole sans le son. Mais je suppose que vous n'aimeriez pas voir ce machin surgir à l'écran pendant une réunion avec votre boss.

Travailler avec des personnages

Il est possible d'utiliser n'importe quel personnage comme Compagnon Office à partir du moment où il dispose des bonnes animations. Le problème, c'est que tous les personnages ne possèdent pas un jeu d'animations complet. Vous devez donc vérifier que le personnage que vous avez choisi est équipé de ce qu'il faut.

Créer un script

Le Compagnon Office nécessite un scénario pour fonctionner. Vous devez réfléchir à la série d'étapes que devra parcourir le personnage. Ça peut être utile d'écrire noir sur blanc comment les événements vont se succéder. Le Listing 12.4 montre un exemple typique de session scénarisée du Compagnon Office. Pour que ce programme fonctionne, il faut évidemment que le Compagnon Office soit installé. J'ai testé le programme avec Excel.

Listing 12.4 : Exemple de session scénarisée.

```
Public Sub MontreCompagnon()
    ' On crée une variable pour les bulles.
    Dim DisLe As Balloon
    Set DisLe = Assistant.NewBalloon

    ' On regarde si le compagnon est en marche ou pas.
    Dim Marche As Boolean
    Marche = Assistant.On

    ' On configure le compagnon.
    With Assistant
```

```
            ' Si nécessaire, on met le Compagnon en marche.
            .On = True

            ' On charge un personnage.
            .Filename = "F1.ACS"

            ' On le positionne quelque part.
            .Move 40, 40

            ' On le rend visible.
            .Visible = True
    End With

    ' On lui fait faire des choses.
    With Assistant

        ' On salue l'utilisateur.
        .Animation = msoAnimationGreeting
        Application.Wait Now + TimeValue("0:00:5")

        ' On déplace le perso.
        .Move 200, 200
        Application.Wait Now + TimeValue("0:00:2")

        ' On dit quelque chose à l'utilisateur.
        DisLe.Heading = "Salutation"
        DisLe.Icon = msoIconAlertInfo
        DisLe.Text = "Bonjour " + Application.UserName
        DisLe.Show

        ' On dit au revoir.
        .Animation = msoAnimationGoodbye
        Application.Wait Now + TimeValue("0:00:5")
    End With

    ' On arrête le compagnon.
    With Assistant
        ' On le cache.
        .Visible = False

        ' On remet le compagnon dans l'état où on l'a trouvé.
        .On = Marche
    End With
End Sub
```

L'essentiel du code se trouve à l'intérieur des sections With…End Width. Cette technique de codage rend le code plus lisible. Le code commence par créer deux variables. La première va contenir les phrases que vous allez faire dire au personnage. Comme le personnage ne peut dire qu'une seule chose à la fois, une variable générique de type *Balloon* fait l'affaire : vous n'avez pas besoin d'une variable différente pour chaque instruction. La seconde variable contient l'état du Compagnon au démarrage du programme, de sorte que vous puissiez restaurer cet état à la fin du programme.

Le premier bloc de code met en marche le Compagnon, charge un personnage, et le positionne en haut à gauche de l'écran. C'est seulement après être passé par ces trois étapes que vous pouvez rendre visible le personnage.

Le deuxième bloc de code contient les actions. Le personnage commence par dire bonjour. Remarquez l'utilisation de la méthode *Application.Wait*. Le Compagnon Office a une fâcheuse tendance à faire n'importe quoi si on ne le contrôle pas avec des pauses. C'est à vous de faire des tests pour savoir combien de temps doivent durer les pauses entre les animations.

La bulle DisLe est un objet et, à ce titre, elle s'utilise comme n'importe quel autre objet. On paramètre le titre, l'icône et le texte de la bulle, puis on l'affiche en utilisant la méthode Show. La bulle reste affichée jusqu'à ce que l'utilisateur clique.

Pour finir, le personnage dit poliment au revoir. Le troisième et dernier bloc de code cache le personnage et remet le Compagnon dans son état initial.

Chapitre 13

Programmation VBA dans Word

• •

Dans ce chapitre :

▶ Travailler avec des objets associés à Word.

▶ Accéder aux fenêtres Word et manipuler les objets qu'elles contiennent.

▶ Accéder au document Word.

▶ Modifier les objets dans les documents Word.

▶ Ajouter, supprimer, déplacer et modifier du texte dans Word.

• •

*W*ord est l'application Office où vous passez des heures à taper du texte. Vous avez peut-être la chance d'avoir une secrétaire personnelle capable de taper sans erreur des milliers de mots à la minute, si bien que vous n'êtes peut-être pas conscient du temps passé dans Word. Les programmes que vous créez pour Word peuvent faire beaucoup plus que de simplement changer l'interface ou convertir du texte en XML. La dactylo la plus véloce que vous connaîtrez jamais, c'est un programme Word écrit en VBA.

Ce chapitre expose des techniques de programmation VBA que vous pouvez utiliser pour rendre votre prochaine session Word plus agréable et productive. Plutôt que de taper des milliards de fois la même chose, vous pouvez vous concentrer sur la partie créative de votre document. De plus, le formatage peut devenir obsolète, à part dans quelques situations particulières. Il est possible de faire formater un document par un programme VBA.

Comprendre les objets associés avec Word

Si vous êtes arrivé jusqu'ici, vous avez déjà écrit plusieurs programmes utilisant des objets. Vous avez même déjà travaillé avec des objets spécifiques à Word (par exemple dans le Chapitre 11). Word utilise trois collections spéciales (*Documents*, *Templates* et *Windows*), que vous pouvez utiliser pour accéder à tous les détails de l'environnement Word, ce qui inclut bien sûr les documents que vous créez.

Utiliser la collection Documents

Les documents sont au cœur du travail avec Word. Ils contiennent les données que vous créez, formatez et imprimez. La collection Documents a donc une importance primordiale dans Word.

La collection Documents contient une copie de chaque objet *Document* actuellement ouvert dans Word. Si vous avez ouvert plusieurs copies du même document, Word créera un objet Document pour chacune des copies. Un objet Document est différent d'un objet *Template* (modèle). Word distingue bien ces deux types d'objets. Un document peut inclure du contenu importé d'autres fichiers. Que vous ouvriez un fichier TXT ou XML, Word le traite comme un objet Document.

La collection Documents est très utile quand vous ne connaissez pas le nom du document à traiter. Par exemple, vous pourriez créer un programme qui ajoute des retraits à tous les documents basés sur le modèle XYZ. Vous ne savez pas combien de documents utilisent ce modèle ni comment l'utilisateur les a appelés, mais vous savez que vous voulez faire les mêmes modifs dans tous les documents ouverts. Le Listing 13.1 montre un exemple qui utilise une boucle For Each…Next pour récupérer des informations à propos de chaque document utilisant le modèle Normal.dot.

Listing 13.1 : Récupérer des infos sur un document Word.

```
Public Sub MesDocuments()
    ' On crée une variable qui contiendra les documents individuels.
    Dim MesDocs As Document

    ' On crée une variable qui contiendra les infos concernant
    ' chaque document.
    Dim Sortie As String

    ' On passe en revue chaque document de la collection Documents.
    For Each MesDocs In Application.Documents
```

```
            ' On fait un test sur le nom du modèle.
            If UCase(MesDocs.AttachedTemplate) _
                = "NORMAL.DOT" Then

                ' on crée une liste des informations concernant ce
                ' document.
                With MesDocs
                Sortie = Sortie + "Nom : " + vbTab + vbTab + _
                    .Name + vbCrLf + _
                    "Titre fenêtre : " + vbTab + _
                    .ActiveWindow.Caption + vbCrLf + _
                    "Type document : " + vbTab + _
                    IIf(.ActiveWindow.Creator = wdCreatorCode, _
                        "Document Word", _
                        "Autre document") + vbCrLf + _
                    "Style d'écriture : " + vbTab + _
                    .ActiveWritingStyle(wdEnglishUS) _
                    + vbCrLf + "Caractères : " + vbTab + _
                    CStr(.Characters.Count) + vbCrLf + _
                    "Mots : " + vbTab + vbTab + _
                    CStr(.Words.Count) + vbCrLf + vbCrLf
                End With
            End If
        Next

        ' On affiche le résultat.
        MsgBox Sortie, _
            vbInformation Or vbOKOnly, _
            "Documents utilisant le modèle Normal"
    End Sub
```

L'exemple utilise quelques-unes des propriétés de l'objet Document. Il commence par créer l'objet Document, MesDocs, et une chaîne, Sortie, pour stocker les informations. La boucle For Each parcourt les documents ouverts un par un.

Remarquez l'utilisation de la fonction *UCase* dans la comparaison avec le nom du modèle. Vous ne savez pas si le créateur du document (ou Word lui-même) a utilisé des majuscules ou des minuscules pour écrire le nom du modèle normal.dot, donc UCase, qui met en majuscules la chaîne qu'on lui passe, assure une comparaison parfaite. La chaîne en question est ici le nom du modèle attaché au document, MesDocs.AttachedTemplate. Word utilise toujours la valeur trouvée dans le champ "Modèle de document" de l'onglet "Modèles" de la boîte de dialogue "Modèles et compléments" pour cette propriété, même si un document est attaché à plus d'un modèle.

Le code récupère ensuite un certain nombre d'informations dans le document. Certaines, comme ActiveWindow.Caption, sont déjà au format texte, donc le code se contente de les ajouter à la chaîne Sortie. Remarquez l'usage de la fonction IIf pour faire la comparaison ActiveWindow.Creator = wdCreatorCode. Excel utilise une constante similaire pour ses documents, xlCreatorCode. Ce code vous permet de savoir avec quel genre de document vous êtes en train de travailler.

Un certain nombre de propriétés demandent un traitement spécial. Par exemple, comme Word est internationalisé, vous devez passer une constante pour certaines propriétés afin d'être sûr de récupérer la valeur correcte. La propriété ActiveWritingStyle dépend de la langue, et vous devez donc dire à VBA quelle langue vous utilisez pour récupérer la bonne valeur. Comme nous sommes au pays de Rabelais, j'ai utilisé la constante *wdFrench*.

Beaucoup d'applications produisent des statistiques sur les documents qu'elles gèrent, et Word ne fait pas exception. L'objet Document contient un certain nombre de statistiques qu'il conserve pendant toute la durée de vie de l'objet. L'exemple affiche le nombre de caractères (Characters.Count) et le nombre de mots (Words.Count). La Figure 13.1 montre ce qu'affiche le programme.

Figure 13.1 :
À la découverte des trésors cachés de l'objet Document.

Bien que les fichiers listés aient des extensions différentes, le programme les considère comme des documents Word. Les fichiers que vous ouvrez comptent comme des documents Word même s'ils n'ont pas été créés avec Word. Cela provient du fait que Word opère une conversion quand vous importez des fichiers. Le fichier sur le disque ne change pas (sauf si vous l'enregistrez avec Word), mais le fichier en mémoire est un document Word.

Tous les documents ont ici le même style d'écriture. Cette valeur peut changer si vous importez des documents rédigés avec d'anciennes versions de Word. Il est possible de fixer cette valeur par programme (la propriété ActiveWritingStyle est en lecture et en écriture). Par défaut, elle est égale à la valeur que l'on trouve dans le champ "Règle de style" de l'onglet "Grammaire et orthographe" de la boîte de dialogue "Options".

Utiliser la collection Templates

Les utilisateurs Word savent que les modèles servent à donner à un ensemble de documents le même aspect et le même style. Par exemple, un modèle de lettre inclut un formatage différent pour l'entête et le corps de la lettre. Il peut aussi inclure des parties invariables, comme vos coordonnées. Les modèles spécialisés possèdent souvent des paramétrages automatiques qui font que le document, dès son ouverture, est assez proche de ce qu'il sera finalement. Les modèles ont l'extension .dot.

La collection Templates contient une liste de tous les modèles utilisés par votre document. Chaque objet Template correspond à un fichier modèle différent. Si vous ouvrez plusieurs documents basés sur le même modèle, Word ne crée qu'un seul objet Template (il est malin, ce Word !). Quel que soit le document ouvert, Word ouvre une copie du modèle Normal en plus de tous les autres modèles utilisés par le document. Par conséquent, si vous voulez profiter de certains paramètres personnalisés avec tous les documents Word que vous créez, vous devez toujours faire les modifications dans Normal.dot.

Il est possible de modifier les fonctionnalités d'un modèle afin que la création de nouveaux documents soit simplifiée. En général, vous allez utiliser un programme modèle pour modifier le document dans son ensemble, ainsi que tous les documents qui seront basés sur ce modèle. Le Listing 13.2 montre un exemple d'utilisation de la collection Templates.

Listing 13.2 : Afficher les propriétés d'un modèle Word.

```
Public Sub MesModèles()
    ' Conteneur pour le modèle courant.
    Dim CurrTemp As Template
```

```
' Conteneur pour les propriétés.
Dim CurrProp As DocumentProperty

' Conteneur pour la longueur du nom de la propriété.
Dim PropLen As Integer

' Conteneur pour l'affichage.
Dim Sortie As String

' On passe en revue tous les modèles de la collection Templates.
For Each CurrTemp In Application.Templates

    ' On récupère les informations qui concernent le modèle
      courant.
    With CurrTemp
        Sortie = Sortie + _
            "Nom :" + vbTab + vbTab + .Name + vbCrLf + _
            "Chemin :" + vbTab + .FullName + vbCrLf

            ' On vérifie les valeurs des propriétés du modèle.
            For Each CurrProp In _
                .BuiltInDocumentProperties

                ' Ça va planter pour certaines.
                On Error Resume Next

                ' On regarde la longueur du nom de la propriété.
                PropLen = Len(CurrProp.Name)

                ' On récupère l'info.
                Sortie = Sortie + "Propriété : " + _
                    CurrProp.Name + _
                    IIf(PropLen < 36, vbTab, "") + _
                    IIf(PropLen < 28, vbTab, "") + _
                    IIf(PropLen < 20, vbTab, "") + _
                    IIf(PropLen < 12, vbTab, "") + _
                    IIf(PropLen < 4, vbTab, "") + _
                    CStr(CurrProp.Type) + vbTab + _
                    CStr(CurrProp.Value) + vbCrLf
            Next

            ' On passe à la ligne.
            Sortie = Sortie + vbCrLf + vbCrLf
    End With
Next

' On affiche le résultat.
```

```
      MsgBox Sortie, _
             vbInformation Or vbOKOnly, _
             "Modèles actuellement utilisés"
   End Sub
```

Le code commence par créer les objets Template et DocumentProperty. Ces deux objets contiennent les informations que le programme va examiner. La variable PropLen contient la longueur du nom de la propriété courante. La variable Sortie contient les résultats à afficher.

Cet exemple utilise une double boucle For Each…Next. La première passe en revue les modèles de la collection Application.Templates. La seconde passe en revue les propriétés contenues dans le modèle en utilisant la collection BuiltInDocumentProperties.

Ne croyez pas que les modèles Word ne contiennent qu'un seul ensemble de propriétés. Si vous voulez avoir une liste de toutes les propriétés d'un document, allez voir la collection *CustomDocumentProperties*.

La propriété *Name* contient juste le nom du fichier correspondant au document, tandis que *FullName* contient en plus le chemin d'accès complet. Si vous voulez récupérer le chemin tout seul, utilisez *Path*.

La deuxième boucle commence par une directive On Error Resume Next. Ajoutez toujours cette directive quand vous travaillez avec des propriétés. Le code calcule ensuite la longueur de la propriété CurrProp.Name.

La variable Sortie reçoit le nom de la propriété, son type et sa valeur. Remarquez l'usage de la fonction IIf pour déterminer combien de tabulations il faut ajouter à la chaîne. Bien qu'on obtienne la même chose en utilisant la fonction Space, la mémoire utilisée par 8 espaces (8 octets) est supérieure à celle utilisée par une tabulation (1 octet). Si vous utilisiez des espaces à la place des tabulations, vous pourriez ne pas avoir assez de place dans la chaîne pour afficher toutes les informations. En effet, les messages affichés par la fonction MsgBox sont limités à 1024 caractères en utilisant la police standard. La Figure 13.2 montre ce qu'affiche le programme.

L'affichage de la Figure 13.2 est un peu différent de celui de la Figure 13.1. Cela vient du fait que, dans le cas de la Figure 13.2, j'ai changé la police utilisée par Windows pour les boîtes de message. J'ai utilisé la police à espacement fixe Courier New. Avec ce genre de police, tous les caractères ont exactement la même largeur, ce qui n'est pas le cas avec les polices dites proportionnelles comme Arial.

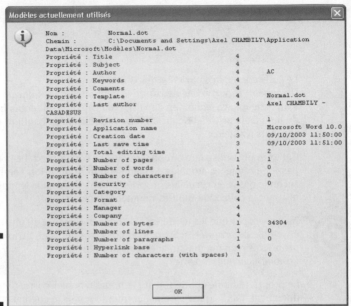

```
Nom :           Normal.dot
Chemin :        C:\Documents and Settings\Axel CHAMBILY\Application
Data\Microsoft\Modèles\Normal.dot
Propriété : Title                              4
Propriété : Subject                            4
Propriété : Author                             4        AC
Propriété : Keywords                           4
Propriété : Comments                           4
Propriété : Template                           4        Normal.dot
Propriété : Last author                        4        Axel CHAMBILY -
CASADESUS
Propriété : Revision number                    4        1
Propriété : Application name                   4        Microsoft Word 10.0
Propriété : Creation date                      3        09/10/2003 11:50:00
Propriété : Last save time                     3        09/10/2003 11:51:00
Propriété : Total editing time                 1        2
Propriété : Number of pages                    1        1
Propriété : Number of words                    1        0
Propriété : Number of characters               1        0
Propriété : Security                           1        0
Propriété : Category                           4
Propriété : Format                             4
Propriété : Manager                            4
Propriété : Company                            4
Propriété : Number of bytes                    1        34304
Propriété : Number of lines                    1        0
Propriété : Number of paragraphs               1        0
Propriété : Hyperlink base                     4
Propriété : Number of characters (with spaces) 1        0
```

```
        OK
```

Figure 13.2 :
Quelques
propriétés
d'un modèle.

On est obligé de faire ça quand on travaille avec des espaces et des tabulations. Ce n'est pas l'idéal, mais j'ai fait comme ça pour simplifier. L'inconvénient, c'est que Courier New est plus difficile à lire que Arial ou Tahoma. En fait, dans un programme "réel", il faudrait faire l'affichage dans une boîte de dialogue construite de toutes pièces, plus facile à maîtriser qu'une MsgBox.

Utiliser la collection Windows

La collection Windows contient un objet Window pour chaque fenêtre ouverte à l'écran (mais pas forcément visible !). Au cas où vous auriez passé les vingt dernières années au fin fond d'une grotte dans l'Himalaya, je vous rappelle que le mot anglais Window signifie "fenêtre" ! On utilise l'objet Window pour gérer la vue d'ensemble du document. Par exemple, vous utilisez cet objet pour ajouter ou retirer des barres de défilement ou une règle.

Ne confondez pas un objet Window avec un objet *Pane* (volet). Un objet Window peut contenir jusqu'à deux volets. Avec des versions plus anciennes de Word, vous pouviez créer une multitude de volets : leur nombre est désormais limité à deux. L'objet Window est un conteneur pour l'objet Pane. On utilise l'objet Pane pour visualiser et modifier le contenu d'un document. Un fichier disque reflète l'état des données qu'il contient depuis la dernière sauvegarde. Un objet Pane reflète l'état des données contenues dans le document telles qu'elles sont en mémoire.

Les volets sont indépendants les uns des autres. Vous pouvez sélectionner une zone de texte dans un volet sans que cela affecte la sélection dans l'autre volet. Cependant, les modifications faites dans un volet apparaissent dans l'autre (heureusement !). Le Listing 13.3 montre un exemple de collection Windows.

Listing 13.3 : Propriétés d'un objet Window.

```
Public Sub MesFenêtres()
    ' Un conteneur pour un objet Window.
    Dim MyWin As Window

    ' Un conteneur pour la sortie.
    Dim Sortie As String

    ' Un compteur de boucle.
    Dim Compteur As Integer

    ' On passe en revue toutes les Window de la collection Windows.
    For Each MyWin In Application.Windows

        ' On récupère les infos sur la fenêtre courante.
        With MyWin
        Sortie = Sortie + "Titre : " + .Caption + _
            vbCrLf + "Volets : " + _
            CStr(.Panes.Count) + vbCrLf

        ' On passe en revue les volets.
        For Compteur = 1 To .Panes.Count
            Sortie = Sortie + "Volet " + CStr(Compteur) + _
                " - Sélection : " + _
                CStr(.Panes(Compteur).Selection) + _
                vbCrLf
        Next

        ' On ajoute un nouveau volet si c'est possible.
        If .Panes.Count = 1 Then
            .Panes.Add
        End If
```

```
        ' On ajoute une ligne pour l'affichage.
        Sortie = Sortie + vbCrLf

        End With
    Next

    ' On affiche le résultat.
    MsgBox Sortie, _
            vbInformation Or vbOKOnly, _
            "Fenêtres ouvertes actuellement"
End Sub
```

L'exemple commence comme ceux des Listings 13.1 et 13.2 en créant un objet et quelques variables associées. La collection Application.Windows contient toutes les fenêtres de document Word ouvertes.

Chaque objet Windows a une propriété Caption. Celle-ci est affichée d'ordinaire au début de la barre de titre de Word. Un objet Window n'a pas de propriété Name, comme beaucoup d'autres objets, pour la bonne raison qu'on ne manipule pas ce genre d'objet par son nom. Non, mais.

Après avoir récupéré le titre de la fenêtre, le code cherche le nombre de volets associés avec chaque fenêtre. Dans Office 2000, Office XP et Office 2003, ce nombre est toujours 1 ou 2. Le code traite chaque fenêtre à son tour. Dans l'exemple, il récupère le texte sélectionné.

Le code montre comment ajouter un volet. Si l'utilisateur n'est pas déjà en train d'utiliser deux volets, vous pouvez en ouvrir un second, y faire ce que vous voulez, puis refermer le volet et aller vous coucher. Cette technique permet de travailler rapidement sur des données et de restaurer l'affichage original après traitement. La Figure 13.3 montre ce qu'affiche le programme.

Accéder au document Word

Accéder au document Word signifie accéder à des éléments de texte spécifiques dont vous savez ce qu'ils contiennent. Par exemple, vous voulez peut-être traiter le texte phrase par phrase ou paragraphe par paragraphe. Dans Word, il est possible de sélectionner un caractère isolé, tout comme il est possible de sélectionner une image. Cependant, il est bien de commencer par des phrases, parce que cela va vous apprendre la plupart des techniques dont vous aurez besoin dans les autres cas. Le Listing 13.4 montre un exemple d'accès aux phrases une par une dans le document test.

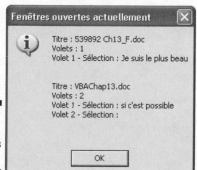

Figure 13.3 :
Récupérer
les propriétés
des volets.

Listing 13.4 : Retrouver une phrase particulière dans un document.

```
Public Sub AccèsAuTexte()
    ' Le volet courant.
    Dim CurrPane As Pane

    ' Un paragraphe donné.
    Dim CurrPara As Paragraph

    ' Une phrase.
    Dim CurrSent As String

    ' L'affichage...
    Dim Sortie As String

    ' Un compteur de boucle.
    Dim Compteur As Integer

    ' On vérifie qu'on peut accéder au volet.
    ' il est possible de remplacer "DocumentTest.doc" par
      ThisDocument
    ' si l'on veut tester le programme avec le document ouvert.
    Application.Windows("DocumentTest.doc").View _
        = wdNormalView

    ' On accède au volet.
    Set CurrPane = _
        Application.Windows("DocumentTest.doc").ActivePane

    ' On accède au deuxième paragraphe de la page.
    Set CurrPara = CurrPane.Document.Paragraphs(2)
```

```
' On accède à la deuxième phrase de ce paragraphe.
For Compteur = 1 To CurrPara.Range.Sentences.Count

    ' On récupère le contenu de la phrase courante.
    CurrSent = CurrPara.Range.Sentences(Compteur)

    ' On ajoute ce contenu à la chaîne Sortie.
    Sortie = Sortie + "Phrase " + CStr(Compteur) + _
        ": " + CurrSent + vbCrLf
Next

' On affiche la phrase.
MsgBox Sortie
End Sub
```

Le code commence par créer les objets nécessaires pour contenir les différents éléments du document auxquels on s'intéresse. Le type des objets que vous créez dépend des tâches que vous avez à faire et parfois des options d'affichage. Par exemple, si vous voulez travailler avec la collection *Pages*, il est indispensable que le document soit affiché dans le mode "Page".

Certains accès à un document nécessitent que la fenêtre ou le volet qui le contient se trouve dans un mode d'affichage particulier. On impose le mode d'affichage normal par code en donnant à la propriété *View* la valeur *wdNormalView*. Pour vous référer à un document par son nom de fichier, n'omettez pas de préciser l'extension. Il se pourrait en effet que vous possédiez plusieurs fichiers de même nom avec des extensions différentes.

Vous devez utiliser un objet Pane pour accéder aux données contenues dans le document. Le plus simple, en général, consiste à créer un objet Pane plutôt que de passer en revue toute l'arborescence des objets jusqu'à ce que vous trouviez le bon. Evidemment, cette technique consomme un peu de ressources, mais fait l'économie d'un paquet de lignes de code ! Dans l'exemple, j'utilise la propriété *ActivePane*. J'aurais tout aussi bien pu me servir de la collection Panes.

Quand vous travaillez en mode d'affichage normal, vous devez accéder au document en utilisant les paragraphes. Si le document n'a que quelques paragraphes, il sera facile de déboguer le code. Dans le cas contraire, ça risque de commencer à se compliquer car il peut devenir difficile de trouver un paragraphe. Dans ce cas, vous serez obligé d'utiliser des techniques de recherche plus avancées.

Les collections ont une propriété *Count* qui permet d'accéder individuellement aux éléments de la collection en utilisant une boucle
For…Next au lieu d'une boucle For Each…Next. Cet exemple met à
profit cette technique en utilisant un compteur permettant d'afficher le
numéro de la phrase en même temps que son contenu. Quand vous
lancez ce programme, VBA affiche à tour de rôle chaque phrase du
deuxième paragraphe du document.

L'organisation hiérarchique d'un document se poursuit avec les mots,
puis les caractères. Avec le Listing 13.4, si vous voulez sélectionner
des mots, utilisez la collection CurrPara.Range.Sentences(Compteur).Words. Pour les caractères, utilisez CurrPara.Range.Sentences
(Compteur).Characters.

Utiliser le registre avec VBA

Microsoft suppose que vous utilisez toujours le registre pour enregistrer la configuration de vos programmes. Il a donc créé des fonctions
spéciales permettant de le faire sous une clé spécifique,
\HKEY_CURRENT_USER\Software\VBA. Il suffit d'utiliser la fonction
SaveSettings. Les fonctions *GetSetting* et *GetAllSettings* permettent de
rappeler une configuration.

Malheureusement, ces fonctions ne permettent pas d'accéder au reste
de la base de registre. L'exemple qui suit montre le problème. Il est
nécessaire d'avoir accès à la totalité du registre pour écrire des
programmes réellement fonctionnels. Par conséquent, vous devez
avoir recours à des appels directs à l'API Win32. Le Listing 13.5 montre
le code nécessaire pour lire n'importe où dans le registre.

Listing 13.5 : Accès au registre avec VBA.

```
' Cette fonction de l'API Windows ouvre une clé de la base de
  registre.
Public Declare Function RegOpenKey _
    Lib "advapi32.dll" _
    Alias "RegOpenKeyA" (ByVal HKey As Long, _
                         ByVal lpSubKey As String, _
                         phkResult As Long) As Boolean

' Cette énumération recense les clés de plus haut niveau.
Public Enum ROOT_KEYS
    HKEY_CLASSES_ROOT = &H80000000
    HKEY_CURRENT_USER = &H80000001
    HKEY_LOCAL_MACHINE = &H80000002
```

```
        HKEY_USERS = &H80000003
        HKEY_PERFORMANCE_DATA = &H80000004
        HKEY_CURRENT_CONFIG = &H80000005
        HKEY_DYN_DATA = &H80000006
End Enum

' Cette fonction de l'API Windows lit la valeur associée à une clé.
Declare Function RegQueryValue _
    Lib "advapi32.dll" _
    Alias "RegQueryValueA" (ByVal HKey As Long, _
                            ByVal lpSubKey As String, _
                            ByVal lpValue As String, _
                            lpcbValue As Long) As Boolean

' Cette fonction de l'API Windows ferme une clé.
Public Declare Function RegCloseKey _
    Lib "advapi32.dll" (ByVal HKey As Long) As Boolean
```

Le mot clé *Declare* permet d'accéder aux fonctions de l'API Win32. Comme d'habitude, il faut donner un nom à la fonction. On utilise à chaque fois que c'est possible le même nom que celui qui figure dans l'API Win32 afin de pouvoir s'y retrouver. VBA a aussi besoin de connaître le nom de la DLL dans laquelle se trouve la fonction. C'est à cela que sert le mot clé *Lib*. Toutes les fonctions du registre se trouvent dans *advapi32.dll*. Cette DLL se trouve dans le répertoire \Windows\System32.

Deux de ces fonctions utilisent le mot clé *Alias*. Une fonction de l'API Win32 peut avoir un nom usuel, comme *RegOpenKey*. Cependant, il arrive que la DLL contienne en fait deux ou plusieurs versions de cette fonction. L'alias RegOpenKeyA force VBA d'utiliser la version ASCII de cette fonction. Vous pourriez aussi utiliser la version Unicode (ou W) de la fonction.

Après avoir indiqué tout ce qui est nécessaire à la localisation de la fonction, vous fournissez une liste d'arguments. Là encore, c'est une bonne idée d'utiliser les mêmes noms que Microsoft.

Sélectionner des objets dans un document Word

Vous pouvez lier et encapsuler des objets dans un document Word. Cette fonctionnalité, gérée par OLE (Objet Linking and Embedding, "Lien et encapsulation d'objets" dans la langue de Serge Gainsbourg), est présente dans la plupart des grands logiciels du marché. Un lien est en fait un pointeur vers une information à l'intérieur d'un document Word. À chaque fois que Word veut afficher l'objet lié, il appelle le serveur OLE adéquat (l'application qui ouvre habituellement ce genre de données) et lui indique où se trouve le fichier sur le disque. L'avantage de cette méthode est que le serveur OLE met les données à jour en temps réel. Un lien prend très peu de place dans un document Word, car il correspond juste à un pointeur.

Au contraire, l'encapsulation incorpore réellement les données du fichier dans le document Word. À chaque fois que Word veut visualiser l'objet, celui-ci transmet les données au serveur OLE pour qu'on puisse l'afficher et le manipuler. L'avantage de cette méthode est que les données restent attachées au document, si bien que vous n'avez qu'un seul fichier à envoyer si vous voulez partager l'information. Bien que cela augmente évidemment l'embonpoint du fichier Word, le poids de l'ensemble est en général inférieur à la somme des poids des parties, surtout si vous utilisez un utilitaire de compression du genre de WinZip.

Quelle que soit la méthode que vous utilisez, Word considère l'objet comme une *InlineShape* ("forme intégrée" dans la langue de Maya l'abeille). La collection *InlineShapes* contient tous les objets liés ou encapsulés dans le document Word. Comme vous pouvez utiliser OLE avec quasiment n'importe quelle application, Microsoft a dû imaginer une stratégie de gestion des objets qui marche avec tous les objets Word-compatibles. Le document exemple "WordObjects" (que vous pouvez télécharger sur le site : http://www.dummies.com/go/mueller) fourni avec le code contient deux objets encapsulés. Le premier est une image et le second, un son. Le Listing 13.6 montre comment on peut manipuler ces objets.

Listing 13.6 : Utilisation du registre pour travailler avec des objets.

```
Public Sub AccèsObjet()
    ' On choisit un objet (inconnu a priori).
    Dim AObj As InlineShape

    ' Un conteneur pour un fichier BMP.
    Dim BMPClass As String

    ' Une variable pour les infos sur l'image.
    Dim Sortie As String

    ' Contiendra une référence à une clé du registre.
    Dim RegKeyRef As Long
```

```
' Contient la longueur de la donnée dans le registre.
Dim RegLength As Long

' Récupérons la classe du fichier BMP.
' On ouvre une clé dans le registre.
RegOpenKey ROOT_KEYS.HKEY_CLASSES_ROOT, _
            ".bmp", RegKeyRef

' On regarde si la clé existe.
If RegKeyRef = 0 Then

    ' On affiche un message d'erreur.
    MsgBox "Impossible de lire les informations du registre
            concernant le fichier BMP.", _
        vbOKOnly Or vbExclamation, _
        "Erreur registre"

    ' On sort de la Sub.
    Exit Sub
End If

' On regarde si les infos existent. Si
' oui, on récupère la longueur de la donnée.
RegQueryValue RegKeyRef, "", BMPClass, RegLength

' On remplit la chaîne avec les espaces utiles.
BMPClass = VBA.String(RegLength, " ")

' On retrouve la valeur.
RegQueryValue RegKeyRef, "", BMPClass, RegLength
BMPClass = Left(BMPClass, Len(BMPClass) - 1)

' On ferme le registre.
RegCloseKey (RegKeyRef)

' On passsse en revue les objets.
For Each AObj In ThisDocument.InlineShapes

    ' On sélectionne l'objet et on indique qu'il est sélectionné.
    AObj.Select
    MsgBox "L'objet numéro " + _
        CStr(AObj.Field.Index) + " est sélectionné.", _
        vbInformation Or vbOKOnly, "Sélection d'objet"

    ' Si c'est un son, on le joue.
    If AObj.OLEFormat.ClassType = "SoundRec" Then
```

```
        AObj.OLEFormat.DoVerb wdOLEVerbPrimary
    End If

    ' Si c'est une image, on affiche quelques infos
    ' sur celle-ci.
    If AObj.OLEFormat.ClassType = BMPClass Then

        ' On affiche sa hauteur et sa largeur.
        Sortie = "Hauteur : " + CStr(AObj.Height) + _
            vbCrLf + _
            CStr(Application.PointsToCentimeters(AObj.Height)) _
            + " cm" + vbCrLf + _
            "Largeur : " + CStr(AObj.Width) + vbCrLf + _
            CStr(Application.PointsToCentimeters(AObj.Width)) _
            + " cm"
        MsgBox Sortie, vbInformation Or vbOKOnly, _
            "Infos sur l'image"
    End If
    Next
End Sub
```

Un objet InlineShape est créé au début du programme pour recevoir chacun des objets du document.

Le code utilise ensuite les fonctions spéciales pour travailler avec le registre que j'ai présentées plus haut. Cette partie nécessite quelques explications.

À chaque fois que vous double-cliquez sur une icône de fichier dans l'explorateur, Windows va regarder dans le registre quelle application il doit utiliser pour ouvrir ce type de fichier. Windows range cette information, classée par extensions, dans la ruche HKEY_CLASSES_ROOT du registre (le terme HKEY est l'abréviation de Hive Key, ou "clé ruche", ça bourdonne là-dedans, je vous dis pas). La Figure 13.4 montre l'entrée correspondant à l'extension .bmp.

Figure 13.4 :
Utilisez l'éditeur du registre pour en savoir plus sur le fonctionnement de OLE.

La valeur Default dit à Windows quelle application il faut utiliser pour ouvrir le fichier. Il existe d'autres entrées de registre qui contiennent des instructions précises sur la manière d'utiliser l'application en question pour ouvrir le fichier. Sur ma machine, les fichiers BMP sont toujours ouverts par ACDSee, mais il se peut que ce soit différent sur la vôtre ! Comme beaucoup d'autres applications créent des objets liés ou encapsulés dans un document, Word, tout comme Windows, a besoin d'informations pour ouvrir le serveur OLE. Cette information apparaît dans la propriété *ClassType* de l'objet AObj.OLEFormat.

Quand vous voulez travailler dans Word avec un objet créé par une autre application, vous ne pouvez pas supposer que le programme que vous utilisez habituellement pour lire ce type de fichier est le même sur la machine qui exécute votre programme. C'est pourquoi on utilise le registre.

Le code commence par ouvrir le registre en utilisant RegOpenKey et récupère une référence (on appelle ça aussi un *handle* – "poignée" en français) à une clé spécifique. Cette fonction a besoin d'une clé ruche, d'une sous-clé (l'extension du fichier) et d'une variable pour ranger la référence à la clé. Vous devez tester si la fonction retourne une valeur nulle. Cela signifie en effet que la clé n'existe pas sur la machine cible. Si la clé n'existe pas, il est impossible d'ouvrir l'objet, puisqu'on ne sait pas quelle application utiliser.

Après avoir récupéré la référence à la clé, le code utilise celle-ci pour demander le programme à utiliser en se servant de la fonction *RegQueryValue*. Pour récupérer l'information contenue dans la valeur Default, on envoie une chaîne vide comme second paramètre. Il est aussi possible de passer un nom de valeur, comme la valeur PerceivedType que vous voyez sur la Figure 13.4. Le troisième paramètre est une chaîne dans laquelle la fonction retournera le nom de la classe de programme. Le paramètre RegLength vous dit quelle est la longueur de la valeur BMPClass.

Le premier appel à RegQueryValue determine seulement la longueur de BMPClass. Le code utilise la fonction *VBA.String* pour remplir BMPClass avec des espaces. L'API Win32 ne le fera pas pour vous, contrairement à ce qui se passe avec les fonctions VBA. Un second appel à RegQueryValue remplit BMPClass avec le nom du programme.

Il reste encore cependant un souci avec cette chaîne. Si vous regardez attentivement dans le débogueur, vous verrez que BMPClass a un caractère bizarre à la fin. Il s'agit du zéro terminal exigé par les langages de programmation comme C. VBA n'a pas besoin de ce zéro, et on s'en débarrasse donc en utilisant la fonction Left. La dernière étape, en ce qui concerne le registre, consiste à refermer le registre en utilisant la fonction RegCloseKey.

Le code examine ensuite les objets individuellement. Il commence par sélectionner l'objet à l'écran et afficher un message. Vous pouvez voir ici comment marche la méthode *Select*, et avec quel objet le code est en train de travailler.

Le fichier exemple contient deux objets. Le fichier WAV étant souvent associé au type de programme SoundRec, j'ai choisi cette valeur pour l'exemple. Si l'objet est un son, le code le joue en utilisant la méthode *DoVerb* avec le paramètre *wdOLEVerbPrimary*. OLE supporte un certain nombre d'autres "verbes" (mots d'action). Pour savoir quels verbes marchent avec quels objets, faites un clic droit sur l'objet et regardez la liste qui apparaît dans le menu contextuel. Par exemple, vous pouvez jouer (wdOLEVerbPrimary), éditer (wdOLEVerbShow), ou ouvrir (wdOLEVerbOpen) un fichier son.

Remarquez comment le code traite l'image. Dans ce cas, il compare l'objet avec le type de programme trouvé dans le registre. Si les deux concordent, le code affiche la hauteur et la largeur de l'image. J'ai utilisé la fonction PointsToCentimeters pour convertir les valeurs en pixels (normalement utilisées par Word) en centimètres. VBA inclut un tas de fonctions pratiques de ce genre que vous pouvez utiliser pour présenter les données dans un format plus compréhensible pour l'utilisateur.

Manipuler du texte

On a déjà vu au début de ce chapitre comment accéder à du texte. Il est possible d'avoir accès à tous les éléments, même les simples caractères. Il est facile de sélectionner du texte en utilisant la méthode Select.

Après avoir sélectionné le texte, vous pouvez utiliser des propriétés simples pour changer son aspect ou le manipuler d'autres façons. Par exemple, il est possible de changer le texte en affectant une autre valeur à la sélection. La propriété *Font* (police) contient plein de fonctionnalités intéressantes, comme la possibilité d'ajouter des effets spéciaux (par exemple barré ou souligné). Vous pouvez aussi utiliser la propriété Font pour changer la taille ou le nom de la police.

L'exemple du Listing 13.7 montre un autre type de manipulation de texte. Il s'agit de surligner toutes les occurrences d'un mot.

Listing 13.7 : Surlignage de texte dans Word.

```
Public Sub SurlignageTexte()
    ' Le volet courant.
    Dim CurrPane As Pane

    ' On vérifie qu'il est possible d'accéder au volet.
    Application.Windows("DocumentTest.doc").View _
        = wdNormalView

    ' On accède au volet du document test.
    Set CurrPane = _
        Application.Windows("DocumentTest.doc").ActivePane

    ' On demande quel est le mot à surligner.
    Dim Mot As String
    Mot = InputBox("Surligner quel mot ?", _
                   "Surlignage", _
                   "document")

    ' On va au début du document.
    CurrPane.Selection.GoTo wdGoToLine, wdGoToFirst

    ' On crée une recherche pour le mot.
    Dim Recherche As Find
    Set Recherche = CurrPane.Selection.Find

    ' On fait la recherche.
    With Recherche

        ' On enlève tout formatage existant.
        .ClearFormatting
        .MatchCase = False

        ' On continue jusqu'à ce qu'il n'y ait plus rien à trouver.
        While Recherche.Execute(FindText:=Mot)

            ' On surligne chaque occurrence du mot avec une zoulie
              couleur.
            With CurrPane.Selection.FormattedText
                .HighlightColorIndex = wdTurquoise
            End With
        Wend
    End With

    ' On retourne au début du document.
    CurrPane.Selection.GoTo wdGoToLine, wdGoToFirst
End Sub
```

Le code commence par accéder au volet courant. Il utilise ensuite la fonction InputBox pour demander le mot à rechercher. La variable Mot contient ce mot au retour de l'appel.

Avant de commencer à chercher quoi que ce soit, il faut indiquer un point de départ. Le code fait ça en utilisant la méthode *Selection.Goto*. Ici, on demande de placer le curseur sur la première ligne du document.

La recherche a lieu dans le volet courant. Le code utilise la propriété *Find* pour créer l'objet Recherche. Le code paramètre ensuite la recherche. Vous devez toujours utiliser la fonction *ClearFormatting* pour supprimer tout formatage éventuel dans la recherche. Il est aussi possible de définir à ce moment des paramètres de remplacement. Le code utilise la méthode *Execute* pour lancer la recherche.

C'est l'objet CurrPane.Selection.FormattedText qui est surligné. Cet objet détermine l'aspect global du texte, y compris le surlignage éventuel. Le code affecte la valeur wdTurquoise à *HighlightColorIndex*.

À moins d'avoir à enlever tous ces surlignages à la main, il vous faut un programme pour le faire. Le Listing 13.8 supprime les surlignages turquoise. Si vous avez fait des surlignages d'autres couleurs dans le document, ceux-ci ne seront pas affectés.

Listing 13.8 : Supprimer des surlignages dans un document Word.

```
Public Sub EnleverSurlignage()
    ' Le volet courant.
    Dim CurrPane As Pane

    ' On vérifie qu'il est possible d'accéder au volet.
    Application.Windows("DocumentTest.doc").View _
        = wdNormalView

    ' On accède au volet du document test.
    Set CurrPane = _
        Application.Windows("DocumentTest.doc").ActivePane

    ' On va au début du document.
    CurrPane.Selection.GoTo wdGoToLine, wdGoToFirst

    ' On crée une recherche.
    Dim Recherche As Find
    Set Recherche = CurrPane.Selection.Find

    ' On fait la recherche.
```

```
With Recherche

    ' On enlève tout formatage existant.
    .ClearFormatting
    .Highlight = True
    .MatchCase = False

    ' On continue jusqu'à ce qu'il n'y ait plus rien à trouver.
    While Recherche.Execute()

        ' On vire le surlignage.
        With CurrPane.Selection.FormattedText
            If .HighlightColorIndex = wdTurquoise Then
                .HighlightColorIndex = wdNoHighlight
            End If
        End With
    Wend
End With

    ' On retourne au début du document.
    CurrPane.Selection.GoTo wdGoToLine, wdGoToFirst
End Sub
```

Le code de ce programme est très similaire à celui du Listing 13.7.
Cette fois, on recherche un surlignage et non un mot : c'est ce qu'indique l'instruction Highlight = True. Malheureusement, la fonction de recherche ne sait pas retrouver une couleur spécifique, et donc le code utilise un test pour ne supprimer que les surlignages turquoise.

Chapitre 14

Programmation VBA dans Excel

● ●

Dans ce chapitre :

▶ Travailler avec des objets associés à Excel.

▶ Accéder aux objets Excel et les utiliser.

▶ Changer le contenu de cellules individuelles.

▶ Créer vos propres fonctions à utiliser dans Excel.

▶ Mettre du punch dans vos feuilles de calcul Excel.

▶ Des feuilles de calcul correspondant à vos besoins.

● ●

*M*icrosoft Excel est une source inépuisable d'occasions d'utiliser VBA. Il est possible de tout faire depuis la création de formules spéciales jusqu'à la conception de présentations accrocheuses. Au prix de quelques efforts, vous pourrez créer de superbes graphiques à la volée. Il est aussi possible de créer des feuilles de calcul qui s'auto-vérifient sur simple pression d'un bouton.

De tous les produits Office, Excel est celui pour lequel on trouve le plus de compléments logiciels sur le marché, dont beaucoup dédiés à VBA. Bien qu'il soit assez peu probable que vous ayez l'intention de récrire "Guerre et Paix" avec Excel, il existe des produits permettant de transformer ce dernier en traitement de texte ! D'autres proposent des fonctions mathématiques avancées ou encore des générateurs de graphiques particuliers.

Comprendre les objets Excel

Excel est basé sur quelques objets essentiels qui permettent d'accéder aux nombreux éléments de données. En raison de la nature des feuilles de calcul, vous allez constater que chacun de ces objets est capable d'accomplir plusieurs tâches. Par exemple, vous n'avez pas besoin de passer par un classeur (objet *Workbook*) pour accéder à une feuille de calcul (objet *Worksheet*) à moins que vous ne connaissiez pas le nom de la feuille de calcul. La plupart des objets incluent aussi des liens à d'autres objets situés au-dessus ou en dessous d'eux dans la hiérarchie, de manière que vous puissiez toujours utiliser l'objet le plus adéquat pour accéder à une donnée.

Vous devez aussi vous préoccuper de la façon dont les objets apparaissent dans le document. Par exemple, un graphique peut apparaître en tant qu'objet séparé ou dans une feuille de calcul. Quand le graphique apparaît comme élément séparé, vous le voyez affiché dans l'explorateur de projet et vous pouvez travailler directement avec lui. Quand vous devez accéder à un graphique incorporé dans une feuille de calcul, utilisez toujours l'objet *Sheet*.

Cette section met l'accent sur les questions relatives aux objets Excel. Vous allez voir comment tous ces objets interagissent et ce dont vous devez vous préoccuper lorsque vous concevez un programme Excel. Par exemple, il est important de faire attention à l'endroit où vous allez mettre les éléments graphiques au moment de leur conception, car ce sont eux qui vont mettre en valeur vos données.

Utiliser la collection Workbooks

La collection Workbooks (classeurs) contient une liste de tous les classeurs ouverts à un moment donné. Dans cette liste, vous pouvez sélectionner un objet Workbook isolé et l'utiliser dans votre programme. L'objet Workbook contient des informations générales sur le fichier, comme son nom et son emplacement. Vous pouvez aussi utiliser l'objet Workbook pour accéder à tous les autres objets du document, en particulier tous les objets Worksheet et *Charts* (graphiques). Le Listing 14.1 montre un exemple où on utilise la collection Workbooks.

Listing 14.1 : Utilisation de la collection Workbooks.

```
Public Sub WorkbookDemo()
    ' La chaîne d'affichage.
    Dim Sortie As String

    ' Le classeur de test.
    Dim CurrBook As Workbook
    Set CurrBook = Application.Workbooks("ExcelObjects.xls")
```

```
' On récupère le nom et l'emplacement du classeur.
Sortie = "Nom : " + CurrBook.Name + vbCrLf + _
         "Nom complet : " + CurrBook.FullName + vbCrLf + _
         "Chemin : " + CurrBook.Path + vbCrLf + vbCrLf


' La feuille courante.
Dim CurrSheet As Worksheet

' On passe en revue chaque feuille.
Sortie = Sortie + "Liste des feuilles :" + vbCrLf
For Each CurrSheet In CurrBook.Worksheets
    Sortie = Sortie + CurrSheet.Name + vbCrLf
Next

' Le graphique courant.
Dim CurrChart As Chart

' On passe en revue chaque graphique.
Sortie = Sortie + vbCrLf + "Liste des graphiques :" + vbCrLf
For Each CurrChart In CurrBook.Charts
    Sortie = Sortie + CurrChart.Name + vbCrLf
Next

' On affiche les résultats.
MsgBox Sortie, vbInformation Or vbOKOnly, "Liste des objets"
End Sub
```

Le code commence par utiliser la collection Application.Workbooks pour retrouver un objet Workbook donné. Cet objet contient le nom et le chemin du document, ainsi que la liste des feuilles. Vous pouvez utiliser cet objet pour ajouter de nouvelles feuilles au classeur.

C'est l'objet CurrBook qui donne accès à la liste des feuilles. Comme d'habitude, on passe en revue les feuilles en utilisant une boucle For Each…Next. Vous pouvez aussi utiliser un indice pour accéder aux feuilles individuelles d'un classeur. La feuille CurrSheet contient les propriétés et les méthodes permettant de manipuler toutes les données contenues dans la feuille, y compris les objets encapsulés comme les graphiques ou les images. Remarquez que le nom des feuilles apparaît dans la liste d'objets présentée par CurrBook, si bien que vous pouvez aussi accéder directement aux feuilles en tant qu'objets sans passer par la collection Worksheets.

Comme les feuilles, les graphiques indépendants apparaissent dans CurrBook. On utilise la même technique pour accéder aux graphiques que pour accéder aux feuilles. La seule différence est qu'il faut utiliser la collection Charts. Remarquez que le nom des graphiques apparaît dans la liste d'objets présentée par CurrBook, si bien que vous pouvez aussi accéder directement aux graphiques en tant qu'objets sans passer par la collection Charts. La Figure 14.1 montre ce qu'affiche le programme.

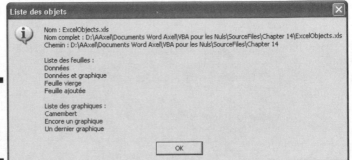

Figure 14.1 : Etablir une liste de feuilles et de graphiques.

Utiliser la collection Sheets

La collection Sheets est le moyen d'accès le plus simple aux feuilles de calcul dans beaucoup de situations. Elle vous permet d'éviter d'avoir à parcourir toute la hiérarchie des objets Excel pour trouver une feuille en particulier. Cependant, vous ne pouvez pas accéder à des objets de niveau inférieur en utilisant cette technique. Il s'agit donc d'un compromis.

Un exemple simple

Vous pouvez utiliser la collection Sheets pour avoir accès à toutes sortes de feuilles, pas seulement des feuilles de calcul. Les graphiques indépendants apparaissent aussi dans la collection. Le Listing 14.2 montre un exemple d'utilisation de la collection Sheets.

Listing 14.2 : Utilisation de la collection Sheets.

```
Public Sub ListSheets()
    ' Une feuille.
    Dim Feuille As Variant

    ' Affichage...
```

```
    Dim Sortie As String

    ' On récupère le nombre de feuilles ouvertes.
    Sortie = "Nombre de feuilles : " + _
       CStr(Application.Sheets.Count)

    ' On passe les feuilles en revue.
    For Each Feuille In Application.Sheets

       ' On vérifie que c'est bien une feuille de calcul.
       If Feuille.Type = XlSheetType.xlWorksheet Then
          Sortie = Sortie + vbCrLf + Feuille.Name
       End If
    Next

    ' On affiche le résultat.
    MsgBox Sortie, _
          vbInformation or vbOKOnly, _
          "Liste des feuilles"
End Sub
```

Le code commence par créer un Variant pour contenir des feuilles de types différents. Si vous utilisiez un objet de type Worksheet ou Chart, ça ne marcherait pas parce que l'objet Sheets peut contenir aussi bien un type que l'autre. Le problème quand on utilise un Variant, c'est que VBA n'affiche pas de bulle d'aide et ne propose pas de compléter automatiquement le code. Vous devez donc faire attention à ne pas faire de faute de frappe.

Après avoir créé les variables requises, le code récupère le nombre de feuilles dans le classeur. Ce nombre inclut aussi les graphiques, pas seulement les feuilles de calcul.

On passe ensuite en revue les feuilles en utilisant une boucle For Each…Next. Grâce à un test, on ne stocke que les noms des feuilles de calcul. Le nombre total de feuilles est sept. Il y a quatre noms de feuilles de calcul listées. C'est donc que le classeur contient aussi trois graphiques. La Figure 14.2 montre ce qu'affiche le programme.

Modifier le code de l'exemple pour en faire quelque chose de réellement utile

Vous vous demandez peut-être parfois comment utiliser concrètement le code que je donne dans les exemples. Ce code est pourtant souvent plus pratique que vous ne le pensez. Il faut simplement le regarder autrement. Par exemple, le Listing 14.2 pourrait paraître sans intérêt.

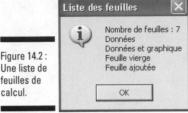

Pourtant il montre comment accéder à la collection Sheets et je vais vous montrer dans le Listing 14.3 à quoi ça peut vraiment servir concrètement en faisant seulement quelques modifications.

Listing 14.3 : Déterminer le nom de la dernière feuille.

```
Public Function DernièreFeuille() As String
   ' Une feuille.
   Dim Feuille As Variant

   ' Affichage...
   Dim Sortie As String

   ' On passe les feuilles en revue.
   For Each Feuille In Application.Sheets

      ' On vérifie que c'est bien une feuille de calcul.
      If Feuille.Type = XlSheetType.xlWorksheet Then
         Sortie = Feuille.Name
      End If
   Next

   ' On retourne le résultat.
   GetLastSheet = Sortie
End Function
```

La fonction DernièreFeuille fonctionne exactement comme l'exemple du Listing 14.2, mais retourne cette fois le nom de la dernière feuille dans la collection Application.Sheets. Les exemples suivants vont utiliser cette fonction pour ajouter ou supprimer une feuille. On ne peut faire ça avec aucune autre technique.

Normalement, pour ajouter une feuille à la fin de la collection, vous faites :

```
Application.Sheets.Add After:=Worksheets(Worksheets.Count)
```

Mais, si vous voulez grouper les feuilles de calcul au début de la liste et les graphiques à la fin, ça ne marchera pas avec cette méthode.

Dans l'exemple qui suit, nous allons ajouter une nouvelle feuille de calcul après les feuilles de calcul existantes et non à la fin de la liste de toutes les feuilles. Le code utilise la fonction DernièreFeuille de la façon suivante :

```
Application.Sheets.Add After:=Worksheets(DernièreFeuille),
Type:=XlSheetType.xlWorksheet
```

Ajouter et formater une feuille de calcul

Il y a plusieurs raisons à vouloir ajouter une feuille par code. Par exemple, si l'information dont vous avez besoin est une valeur calculée qui ne se trouve pas dans Excel. Le Listing 14.4 vous montre quelques techniques que vous pouvez utiliser pour ajouter une feuille de calcul à un classeur.

Listing 14.4 : Ajouter une feuille à un classeur.

```
Public Sub AjouterFeuilleALaFin()
    ' On crée une nouvelle feuille.
    Dim NouvelleFeuille As Worksheet
    Set NouvelleFeuille = _
        Application.Sheets.Add( _
            After:=Worksheets(GetLastSheet), _
            Type:=XlSheetType.xlWorksheet)

    ' On renomme la feuille.
    NouvelleFeuille.Name = "Feuille ajoutée"

    ' On ajoute un titre.
    NouvelleFeuille.Cells(1, 1) = "Données exemple"

    ' Les têtes de colonnes.
    NouvelleFeuille.Cells(3, 1) = "Référence"
    NouvelleFeuille.Cells(3, 2) = "Donnée"
    NouvelleFeuille.Cells(3, 3) = "Somme"

    ' On formate le titre et les têtes de colonnes.
    With NouvelleFeuille.Range("A1", "B1")
        .Font.Bold = True
```

```
            .Font.Size = 12
            .Borders.LineStyle = XlLineStyle.xlContinuous
            .Borders.Weight = XlBorderWeight.xlThick
            .Interior.Pattern = XlPattern.xlPatternSolid
            .Interior.Color = RGB(255, 255, 0)
         End With
         NouvelleFeuille.Range("A3", "C3").Font.Bold = True

         ' On crée quelques données.
         Dim Compteur As Integer
         For Compteur = 1 To 6

            ' On ajoute les noms des références.
            NouvelleFeuille.Cells(Compteur + 3, 1) = _
               "Elément " + CStr(Compteur)

            ' Un entier aléatoire compris entre 1 et 10.
            NouvelleFeuille.Cells(Compteur + 3, 2) = _
               CInt(Rnd() * 10)

            ' Une formule dans la troisième colonne.
            If Compteur = 1 Then
               NouvelleFeuille.Cells(Compteur + 3, 3) = _
                  "= B" + CStr(Compteur + 3)
            Else
               NouvelleFeuille.Cells(Compteur + 3, 3) = _
                  "= C" + CStr(Compteur + 2) + _
                  " + B" + CStr(Compteur + 3)
            End If
         Next
      End Sub
```

Le code commence par ajouter une nouvelle feuille de calcul à la
collection Sheets (et donc au classeur) en utilisant la méthode Add.
Assurez-vous d'avoir créé une variable pour recevoir ce que retourne
la méthode Add quand vous voulez ajouter des données ou formater la
feuille de calcul après l'avoir créée. Remarquez l'argument *Type* de la
méthode Add. Cet argument définit le type de l'objet à ajouter. Cette
fonctionnalité vous permet d'utiliser le même appel pour ajouter
n'importe quel objet autorisé à la collection Sheets en changeant ce
seul paramètre.

Après avoir ajouté la nouvelle feuille de calcul, le code utilise l'objet
NouvelleFeuille pour faire le formatage et ajouter des données. La
propriété NouvelleFeuille.Name reflète le nom que vous voyez sur
l'onglet en bas de la page. Notez que cet exemple ne comporte pas de
code interdisant d'ajouter cette feuille une deuxième fois. N'exécutez

la procédure qu'une seule fois, sinon VBA affichera un message d'erreur au moment où il essaiera de renommer la nouvelle feuille.

Le code ajoute un titre et quelques en-têtes. Ces éléments apparaissent dans la police et le style par défaut à moins que vous ne précisiez ceux-ci.

On utilise la collection *Range* pour faire les changements de format. Le code commence par modifier la zone du titre. Il passe en gras, change la taille de la police, ajoute une bordure épaisse et colorie l'intérieur des cellules en jaune. Remarquez l'utilisation d'énumérations diverses pour simplifier le passage de valeurs à VBA. Remarquez aussi l'utilisation de la fonction *RGB* pour créer une couleur.

Cet exemple montre comment ajouter trois types d'éléments dans une feuille de calcul Excel. Le premier type est une simple chaîne qui référence les données. Le deuxième est un entier. Remarquez l'utilisation de la fonction *Rnd* pour créer une valeur aléatoire comprise entre 1 et 10. Le code utilise la fonction CInt pour convertir un Single en Integer. Le troisième type d'éléments est une formule. Une formule n'est rien d'autre qu'une espèce particulière de chaîne commençant par un signe égal. La Figure 14.3 montre ce que produit ce programme.

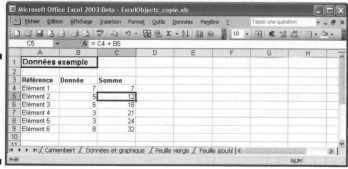

Figure 14.3 : On peut construire entièrement une feuille de calcul par code.

La figure démontre que le code s'acquitte parfaitement de toutes les tâches qu'on lui a assignées. La "Feuille ajoutée" est insérée à la fin de la liste des feuilles de calcul.

Regardez dans la Barre de formule et remarquez qu'Excel a converti la chaîne de formule en une vraie formule. Les caractéristiques du texte et des en-têtes sont correctes. Les éléments ajoutés comprennent bien une référence, un nombre aléatoire et une somme, comme prévu.

Supprimer une feuille de calcul

Vous n'aurez pas souvent besoin de supprimer une feuille de calcul par code. En fait, vous devriez éviter d'utiliser cette technique pour le faire, car votre code ne sera pas toujours capable de mesurer l'importance des données contenues dans la feuille. Ne supprimez une feuille par code que si celle-ci est juste une feuille contenant des calculs intermédiaires et temporaires.

Supprimer une feuille d'une collection Sheets est très simple. Ça se fait comme ça :

```
Public Sub SupprimerDernièreFeuille()
    ' Supprime la dernière feuille.
    Application.Sheets(GetLastSheet).Delete
End Sub
```

Remarquez que ce code supprime la dernière feuille dans le classeur courant. Vous pouvez le modifier facilement afin de supprimer la dernière feuille dans un autre classeur.

Utiliser la collection Charts

La collection Charts permet de construire un graphique à la demande. L'avantage de créer des graphiques par code est que ça prend moins de place. De plus, ça permet de faire des variations à l'infini en modifiant très peu de choses. Le Listing 14.5 vous montre ça.

Listing 14.5 : Création d'un graphique Excel.

```
Public Sub ConstruitGraphique()
    ' On crée un nouveau graphique.
    Dim Graphique As Chart
    Set Graphique = Charts.Add(After:=Charts(Charts.Count))

    ' On change le nom.
    Graphique.Name = "Graphique ajouté"

    ' On crée une série.
    Dim MesSéries As Series
    Graphique.SeriesCollection.Add _
        Source:=Worksheets("Données").Range("B$3:B$8")
    Set MesSéries = Graphique.SeriesCollection(1)

    ' On change le type de graphique.
```

```
        MesSéries.ChartType = xl3DPie

        ' On change le titre de la série.
        MesSéries.Name = "Graphique créé à partir de la feuille Données"

        ' On ajoute un peu de formatage.
        With MesSéries
            .XValues = _
                Worksheets("Données").Range("A$3:A$8")
            .HasDataLabels = True
            .DataLabels.ShowValue = True
            .DataLabels.Font.Italic = True
            .DataLabels.Font.Size = 14
        End With

        ' On modifie la légende.
        With Graphique
            .HasLegend = True
            .Legend.Font.Size = 14
        End With

        ' On modifie la vue 3D.
        With Graphique
            .Pie3DGroup.FirstSliceAngle = 90
            .Elevation = 45
        End With

        ' On formate le titre.
        With Graphique.ChartTitle
            .Font.Bold = True
            .Font.Size = 18
            .Border.LineStyle = XlLineStyle.xlContinuous
            .Border.Weight = XlBorderWeight.xlMedium
        End With

        ' On formate la zone de traçage.
        With Graphique.PlotArea
            .Interior.Color = RGB(255, 255, 255)
            .Border.LineStyle = XlLineStyle.xlLineStyleNone
            .Height = 450
            .Width = 450
            .Top = 75
            .Left = 25
        End With
End Sub
```

Le code commence par créer un nouveau graphique. La propriété
Graphique.Name permet de changer le nom qui apparaît sur l'onglet
en bas du graphique. Elle ne change pas le titre du graphique.

À ce stade, le graphique est vierge. Pour afficher quelque chose, vous
devez ajouter au moins une série de données au graphique. Un
camembert utilise une seule série de données à la fois, mais il existe
d'autres types de graphiques qui gèrent plusieurs séries de données.
Le code crée donc une série de données qu'il va chercher dans la
feuille "Données" du même classeur. Remarquez qu'on ne peut pas
affecter directement le résultat de la méthode Add à la variable
MesSéries : il faut ajouter une étape en utilisant la collection
SeriesCollection.

Il est important de changer la propriété *ChartType* au début si vous
voulez voir l'effet du changement pendant que vous construisez et
déboguez votre programme. Sinon, c'est le type de graphique par
défaut qui est affiché, et vous risquez de ne pas voir ce à quoi vous
vous attendez. Par exemple, la propriété *Legend* ne marche pas de la
même façon avec un camembert et un histogramme.

Le code formate ensuite la série de données. La propriété *XValues*
détermine les éléments qui vont figurer dans la légende du camembert. Dans le cas d'un histogramme, ces valeurs apparaîtraient en
dessous des barres.

Faites attention aux propriétés *HasDataLabels* et *HasLegend*. Si vous
oubliez de les renseigner, vous aurez droit à de jolis messages d'erreur
parfaitement incompréhensibles. Si vous avez des problèmes d'éti-
quettes de données ou de légendes, regardez toujours si vous n'avez
pas oublié ces deux propriétés.

Il faut presque toujours changer le format du titre *ChartTitle* car, sinon,
VBA utilise la police par défaut. VBA met à votre disposition un grand
nombre d'options de formatage. Par exemple, la police de grande taille
utilisée par ChartTitle vous permet d'utiliser des effets spéciaux
comme *Shadow* (ombre).

Peut-être avez-vous remarqué que certaines options de formatage ne
marchent pas partout. Par exemple, VBA se fâche si vous essayez
d'affecter la valeur *XlLineStyle.xlDouble* à la propriété
ChartTitle.Border.LineStyle. Le problème, c'est que Microsoft ne
documente pas de genre de limitations... C'est à vous d'y aller avec
prudence quand vous faites des essais.

Vous devez modifier la zone de traçage en dernier car elle est affectée
par tous les autres paramétrages établis avant. La zone de traçage est
grise par défaut, ce qui rend souvent les graphiques difficiles à lire.

C'est donc une bonne idée de changer la couleur. C'est aussi souvent une bonne idée de virer le cadre autour de certains types de graphiques (en revanche, on garde souvent le cadre avec les histogrammes). Enfin, on s'arrange en général pour que le graphique occupe le plus de place possible sur l'écran. La Figure 14.4 montre ce que produit ce programme.

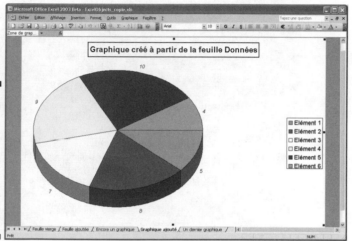

Figure 14.4 :
La création
de
graphiques à
la volée offre
une flexibilité
que vous
n'aurez pas
avec des
graphiques
statiques.

Utiliser la collection Windows

Excel crée un objet *Window* dans la collection *Windows* pour chaque fichier ouvert. La collection Windows ne vous donne quasiment aucune information sur les données, si ce n'est à un très haut niveau. Par exemple, vous pouvez utiliser l'objet Window pour connaître les noms des fichiers que vous avez ouverts. L'objet Window permet aussi de déterminer quelle est la feuille active ou de vous dire si Excel affiche le quadrillage dans les feuilles de calcul. En général, on n'utilise pas la collection Windows pour les manipulations de données de bas niveau, parce qu'il existe des méthodes plus simples pour ça. Le Listing 14.6 montre un exemple d'utilisation de la collection Windows.

Listing 14.6 : Lister les fenêtres Excel ouvertes.

```
Public Sub ListeFenêtres()
    ' Un objet Window.
    Dim Fenêtre As Window
```

```
            ' Pour l'affichage...
            Dim Sortie As String

            ' On passe en revue chaque fenêtre de la collection Windows.
            For Each Fenêtre In Application.Windows

               ' On récupère les infos sur la fenêtre.
               With Fenêtre
               Sortie = Sortie + "Titre : " + .Caption + vbCrLf + _
                  "Affichage onglets : " + _
                  IIf(Fenêtre.DisplayWorkbookTabs, "Oui", "Non") + _
                  vbCrLf + "Zoom : " + CStr(Fenêtre.Zoom) + _
                  vbCrLf + "Volets : "

               ' Déetermine le nombre de volets.
               If .ActiveSheet.Type = -4167 Then

                  ' On stocke le nombre de volets.
                  Sortie = Sortie + CStr(.Panes.Count) + vbCrLf

                  ' Si possible, on ajoute un nouveau volet.
                  If .Panes.Count = 1 Then
                     .SplitHorizontal = 200
                     .SplitVertical = 200

                  ' Si possible, on enlève les volets en trop.
                  ElseIf .Panes.Count = 4 Then
                     .SplitHorizontal = 0
                     .SplitVertical = 0
                  End If
               Else
                  Sortie = Sortie + "Pas de volets sur un graphique !" +
                           vbCrLf
               End If

               ' On ajoute des espaces dans la variable Sortie.
               Sortie = Sortie + vbCrLf

               End With
            Next

            ' On affiche le résultat.
            MsgBox Sortie, _
                    vbInformation Or vbOKOnly, _
                    "Fenêtres Excel actuellement ouvertes"
    End Sub
```

Le code commence par créer un objet Window de la collection Application.Windows. Il utilise cet objet pour déterminer quelques caractéristiques de la feuille :

- 🖙 Le nom de la fenêtre (pas celui de l'onglet).

- 🖙 Si les onglets sont visibles ou non.

- 🖙 Le facteur de zoom.

- 🖙 Le nombre de volets.

Cette manière de faire dans Excel présente un certain nombre d'inconvénients. Remarquez que le code recherche une feuille de calcul en utilisant le nombre -4167. Le nombre pour les graphiques est aussi bizarre : c'est -4102. Ce genre de complication est une bonne raison pour éviter d'utiliser la collection Windows quand c'est possible.

Les graphiques ne peuvent pas avoir de volets. En revanche, il est possible de diviser en deux parties une feuille de calcul à la fois horizontalement et verticalement, ce qui fait quatre volets. Le code montre comment créer et supprimer ces volets. Remarquez que l'on n'utilise pas ici la méthode standard *Panes.Add* comme on le fait avec d'autres applications comme Word. Quand vous voulez fractionner une vue, vous devez indiquer à VBA combien de pixels il doit afficher à gauche et au-dessus de la séparation. La Figure 14.5 montre ce qu'affiche ce programme.

Figure 14.5 : Affichage d'informations sur les fenêtres Excel ouvertes.

Sélection d'objets dans Excel

Vous pouvez mettre n'importe quel objet dans une feuille Excel, y compris des images et des sons. Ce genre d'inclusion marche à peu près de la même façon que dans Word (voir Chapitre 13). La principale différence est que l'on utilise la collection *OLEObjets* de la feuille qui contient l'objet. Excel peut aussi encapsuler des objets Chart dans une feuille de calcul. Comme c'est une spécificité propre à Excel, je vais vous montrer comment on travaille avec des objets Chart encapsulés.

Les mêmes données peuvent dire des choses différentes suivant la manière dont elles sont présentées. Un camembert fait penser à des parties d'un tout, alors qu'un histogramme évoque plutôt des valeurs individuelles. Le problème des graphiques créés dans Excel, c'est qu'ils sont statiques : ils exprimeront toujours la même chose tant que vous ne les referez pas. Heureusement, il est possible de contrôler l'apparence d'un graphique encapsulé aussi simplement que pour un graphique indépendant. Le Listing 14.7 vous explique comment programmer une présentation graphique tournante. Exécutez ce programme plusieurs fois de suite pour comprendre ce qui se passe.

Listing 14.7 : Conception d'une présentation graphique tournante.

```
Public Sub SélectionObjet()
    ' On sélectionne la feuille.
    Sheet2.Select

    ' On sélectionne le graphique dans la feuille.
    Sheet2.ChartObjects(1).Select

    ' On crée un objet Chart.
    Dim GraphiqueEncapsulé As Chart
    Set GraphiqueEncapsulé = Sheet2.ChartObjects(1).Chart

    ' On s'assure que le graphique a un titre.
    GraphiqueEncapsulé.HasTitle = True

    ' On relooke le graphique.
    With GraphiqueEncapsulé

        ' On passe d'un type de graphique à un autre. On change le
        ' titre pour refléter le changement de type.
        Select Case .ChartType
            Case XlChartType.xlPie
                .ChartType = xlArea
                .ChartTitle.Caption = "Un joli graphique (Aires)"
```

```
            Case XlChartType.xlArea
                .ChartType = xlLine
                .ChartTitle.Caption = " Un joli graphique (Courbes)"
            Case XlChartType.xlLine
                .ChartType = xlColumnClustered
                .ChartTitle.Caption = " Un joli graphique (Barres)"
            Case XlChartType.xlColumnClustered
                .ChartType = xlPie
                .ChartTitle.Caption = " Un joli graphique (Secteurs)"
        End Select
    End With
End Sub
```

Le code commence par sélectionner la feuille voulue, puis le graphique encapsulé qui se trouve dessus. La collection ChartObjects contient un élément pour chaque graphique encapsulé de la feuille. La méthode *Select* sélectionne le graphique voulu sur la feuille.

Au contraire de beaucoup de collections, la collection ChartObjects ne retourne pas un graphique par défaut. Vous devez spécifier le graphique voulu en utilisant la propriété Sheet2.ChartObjects(1).Chart.

Le code impose ensuite la présence d'un titre pour le graphique. Il est possible que la propriété *HasTitle* ait été mise à False, donc il vous appartient de forcer sa valeur à True. Si vous ne le faisiez pas, l'affectation d'une chaîne à la propriété *ChartTitle* provoquerait une erreur.

Le bloc Select Case est construit autour de la propriété *ChartType*. À chaque fois qu'on rencontre un type, on impose le suivant, ce qui crée l'animation quand on exécute plusieurs fois de suite le programme. Le titre du graphique est changé en conséquence. Notez que c'est la propriété *ChartTitle.Caption* qui permet de changer le titre. L'objet ChartTitle possède d'autres propriétés permettant de formater le titre. La Figure 14.6 montre un des résultats possibles du programme.

Développement de fonctions personnalisées dans Excel

Les formules constituent l'âme d'Excel. Vous aurez du mal à trouver une feuille Excel sans formule car les formules sont indispensables pour créer des valeurs à partir de données existantes. Microsoft a inclus des wagons de formules dans Excel. Il y a des chances pour que vous ne vous serviez jamais de certaines et qu'un petit nombre d'entre elles suffise à satisfaire tous vos besoins. Cependant, il arrive parfois

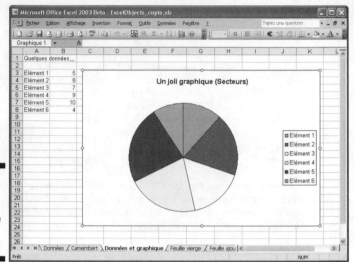

Figure 14.6 :
Passage
automatisé
d'un style de
graphique à
un autre.

qu'un besoin très spécifique se fasse sentir. Il faudra alors savoir comment on crée une formule spécialisée.

Toutes les formules dans Excel sont basées sur des fonctions. Si vous voulez créer une formule particulière pour votre feuille de calcul, tout ce dont vous avez besoin est une formule qui va s'acquitter de la tâche. Les fonctions de votre cru apparaissent dans la catégorie "Personnalisées" de la boîte de dialogue "Insérer une fonction" accessible par le menu Insertion/Fonction.

Conversion de données

Une des utilisations les plus fréquentes des formules spécialisées est la conversion de données. Le Listing 14.8 montre un exemple de fonction qui inverse l'ordre des lettres dans une chaîne.

Listing 14.8 : Transformer une chaîne.

```
Public Function InverseChaîne(Original As String) As String
   ' Un compteur de boucle.
   Dim Compteur As Integer

   ' La longueur de la chaîne.
```

```
    Dim Longueur As Integer
    Longueur = Len(Original)

    ' La chaîne d'affichage.
    Dim Sortie As String
    Sortie = ""

    ' On renverse la chaîne.
    For Compteur = Longueur To 1 Step -1
        Sortie = Sortie + Mid(Original, Compteur, 1)
    Next

    ' On renvoie le résultat.
    InverseChaîne = Sortie
End Function
```

Le code commence par déterminer la longueur de la chaîne passée en paramètre à la fonction. Il utilise cette valeur comme borne de la boucle For…Next qui parcourt les caractères de la chaîne. La fonction repose essentiellement sur la fonction *Mid* qui récupère ici un par un les caractères de la chaîne en commençant par la fin. Le résultat de la concaténation est placé dans la variable Sortie. Pour utiliser cette fonction, tapez simplement =**InverseChaîne("Bonjour")** dans une cellule de la feuille de calcul.

Calculs mathématiques

Un autre type classique de formule est la formule mathématique. La fonction Pythagore du Listing 14.9 calcule la longueur de l'hypoténuse d'un triangle rectangle connaissant les longueurs des deux côtés de l'angle droit.

Listing 14.9 : Théorème de Pythagore.

```
Public Function Pythagore(Côté1 As Double, _
    Côté2 As Double) As Double

    ' On fait le calcul.
    Pythagore = Math.Sqr((Côté1 * Côté1) + (Côté2 * Côté2))

End Function
```

Les calculs mathématiques simples ne nécessitent pas la création de variables spéciales. Lorsque les choses se compliquent, je vous conseille vivement de décomposer votre fonction en fonctions élémentaires, plus faciles à déboguer individuellement. Pour tester cette fonction, tapez dans une cellule =**Pythagore(3,4)** (à condition que le séparateur décimal soit le point).

Attention, si la virgule est le séparateur décimal, vous devez taper =**Pythagore(3 ;4)** pour ne pas provoquer une erreur.

Ajouter des commentaires à vos fonctions

Quand vous ouvrez la boîte de dialogue "Insérer une fonction", Excel affiche un message disant qu'il n'y a pas d'aide pour votre fonction. Pour ajouter des commentaires, il y a deux techniques. Suivez la procédure ci-dessous pour ajouter le commentaire avec la première technique :

1. **Cliquez sur Outils/Macro/Macros.**

   VBA affiche la boîte de dialogue Macro.

2. **Tapez le nom de votre fonction dans le champ "Nom de la macro"**

   Remarquez que VBA désactive le bouton "Créer" parce qu'il sait que la fonction existe, même si celle-ci n'apparaît pas dans la liste des macros.

3. **Cliquez sur Options.**

   Excel affiche la boîte de dialogue "Options de macro".

4. **Saisissez la description de la fonction dans le champ Description en prenant soin de ne rien changer d'autre.**

5. **Cliquez sur OK.**

   Vous retrouvez la boîte de dialogue Macro.

6. **Cliquez sur Annuler.**

   Excel ferme la boîte de dialogue Macro.

7. **Enregistrez le fichier et fermez Excel.**

Quand vous ouvrez à nouveau le fichier, la fonction possède une description. Il est nécessaire de fermer et de rouvrir Excel pour recharger le fichier.

Nous allons voir la seconde technique dans le Listing 14.10. L'avantage de cette dernière est la vitesse. Il est possible de l'utiliser pour ajouter des descriptions à plusieurs fonctions très rapidement. Commencez

par exporter le fichier à partir de l'IDE de VBA (voir Chapitre 6).
Ouvrez le fichier en utilisant un éditeur de texte comme le Bloc-notes.
Immédiatement après la déclaration de la fonction, tapez un attribut
VB_Description comme celui de l'exemple.

Listing 14.10 : Ajouter un commentaire en utilisant un Attribute.

```
Public Function Pythagore(Côté1 As Double, _
    Côté2 As Double) As Double
Attribute Pythagore.VB_Description = "Calcul de la longueur de
l'hypoténuse d'un triangle rectangle"

    ' On fait le calcul.
    Pythagore = Math.Sqr((Côté1 * Côté1) + (Côté2 * Côté2))

End Function
```

Observez comment la description apparaît dans le fichier. Vous devez
taper le mot-clé *Attribute*, suivi par le nom de la fonction et le mot-clé
VB_Description. Saisissez ensuite le texte de la description que vous
voulez voir apparaître dans la boîte de dialogue "Insérer une fonction".

Enregistrez le fichier. Supprimez l'ancienne version du fichier de la
liste des modules et importez la nouvelle. La description apparaît dans
la boîte de dialogue "Insérer une fonction", alors qu'elle est invisible
dans l'IDE VBA.

Chapitre 15

Programmation VBA dans Access

• •

Dans ce chapitre :

▶ Travailler avec des objets associés à Access.

▶ Développer des programmes dans l'esprit "bases de données".

▶ Créer des programmes utilitaires avec des objets de bases de données.

▶ Utiliser SQL dans votre code.

▶ Concevoir des applications basées sur des formulaires.

▶ Exécuter automatiquement des applications.

• •

Microsoft Access est un système de gestion de bases de données qui donne de nombreuses occasions pour développer des programmes VBA. Il y a même des gens qui en vivent ! Le genre de choses que vous pouvez faire avec une base de données est très varié : cela va de l'impression de simples états à la création de méthodes améliorées pour saisir les données. Vous pouvez bien sûr utiliser Access comme moyen de stockage de données, qu'il s'agisse d'informations scientifiques ou de votre collection de DVD.

Ce chapitre vous expose les bases de la programmation VBA dans Access. Je suppose que vous savez déjà utiliser un peu Access et que vous avez déjà créé des tables avec ce logiciel. Je vous rappelle toutefois qu'une table est constituée d'enregistrements (les lignes) et de champs (les colonnes). Considérez ce chapitre comme une porte ouverte sur un monde plus grand. Je pourrais facilement écrire un livre entier sur la gestion des bases de données et je n'aurais sûrement pas épuisé le sujet. Par conséquent, je ne parlerai ici que de la partie de Microsoft Access qui concerne VBA. Grâce à VBA, vous allez pouvoir :

✔ Gérer vos données plus facilement en limitant les saisies à leur minimum et en vérifiant leur validité.

✔ Extraire une partie seulement des enregistrements.

✔ Produire des états personnalisés pour présenter les données.

Il vaut mieux commencer avec Access par de petits projets simples. Mon premier projet était un carnet d'adresses que j'ai beaucoup perfectionné au cours des années et que j'utilise encore aujourd'hui.

Comprendre les objets spécifiques à Access

Access est sans doute l'application Office qui met à la disposition du programmeur le plus grand nombre d'objets. Il est possible de créer une base de données, de la remplir et d'imprimer des états sans faire une seule fois appel à l'interface. Si vous voulez tout savoir sur les hiérarchies des objets Access, allez voir ici : http://msdn.microsoft.com/library/en-us/vbaac10/html/acsumAccessObjHierarchy.asp.

Ne croyez pas que vous deviez tout faire par code. La plupart du temps, ça va plus vite de faire joujou avec l'interface, très bien pourvue en outils de conception visuelle.

Le système de macros fourni avec Access est différent de celui qu'on trouve dans les autres applications Office. Il est aussi meilleur. Dans Access, les macros sont séparées de VBA. Elles constituent plutôt un complément à VBA.

Access et les procédures

Quand vous créez un programme VBA pour Word ou Excel, vous ajoutez habituellement une ou plusieurs Sub. Avec Access, vous devez obligatoirement passer par une Function. Si vous voulez exécuter la fonction de manière indépendante, vous devez créer une macro pourvue de l'action *ExécuterCode*. Le champ "Nom fonction" contient le nom de la fonction et tous les paramètres qu'elle nécessite. La Figure 15.1 montre un exemple d'une telle macro.

Quand vous décidez de créer une Sub, vous devez appeler celle-ci en utilisant une Function. Bien qu'une Sub s'exécute dans l'IDE de VBA, il est impossible de l'exécuter directement à l'extérieur de celui-ci.

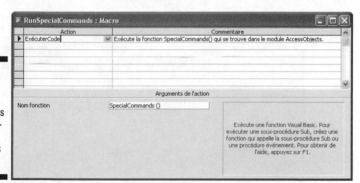

Figure 15.1 :
Créez des
fonctions
dans Access
et exécutez-
les en
utilisant des
macros.

Utiliser efficacement l'objet Application

Dans les autres applications Office, l'objet Application est essentiellement un moyen d'accès aux collections comme la collection Sheets
d'Excel. Dans Access, l'objet Application permet de faire d'autres
choses. Le Listing 15.1 montre un exemple de quelques fonctionnalités
que vous devriez tester.

Listing 15.1 : Utiliser une barre de progression dans Access.

```
Public Function UtiliseApplication()
    ' Une chaîne pour l'affichage...
    Dim Sortie As String

    ' On remplit la chaîne avec le texte d'une erreur.
    Sortie = Application.AccessError(14)

    ' On affiche le résultat.
    MsgBox "Le texte de l'erreur numéro 14 est " + Chr(&H22) + Sortie + _
           Chr(&H22), vbInformation, "Texte d'erreur"

    ' On ajoute cette base de données à la liste des favoris.
    Application.AddToFavorites

    ' On exécute certaines commandes système.
    ' On crée une barre de progression.
    Application.SysCmd acSysCmdInitMeter, "Barre de progression", 5
    Dim Compteur As Integer

    ' On met à jour la barre.
```

```
For Compteur = 1 To 5
    Application.SysCmd acSysCmdUpdateMeter, Compteur
    MsgBox "Cliquez pour faire avancer la barre de progression.", _
           vbInformation, "Progression"
Next

' On supprime la barre.
Application.SysCmd acSysCmdRemoveMeter

' On change le texte de la barre d'état.
Application.SysCmd acSysCmdSetStatus, _
                    "C'est fini !"
End Function
```

Cet exemple réalise trois tâches. La première est de déterminer la signification d'un code d'erreur. Il arrive souvent qu'on reçoive des messages d'erreur de VBA sous forme de numéros et qu'on soit obligé d'aller chercher dans une table ce que ça veut dire. La méthode *Application.AccessError* fait le boulot à notre place et retourne une version un peu plus compréhensible.

La deuxième tâche consiste à ajouter un raccourci vers la base de données dans le dossier "Favoris" en utilisant la méthode *Application.AddToFavorites*. Après avoir exécuté cette commande, il est possible d'ouvrir la base de données en utilisant le menu Démarrer/Favoris ou depuis Internet Explorer. C'est typiquement le genre de code que l'on inclut dans un programme d'installation ou dans une procédure d'exécution automatique.

Quand un programme est occupé à accomplir une tâche, ça peut prendre un certain temps. Si ça commence à durer un peu, on a tendance à penser que le programme est planté. C'est pour cela qu'il faut toujours inclure des barres de progression pour montrer à l'utilisateur qu'il se passe quelque chose.

C'est la troisième et dernière tâche réalisée par le programme exemple. La méthode *Application.SysCmd* peut afficher une barre de progression dans la barre d'état quand vous lui passez *acSysCmdInitMeter* comme premier argument. Le deuxième argument contient le texte à afficher dans la barre d'état tant que la barre de progression est visible. Le troisième argument correspond au nombre d'étapes que doit franchir la barre de progression. En principe, on compte une étape par tâche importante exécutée par le programme. La Figure 15.2 montre la barre de progression créée par le programme.

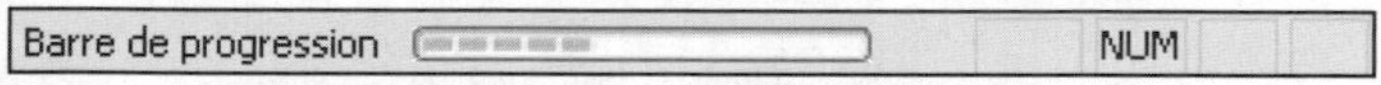

Figure 15.2 :
Une barre de
progression.

Barre de progression	=====	NUM	

La barre de progression est mise à jour à l'intérieur d'une boucle
For...Next grâce à la méthode *Application.SysCmd*
acSysCmdUpdateMeter. Le deuxième argument correspond à l'avancement de la barre de progression.

C'est la méthode *Application.SysCmd acSysCmdRemoveMeter* qui
permet de faire disparaître la barre de progression. Normalement, cela
a pour effet de provoquer l'affichage du mot "Prêt" dans la barre d'état.
Cependant, vous pouvez forcer l'affichage d'un autre texte grâce à la
méthode *Application.SysCmd acSysCmdSetStatus*. Le deuxième argument contient le texte à afficher.

Définir votre espace de travail avec la collection Workspaces

Chaque objet *Workspace* de la collection *Workspaces* contient un
environnement de travail Access. Quand vous lancez Access pour la
première fois, la collection Workspaces contient un unique objet
Workspace par défaut. En général, tout le monde s'en contente !

La plupart du temps, on n'a pas besoin d'ouvrir plusieurs bases de
données en même temps. C'est pourquoi le Workspace par défaut
suffit en général. Vous pouvez utiliser cet objet pour faire un certain
nombre de choses, comme ajouter un nouvel utilisateur ou faire de la
maintenance dans la base de données. Le Listing 15.2 montre comment ajouter un utilisateur à une base de données en utilisant une
fonction générique.

Listing 15.2 : Ajouter un utilisateur à une base de données.

```
Public Function AjoutUtilisateur()
    ' On récupère l'espace de travail par défaut.
    Dim CurWrk As Workspace
    Set CurWrk = DBEngine.Workspaces(0)

    ' On demande le nom d'utilisateur et le mot de passe.
    Dim NomUtilisateur As String
    Dim MotDePasse As String
```

```
        NomUtilisateur = InputBox("Tapez un nom d'utilisateur.", "Nouvel
                        utilisateur")
        MotDePasse = InputBox("Tapez un mot de passe.", " Nouvel
                    utilisateur ")


        ' On crée un nouvel utilisateur.
        Dim NouvelUtilisateur As User
        Set NouvelUtilisateur = CurWrk.CreateUser(Name:=NomUtilisateur, _
                                Password:=MotDePasse, _
                                PID:=NomUtilisateur)


        ' On ajoute l'utilisateur à la base de données.
        CurWrk.Users.Append NouvelUtilisateur


        ' On modifie la configuration de l'utilisateur.
        Dim NouveauGroupe As Group
        Set NouveauGroupe = NouvelUtilisateur.CreateGroup("Utilisateurs",
                            " Utilisateurs ")
        NouvelUtilisateur.Groups.Append NouveauGroupe
    End Function
```

Le code commence par accéder à l'objet Workspace par défaut dans la collection Workspaces. Remarquez que le code utilise l'objet *DBEngine* comme parent de la collection Workspace. Bien qu'il ne soit pas, en principe, utile d'ajouter cette référence, je vous conseille vivement de le faire car, sinon, le programme plante de temps en temps. L'objet Workspace par défaut n'existe pas réellement tant que vous n'avez pas appelé la collection Workspaces. Access crée automatiquement cet objet lors du premier appel. Vous pouvez ajouter d'autres espaces de travail à la collection Workspaces en appelant la méthode *CreateWorkspace*.

L'étape suivante consiste à demander à l'utilisateur son nom et son mot de passe par des appels à *InputBox*. Il serait aussi possible d'utiliser un formulaire personnalisé pour demander les deux informations en même temps.

Le code crée ensuite l'objet NouvelUtilisateur. La méthode *CreateUser* remplit l'objet. Les arguments à passer sont : un nom, un mot de passe et un PID (Personal IDentifier, "Identifiant personnel" dans la langue du commissaire Moulin). Dans l'exemple, le PID est identique au nom de l'utilisateur. Il est possible d'utiliser n'importe quelle chaîne contenant entre 4 et 20 caractères.

Créer l'objet NouvelUtilisateur ne suffit pas à ajouter l'utilisateur à la base de données. C'est la méthode *Users.Append* qui se charge de cette tâche.

À ce stade, vous avez un nouvel utilisateur sans aucun droit. Pour ajouter des droits, il faut assigner un groupe à l'utilisateur. Cette tâche en trois étapes commence par la création d'un groupe dans l'objet NouvelUtilisateur. S'il existe déjà un groupe du même nom, Access ajoute l'utilisateur à ce groupe. Dans le cas contraire, Access crée le groupe. L'utilisateur a les mêmes droits que les autres membres du groupe. L'utilisateur est ajouté au groupe par la méthode *Groups.Append*.

Travailler avec l'objet DBEngine

L'objet DBEngine sert, comme nous l'avons vu, à accéder à la collection Workspaces. Mais il peut aussi être utilisé pour accomplir des tâches comme le compactage de la base de données à intervalles réguliers (ce qui se fait à la main en cliquant sur **Outils/Utilitaires de base de données/Compacter une base de données**) en utilisant la méthode *DBEngine.CompactDatabase*.

Cet objet est aussi capable de référencer une source ODBC en appelant la méthode *DBEngine.RegisterDatabase* (ce qui se fait à la main en utilisant l'applet "Source de données (ODBC)" qui se trouve dans les outils d'administration du panneau de configuration).

Si vous voulez tout savoir sur l'objet DBEngine, allez voir ici : `http://msdn.microsoft.com/library/en-us/office97/html/output/F1/D2/S5A291.asp`.

Access est capable de travailler en utilisant différentes technologies de bases de données. Si vous utilisez l'approche DBEngine, vous pouvez choisir entre le *Microsoft Jet Engine* (un ensemble de DLLs qu'Access utilise de façon native pour communiquer avec les bases de données) ou *ODBCDirect* (un autre ensemble de DLLs utilisé par de nombreux programmes, dont Access, pour communiquer avec les bases de données) en utilisant la méthode *DBEngine.DefautType*. La technique Microsoft Jet Engine est plus appropriée aux situations dans lesquelles vous savez où se trouve le fichier MDB avec lequel vous voulez travailler. La technique ODBCDirect est plus appropriée avec les sources créées avec l'applet "Source de données (ODBC)" qui se trouve dans les outils d'administration du panneau de configuration.

Les tâches de sécurité constituent aussi un champ d'action pour l'objet DBEngine. Il est possible avec cet objet, par exemple, de modifier la configuration d'environnements de travail ou même d'une base de donnée entière. Le Listing 15.3 montre comment on lit la configuration par défaut.

Listing 15.3 : Configuration par défaut de DBEngine.

```
Public Function PropriétésDBEngine()
    ' Une chaîne d'affichage.
    Dim Sortie As String

    ' Une variable pour les valeurs de propriétés.
    Dim CurProp As Property

    ' Certaines propriétés n'auront pas de valeur.
    On Error Resume Next

    ' On récupère les propriétés courantes.
    For Each CurProp In DBEngine.Properties
        Sortie = Sortie + CurProp.Name + ": " + _
            CStr(CurProp.Value) + vbCrLf
    Next

    ' On affiche les résultats.
    MsgBox Sortie, vbInformation, "Propriétés de DBEngine"
End Function
```

Beaucoup d'objets dans Access possèdent une Collection *Properties*. Chaque Property est un objet séparé qui contrôle un aspect particulier d'une opération de base de données. Les propriétés définissent une caractéristique de la base de données ou l'emplacement des informations de configuration, comme vous pouvez le voir sur la Figure 15.3. Il s'agit d'une liste standard de propriétés de DBEngine quand il est utilisé dans le mode Microsoft Jet Engine.

Figure 15.3 :
Utilisez les propriétés de DBEngine pour déterminer les caractéristiques de la base de données.

Propriétés de DBEngine

Version: 3.6
LoginTimeout: 20
IniPath: Software\Microsoft\Office\11.0\Access\Jet\4.0
DefaultType: 2
SystemDB: C:\PROGRA~1\MICROS~1\OFFICE\SYSTEM.MDW

OK

La principale information concernant Access est la propriété *Version*. Cette propriété vous donne la version de DAO (Data Access Objects) installée sur la machine hôte. Si cette version est antérieure à la 3.6, vous rencontrerez quelques problèmes car il vous manquera quelques fonctionnalités de DAO indispensables pour qu'Access fonctionne correctement. La liste de ces fonctionnalités se trouve dans le fichier d'aide. Par conséquent, si votre programme ne marche pas sur une autre machine que la vôtre, pensez à vérifier ce numéro de version.

La propriété *IniPath* contient le chemin d'accès aux informations concernant Access dans la base de registre. Ces informations varient en fonction de la machine et de sa configuration. En principe, les informations relatives aux bases de données se trouvent dans HKEY_LOCAL_MACHINE et celles relatives à la sécurité dans HKEY_CURRENT_USER.

Récupérer les paramètres de sécurité est un peu plus compliqué. Le Listing 15.4 montre comment déterminer la configuration d'un type d'objet particulier comme une table ou un état. Il s'agit de paramètres relatifs à une classe d'objets entière et non à un objet particulier.

Listing 15.4 : Récupérer les paramètres de sécurité de DBEngine.

```
Public Function SécuritéDBEngine()
    ' Une chaîne pour l'affichage.
    Dim Sortie As String

    ' On indique la valeur de la base de données système si
    nécessaire.
    If DBEngine.SystemDB = "" Then
        DBEngine.SystemDB = "System.mdw"
    End If

    ' On récupère la base de données courante.
    Dim Base As Database
    Set Base = DBEngine.Workspaces(0).Databases(0)

    ' On crée un objet Container pour recevoir les informations de
    sécurité.
    Dim AContainer As Container

    ' On passe en revue les données de chaque Container.
    For Each AContainer In Base.Containers

        With AContainer
```

```
                ' On stocke le nom de l'objet permission.
                Sortie = Sortie + .Name + ":" + vbCrLf

                ' On vérifie les valeurs des drapeaux.
                If .AllPermissions And dbSecReadDef Then
                    Sortie = Sortie + "Je peux lire la définition" + vbCrLf
                End If
                If .AllPermissions And dbSecWriteDef Then
                    Sortie = Sortie + "Je peux écrire la définition" + vbCrLf
                End If
                If .AllPermissions And dbSecRetrieveData Then
                    Sortie = Sortie + "Je peux retrouver des données" + vbCrLf
                End If
                If .AllPermissions And dbSecInsertData Then
                    Sortie = Sortie + "Je peux insérer des données" + vbCrLf
                End If
                If .AllPermissions And dbSecReplaceData Then
                    Sortie = Sortie + "Je peux remplacer des données" + vbCrLf
                End If
                If .AllPermissions And dbSecDeleteData Then
                    Sortie = Sortie + "Je peux effacer des données" + vbCrLf
                End If
                If .AllPermissions And dbSecDBAdmin Then
                    Sortie = Sortie + "Je peux administrer" _
                        + vbCrLf
                End If
                If .AllPermissions And dbSecDBCreate Then
                    Sortie = Sortie + "Je peux créer une nouvelle base" _
                        + vbCrLf
                End If
                If .AllPermissions And dbSecDBExclusive Then
                    Sortie = Sortie + "Je peux ouvrir exclusivement" _
                        + vbCrLf
                End If
                If .AllPermissions And dbSecDBOpen Then
                    Sortie = Sortie + "Je peux ouvrir" + vbCrLf
                End If
                End With
                ' On affiche les résultats.
                MsgBox Sortie, vbInformation, "Sécurité DBEngine"

                ' On efface la chaîne d'affichage.
                Sortie = ""
        Next

End Function
```

Le code commence par regarder la valeur de la propriété
DBEngine.SystemDB. Si cette propriété est vide, l'objet DBEngine ne
peut pas retrouver les informations de sécurité. Vous devez faire cette
vérification avant de faire quoi que ce soit avec l'objet DBEngine. En
principe, si vous donnez à cette propriété la valeur indiquée dans le
code, vous pourrez avoir accès aux informations de sécurité.

Access place les informations de sécurité dans la collection *Containers*. Chaque objet Container a des propriétés comme le nom de l'objet
permission. Une des propriétés les plus importantes est
AllPermissions. Cette propriété ressemble à n'importe quelle autre
valeur Long, mais est constituée en réalité d'un certain nombre de
valeurs de drapeaux individuels. Mettre un drapeau à 1 revient à
activer l'élément et le mettre à 0, à le désactiver. Par conséquent, si
vous voulez autoriser quelqu'un à lire la définition d'un objet de
propriété particulier, vous devez mettre à 1 le drapeau *dbSecReadDef*.

Le bloc If...Then fait un ET logique sur la propriété AllPermissions. Un
bit est mis pour chaque drapeau comme *dbSecDBOpen*. Si ce bit est
aussi mis dans la propriété AllPermissions, la condition de test est
vraie. La Figure 15.4 montre ce qu'affiche cet exemple quand vous
utilisez la configuration par défaut ou quand vous vous identifiez en
tant qu'administrateur.

Figure 15.4 :
Chaque type
d'objet a un
conteneur de
sécurité
séparé que
vous pouvez
valider.

Fixer la valeur du drapeau dans la propriété AllPermissions requiert
une technique légèrement différente. L'idée est de faire une opération
booléenne qui affecte le bit concerné dans la propriété AllPermissions.
Voici le code classique qui met un drapeau à 1 ou 0 dans la propriété
AllPermissions :

```
' Drapeau On.
.AllPermissions = .AllPermissions Or dbSecDBOpen

' Drapeau Off.
.AllPermissions =.AllPermissions And Not dbSecDBOpen
```

Vous pouvez utiliser la calculatrice de Windows pour mieux comprendre tout ça. Quand vous mettez la calculatrice en mode Bin, elle affiche les bits individuels des nombres que vous saisissez. Combinez l'utilisation de la calculatrice avec celle de la fenêtre Exécution ou de la fenêtre Variables locales pour voir les effets des changements de drapeaux. Les boutons Not, And, Or et Xor fonctionnent exactement comme les fonctions VBA homonymes, ce qui vous permet de vérifier ce que fait le code.

Utiliser CurrentDB et les objets apparentés

La dernière version d'Access possède de nouvelles et intéressantes façons d'accomplir une tâche. L'objet *CurrentDB* est apparu à l'origine dans Office 2000 en tant que mise à jour de l'objet *DBEngine.Workspaces(0).Databases(0)*. Vous devez, à chaque fois que c'est possible, utiliser l'objet CurrentDB pour travailler avec une base de données car cet objet inclut quelques nouvelles fonctionnalités qui sont mieux adaptées aux environnements multi-utilisateurs. Cependant, quand vous voulez utiliser plusieurs espaces de travail, vous devez continuer à utiliser la collection DBEngine.Workspaces.

On utilise l'objet CurrentDB pour avoir un contrôle absolu sur les informations contenues dans le fichier MDB courant. C'est un objet base de données complet et pas une simple table. Le Listing 15.5 montre comment utiliser CurrentDB et les objets qui s'y rattachent.

Listing 15.5 : Récupérer les informations de configuration de la base de données.

```
Public Function VérifieCurrentDB()
    ' On crée une définition de table individuelle.
    Dim CurTblDef As TableDef

    ' On crée un ensemble d'enregistrements individuel.
    Dim CurRec As Recordset

    ' On crée un champ individuel.
    Dim CurField As Field
```

```vba
    ' Une chaîne d'affichage.
    Dim Sortie As String

    ' On passe en revue chaque RecordSet dans la base de données.
    For Each CurTblDef In CurrentDb.TableDefs

        ' On ouvre un RecordSet pour chaque définition de table.
        Set CurRec = CurrentDb.OpenRecordset(CurTblDef.Name)

        ' On récupére le nom du RecordSet.
        Sortie = Sortie + CurRec.Name + vbCrLf

        ' On regarde les enregistrements.
        If CurRec.RecordCount = 0 Then

            ' On avertit l'utilisateur et on sort.
            Sortie = Sortie + "ll n'y a aucun enregistrement."
            GoTo SkipFields

        End If

        ' On regarde chaque définition de champ dans le RecordSet.
        For Each CurField In CurRec.Fields

            ' On récupère le nom du champ, son type, et la valeur
              courante.
            Sortie = Sortie + "Nom : " + CurField.Name + _
               vbCrLf + vbTab + "Type : " + _
               CvtType(CurField.Type) + vbCrLf + vbTab + _
               "Valeur : "

            ' Quelques valeurs sont vides.
            If IsNull(CurField.Value) Then
               Sortie = Sortie + "Null" + vbCrLf
            Else
               Sortie = Sortie + CStr(CurField.Value) + vbCrLf
            End If
        Next

SkipFields:
        ' on affiche les résultats.
        MsgBox Sortie, vbInformation, "Informations sur CurrentDB "

        ' On efface la chaîne d'affichage.
        Sortie = ""
```

```
        ' On ferme le RecordSet.
        CurRec.Close
    Next
End Function
```

Le code commence par créer les objets qui représentent divers éléments de bases de données que vous avez déjà rencontrés. Par exemple, un objet *TableDef* est une représentation d'une table créée avec le concepteur de table d'Access. L'objet CurrentDB contient une collection TableDefs pour chaque table contenue dans le fichier MDB. Vous serez peut-être surpris d'apprendre qu'Access gère en permanence plus de sept tables internes en plus des tables que vous créez. Si vous exécutez ce programme avec la base de données exemple, vous verrez huit définitions de tables alors qu'une seule est "visible" à nos yeux. Ces tables internes fournissent de précieuses informations, mais, en général, on n'utilise pas ces tables elles-mêmes.

Bien que le code exemple ne le montre pas, l'objet Current DB contient aussi une collection *QueryDefs* pour les requêtes et une collection Containers pour les objets de sécurité. Ces objets s'utilisent de la même manière que les objets de la collection Workspaces.

Pour travailler avec une table ou une requête particulière, vous devez créer un objet *RecordSet*. Le code le fait en utilisant la méthode *OpenRecordset*. Le premier argument de cette méthode contient le nom de la table que vous voulez ouvrir ou de la requête que vous voulez créer. L'exemple montre une technique pour ouvrir une table individuelle quand vous ne connaissez pas le nom de la table au moment où vous écrivez le code.

Le fait que la table existe n'indique pas si elle contient des données ou non. Vous pouvez le savoir en utilisant la propriété *RecordCount*. Si cette propriété est nulle, il n'y a aucun enregistrement dans la table et vous ne devez rien faire d'autre qu'ajouter des enregistrements ou lire la configuration.

Le code qui traite les enregistrements travaille avec des champs individuels, comme vous le feriez pour modifier des informations dans la base. Le code récupère le nom du champ, son type et sa valeur courante. Un champ peut contenir une valeur *Null*, c'est-à-dire rien. Il est important de se souvenir que VBA utilise Null pour les valeurs et *Nothing* pour les objets. La fonction *IsNull* retourne True quand un champ est vide. Vous devez utiliser cette technique et non la méthode *IsEmpty*, qui est réservée aux objets.

Le type de champ requiert aussi un traitement spécial dans ce cas. Quand vous convertissez une valeur énumérée en chaîne et que cette valeur se trouve dans une variable, VBA retourne un nombre et non pas la valeur chaîne de l'énumération. Si vous voulez voir une valeur chaîne, vous devez écrire une fonction de conversion de l'énumération comme la fonction CvtType du Listing 15.6.

Listing 15.6 : Conversion d'un type numérique en chaîne.

```
Public Function CvtType(DataType As Long) As String
    ' On utilise une structure Select Case pour choisir un type de
      donnée.
    Select Case DataType
        Case DataTypeEnum.dbBigInt
            CvtType = "dbBigInt"
        ... Autres cas ...
        Case DataTypeEnum.dbVarBinary
            CvtType = "dbVarBinary"
        Case Else
            CvtType = "Type inconnu"
    End Select
End Function
```

Cette fonction est en fait un Select Case géant. N'oubliez jamais la clause Case Else au cas où la fonction recevrait une valeur exotique. Sinon, ça pourrait bien planter. La Figure 15.5 montre ce qu'affiche l'exemple.

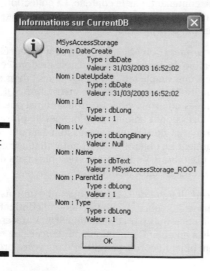

Figure 15.5 : Utilisez les objets TableDef, Record et Field pour travailler avec les tables.

La Figure 15.5 montre une des tables Access cachées que vous pouvez rencontrer lorsque vous travaillez avec l'objet CurrentDB. Remarquez que cet exemple donne le type de donnée et la valeur de chaque champ, en même temps que le nom du champ. Bien qu'il soit amusant d'aller farfouiller là-dedans, faites quand même attention si vous faites joujou avec l'objet CurrentDB car vous pourriez endommager une de ces tables système cachées.

Comprendre les objets Database

Access comporte un certain nombre d'objets *Database* que vous pouvez utiliser dans vos programmes. Voici une liste des objets et collections standard :

- **Collection *Connections*** : Vous devez créer au moins une connexion pour chaque base de données Access. La connexion détermine comment le programme communique avec la base. Cependant, vous pouvez créer plus d'une connexion quand vous utilisez ADO. Dans ce cas, l'objet Connection et l'objet Database sont confondus. La collection Connections contient un objet Connection pour chaque connexion à la base de données.

- **Collection *Databases*** : Un objet Database est la représentation de l'emplacement physique de stockage pour toutes les tables, requêtes, états et autres éléments de bases de données. L'objet Database est le contenant, pas le contenu. La collection Databases contient un objet Database pour chaque base de données ouvert par le programme.

- **Collection *Recordsets*** : Un objet Recordset est la représentation d'un ensemble de données. Un ensemble de données peut faire référence à une simple table, ou à plusieurs tables si on a utilisé une requête. Une requête est une instruction SQL qui définit les données que vous voulez retrouver ainsi que la technique à utiliser pour combiner les données de plusieurs tables. On va reparler de SQL un peu plus loin. La collection Recordsets contient un objet Recordset pour chaque requête faite à un objet Database. Vous pouvez créer plusieurs objets Recordset pour chaque base de données.

- **Objet *Command*** : Il s'agit de la représentation d'une instruction SQL sous la forme d'un objet. L'objet Command contient aussi tous les arguments requis par l'instruction SQL. Vous envoyez une commande à un objet Connection pour lancer une requête et récupérer un objet Recordset à utiliser dans votre programme.

✔ **Collection *Fields*** : Un objet Recordset contient un ou plusieurs objets Field (champ) qui définissent chaque enregistrement. La collection Fields contient la liste des objets Field pour un Recordset donné.

✔ **Collection *TableDefs*** : Chaque fois que vous créez une nouvelle table en utilisant l'assistant de conception de tables d'Access, ce dernier ajoute un objet TableDef à la collection TableDefs de la base. L'objet TableDef définit tous les éléments de la table, y compris le nom des champs et le type des données.

✔ **Collection *QueryDefs*** : Une requête (au fait, requête se dit *Query* dans la langue de Mickey !) définit comment vous voulez récupérer des données dans une base. Access fournit les moyens de créer des objets Query statiques en utilisant le concepteur de requêtes et stocke chaque objet QueryDef (définition de requête) dans la collection QueryDefs.

✔ **Collection *Relations*** : Une table représente un ensemble isolé de données apparentées. Un ensemble de données peut contenir une ou plusieurs tables qui contiennent elles-mêmes des données reliées entre elles. Par exemple, un enregistrement "client" peut correspondre à plusieurs enregistrements "facture". L'enregistrement "client" et l'enregistrement "facture" se trouvent dans des tables différentes. Un objet Relation (en français, on appelle ça une *jointure*) définit les correspondances entre deux tables. Access stocke chaque objet Relation dans la collection Relations.

Accéder aux commandes spéciales avec l'objet DoCmd

L'objet *DoCmd* met à votre disposition un certain nombre de méthodes intéressantes qui ressemblent un peu à la liste des macros que l'on trouve dans la boîte de dialogue Macro (voir Figure 15.1). On ne peut pas tout faire en ayant recours aux services de l'objet DoCmd, mais cet objet est très utile si vous voulez accomplir certaines tâches par code plutôt que d'écrire une macro. Considérez l'objet DoCmd comme un moyen, dans certains cas, de dépasser les limitations du système de macros d'Access et de rendre votre code VBA plus lisible, comme vous pouvez le voir dans le Listing 15.7.

Listing 15.7 : Utilisation de l'objet DoCmd pour des tâches spéciales.

```
Public Function SpecialCommands()
    ' On émet un bip.
    MsgBox "Emission d'un bip !", vbInformation, "Evénement DoCmd"
    DoCmd.Beep

    ' On coupe l'affichage echo et on le remet.
    DoCmd.Echo False, "Echo coupé !"
    MsgBox "L'écho est coupé !", vbInformation, "Evénement DoCmd"
    DoCmd.Echo True, "Echo remis !"
    MsgBox "Echo remis !", vbInformation, "Evénement DoCmd"

    ' On ouvre et on ferme une requête.
    DoCmd.OpenQuery "GetWordList", acViewNormal, acReadOnly
    MsgBox "Requête ouverte !", vbInformation, "Evénement DoCmd"
    DoCmd.Close acQuery, "GetWordList"
    MsgBox "Requête fermée !", vbInformation, "Evénement DoCmd"

    ' On lance une macro.
    DoCmd.RunMacro "LancerDitBonjourALaDame"
End Function

Public Function DitBonjourALaDame ()
    ' Dit bonjour à la dame.
    MsgBox "Bonjour Madame !", vbExclamation, "Gentil message poli"
End Function
```

Ce code fait pas mal de choses intéressantes. D'abord, il demande au système d'émettre un bip. La plupart du temps, vous éviterez de recourir à la méthode *Beep* car l'utilisateur est habitué à entendre un bip quand il y a une erreur et qu'il risque de se demander ce qu'il a bien pu faire de mal. Dans certains cas, utiliser Beep est judicieux : par exemple pour signaler qu'on a atteint le dernier enregistrement d'une table.

Access reflète habituellement à l'écran tout changement intervenant dans l'environnement. On appelle ça un affichage "écho". Ce genre d'affichage est parfois indésirable car il peut distraire ou gêner l'utilisateur. La méthode *DoCmd.Echo* permet d'activer ou de désactiver l'affichage écho suivant que le premier paramètre passé est True ou False. Le second argument est une chaîne que VBA affiche dans la barre d'état. Il est important d'afficher cette information afin que l'utilisateur comprenne qu'Access est en train de travailler en tâche de fond.

Vous pouvez aussi utiliser l'objet DoCmd pour ouvrir et fermer divers types d'objets Access comme des tables, des chaises et des placards. Non, je rigole. Comme des tables, des états et des requêtes. Par exemple, vous pouvez l'utiliser pour ouvrir et fermer une requête en appelant les méthodes *OpenQuery* et Close.

Notez que vous pouvez définir la requête à ouvrir, l'affichage à utiliser et le type d'accès. L'exemple ouvre la requête GetWordList avec l'affichage Normal et un accès en lecture seule. Il serait tout aussi simple d'ouvrir une requête en mode création avec un accès en lecture et en écriture.

La méthode Close fonctionne avec de nombreux objets. Si vous utilisez Close tout seul, VBA fermera l'objet sélectionné. Vous pouvez aussi préciser quel objet vous voulez fermer. Cette deuxième méthode est plus prudente parce que vous ne risquez pas de fermer un objet par erreur, ce qui risquerait d'entraîner un plantage.

Vous pouvez aussi utiliser l'objet DoCmd pour exécuter une macro en utilisant la méthode *RunMacro*. Dans l'exemple, la macro exécute indirectement la fonction DitBonjourALaDame. Vous pourriez aussi appeler la fonction DitBonjourALaDame directement, mais les macros contiennent souvent certaines instructions que vous préférez ne pas inclure dans votre code.

Quelques fonctions de l'objet DoCmd semblent avoir des résultats bizarres ou ne pas marcher du tout. Par exemple, la fonction *AddMenu* a l'air de ne pas fonctionner, et Microsoft parle de ce problème sur son site Web. Assurez-vous que vous utilisez la même plate-forme que l'utilisateur pour tester votre programme quand vous utilisez l'objet DoCmd.

Un survol rapide de SQL

SQL (si vous voulez vous la jouer et prononcer à l'anglaise, prononcez *cikwel* avec un accent à couper au chewing-gum) est l'acronyme de Structured Query Language ("Langage de requête structuré", dans la langue de Lara Fabian). C'est un langage spécialisé utilisé par de nombreux systèmes de bases de données. Vous n'avez normalement pas besoin d'utiliser SQL dans les programmes Access parce qu'il est possible de créer une requête en utilisant le concepteur de requêtes. Cet outil est l'un des premiers dont vous apprenez à vous servir parce qu'il est nécessaire pour lier des tables entre elles et créer des ensembles de données complexes. Les techniques que vous utilisez pour concevoir une base de données sont les mêmes quand vous écrivez un programme VBA : vous pouvez toujours créer et utiliser des requêtes comme vous le faisiez jusque-là.

Créer facilement une requête SQL

La seule circonstance où vous avez besoin d'utiliser directement SQL est lorsque vous voulez récupérer des données à partir d'une source externe comme SQL Server ou lorsque vous avez besoin d'une requête temporaire avec laquelle vous ne voulez pas encombrer Access. Je ne parlerai pas de ce sujet ici, car il mériterait un livre à lui tout seul. Cependant, je vous indique une méthode simple et très rapide pour créer des requêtes temporaires :

1. **Créez une requête comme vous le faites habituellement.**

   La Figure 15.6 montre une requête assez complexe sur la base de données exemple. Elle inclut tous les champs de la table "Word List". La requête a deux critères. Remarquez que le premier critère utilise la fonction VBA Left.

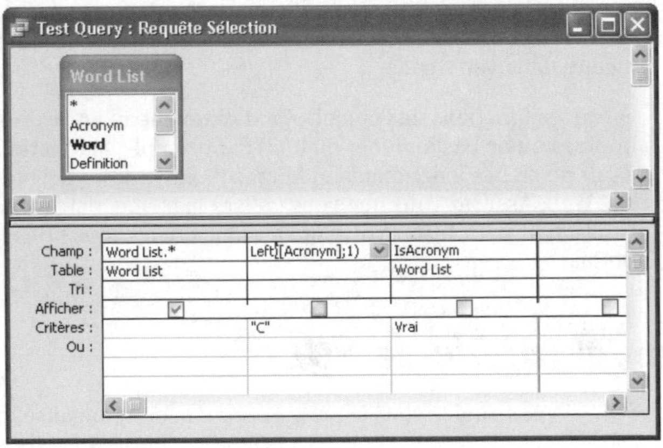

Figure 15.6 : Créez une requête SQL comme d'habitude.

2. **Faites un clic droit dans le volet supérieur et cliquez sur "Mode SQL" dans le menu contextuel.**

   Access affiche la traduction SQL de la requête que vous venez de créer avec le concepteur de requête. La Figure 15.7 montre l'écriture SQL de la requête montrée dans la Figure 15.6.

3. **Sélectionnez la requête (tout le texte de la Figure 15.7), puis cliquez sur le bouton Copier de la barre d'outils.**

Figure 15.7 :
Affichez la
version SQL
avec l'option
"Mode SQL".

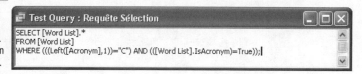

```
Test Query : Requête Sélection                    _ □ ×
SELECT [Word List].*
FROM [Word List]
WHERE (((Left([Acronym],1))="C") AND (([Word List].IsAcronym)=True));
```

Access place la requête dans le Presse-papiers.

4. **Ouvrez l'éditeur VBA, positionnez le curseur à l'emplacement
souhaité, puis cliquez sur le bouton Coller de la barre d'outils.**

VBA colle le texte de la requête.

5. **Fermez la requête SQL sans l'enregistrer.**

Vous pouvez (et devez !) toujours tester votre requête avant de
l'utiliser dans le code en utilisant l'option "Mode feuille de données".

Utiliser une requête SQL

Après avoir créé une requête SQL, vous pouvez l'utiliser dans un
programme pour récupérer des informations dans la base de données.
Le Listing 15.8 montre un court exemple qui utilise la requête test pour
obtenir une liste de mots dont les acronymes commencent par la
lettre C.

Listing 15.8 : Faire une requête SQL en VBA.

```
Public Function QueryCAcronyms()
    ' On crée un Recordset.
    Dim Rec As Recordset
    Set Rec = _
        CurrentDb.OpenRecordset( _
            "SELECT [Word List].* " + _
            "FROM [Word List] " + _
            "WHERE (((Left([Acronym],1))='C') " + _
            "AND (([Word List].IsAcronym)=True))", _
        Type:=dbOpenDynaset)

    ' Une chaîne pour l'affichage...
    Dim Sortie As String

    ' On passe en revue les enregistrements du Recordset.
    While Not Rec.EOF
```

```
     ' On récupère l'information.
     Sortie = Sortie + Rec.Fields("Acronym") + vbTab + _
              Rec.Fields("Word") + vbCrLf

     ' On passe à l'enregistrement suivant.
     Rec.MoveNext
  Wend

  ' On affiche le résultat.
  MsgBox Sortie, vbInformation, "Mots et acronymes"

  ' On ferme le Recordset.
  Rec.Close
End Function
```

Remarquez qu'on utilise encore la méthode CurrentDb.OpenRecordset pour récupérer l'objet Recordset. La requête est un simple texte, si bien que vous pouvez remplacer les variables par les bouts du texte. Vous pourriez définir une variable "Lettre" qui serait passée en paramètre au programme pour indiquer avec quelle lettre doit se faire la recherche.

Un Recordset a une propriété EOF qui indique que l'on a atteint la fin du fichier (ou de l'ensemble de données). Remarquez que le code pointe sur le contenu de l'ensemble de données en utilisant des éléments indexés de la collection Fields. Dans ce cas, l'ensemble de données ne contient pas la table entière, mais juste les enregistrements qui correspondent au critère.

La méthode *MoveNext* est la partie la plus importante de la boucle. Cette méthode permet de passer à l'enregistrement suivant. Si on oubliait cette méthode, on n'atteindrait jamais la fin du Recordset et on tomberait dans une boucle sans fin. Si jamais ça vous arrivait, appuyez sur Ctrl+C pour arrêter le programme.

Le code utilise la méthode Rec.Close pour fermer le Recordset. Fermez toujours les ensembles de données quand vous avez fini de vous en servir. Sinon, vous risquez d'avoir des plantages vous obligeant à redémarrer la machine. Par exemple, si vous verrouillez une table en usage exclusif et que vous ne la fermez pas ensuite, Access laissera la table verrouillée, et personne (même pas vous) ne pourra accéder à la table tant que la machine n'aura pas redémarré.

Aller plus loin avec SQL

SQL n'est pas quelque chose que vous pouvez comprendre en quelques leçons. On peut apprendre rapidement à créer des commandes simples pour, par exemple, retrouver des informations dans une table, mais si vous en voulez plus, les instructions commencent à se compliquer (en plus, les commandes les plus avancées sont souvent spécifiques à certains logiciels dans certains cas, donc il faut y aller prudemment). Je vous conseille d'apprendre SQL petit à petit, à votre rythme, par exemple grâce à une newsletter comme SQL Server Professional eXTRA. Vous pouvez vous abonner en allant ici : `http://www.freeenewsletters.com/`.

Il y a aussi plein de sites sur lesquels vous pouvez apprendre SQL, comme `http://sqlzoo.net/`. Si vous préférez un site en français, je vous conseille `http://www.phpdebutant.org`. En fait, vous n'aurez aucun mal à trouver des tonnes d'informations concernant SQL en utilisant un moteur de recherche comme Google.

Vous pouvez trouver la liste des mots réservés SQL sur le site de Microsoft : `http://msdn.microsoft.com/library/en-us/tsqlref/ts_ra-rz_9oj7.asp`.

Applications basées sur des formulaires

La base de données exemple, les requêtes, données et formulaires que j'utilise dans ce chapitre proviennent tous de l'une des quinze bases de données que j'utilise personnellement. Cette liste de mots est pratique parce qu'elle contient tous les mots dont j'ai dû donner un jour la définition dans un livre.

Dans d'autres exemples de ce chapitre, je vous montrerai des morceaux de tables et de requêtes contenues dans ma base de données. Dans cette section, je vais parler du formulaire utilisé pour ajouter et retrouver les mots. Le formulaire comporte pas mal de boutons tous très utiles ainsi que les informations concernant un mot, comme vous pouvez le voir sur la Figure 15.8.

On a souvent besoin de pouvoir cacher ou montrer des champs sur un formulaire pour éviter la pagaille et les risques de confusion. Le champ "Est-ce un acronyme ?" a pour fonction de cacher le champ "Acronyme" quand c'est nécessaire. Faites un clic droit sur ce champ puis choisissez "Propriétés" dans le menu contextuel. Sélectionnez l'onglet Evénements et vous verrez la liste des événements relatifs à

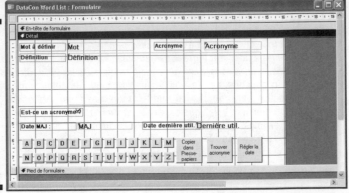

Figure 15.8 :
Concevez
des
formulaires
en gardant
présente à
l'esprit l'idée
que vous
allez utiliser
des macros
et des
programmes.

la case à cocher. À chaque fois qu'un utilisateur clique sur la case à cocher, le code du formulaire exécute la macro CheckAcronym. Cette macro exécute à son tour la fonction SetAcronymLabel que vous trouvez dans le Listing 15.9.

Listing 15.9 : Montrer ou cacher un champ de formulaire quand c'est nécessaire.

```
Public Function SetAcronymLabel()
    ' On regarde l'état de la case à cocher.
    If Forms![DataCon Word List]![IsAcronym] = True Then
        Forms![DataCon Word List]![Acronym Label].Visible = True
        Forms![DataCon Word List]![Acronym].Visible = True
    Else
        Forms![DataCon Word List]![Acronym Label].Visible = False
        Forms![DataCon Word List]![Acronym].Visible = False
    End If
End Function
```

Cette macro sélectionne le formulaire DataCon Word List dans la collection *Forms* et localise le champ IsAcronym sur ce formulaire. Si le champ vaut True, ce qui signifie que le mot possède un acronyme, la macro rend visible le champ Acronym et le label qui va avec. Sinon, elle cache les deux.

Ce programme accepte trois sortes d'entrées. Une entrée peut contenir un mot et une définition, un acronyme et une définition, ou les trois. J'ai souvent besoin d'envoyer la définition d'un mot à quelqu'un d'autre, et j'ai donc créé un bouton spécial qui copie la définition dans le Presse-papiers. Bien sûr, je ne veux pas envoyer une définition périmée que je n'ai pas mise à jour depuis des lustres. La fonction doit donc vérifier la date à laquelle j'ai modifié la définition. Je gère aussi la date à laquelle j'ai utilisé un mot pour la dernière fois ; ce qui me permet de jeter régulièrement les mots que je n'utilise plus. Le bouton "Copier dans le Presse-papiers" de la Figure 15.8 a donc un paquet de boulot. Le Listing 15.10 contient le code permettant de copier un enregistrement dans le Presse-papiers.

Listing 15.10 : Copie d'un enregistrement dans le Presse-papiers.

```
Public Function CopierEnregistrement()
    ' On crée quelques variables.
    Dim strWord As String
    Dim strAcronym As String
    Dim strDefinition As String
    Dim strDate As String
    Dim RecordDate As Date

    ' Certains enregistrements ne vont pas avoir de date au début
    Forms![DataCon Word List]![Last_Updated].SetFocus
    If Forms![DataCon Word List]![Last_Updated].Text = "" Then
        MsgBox "Cette définition n'a jamais été vérifiée, donc il
                faut demander à " _
                "John de le faire !", vbOKOnly, "Il faut vérifier la
                                                  définition"
        Forms![DataCon Word List]![Copy_Text] = " "
        Exit Function
    End If

    ' On récupère la date de mise à jour de l'enregistrement.
    strDate = Forms![DataCon Word List]![Last_Updated]
    RecordDate = DateValue(Forms![DataCon Word List]![Last_Updated])

    ' S'il y a bien une date, on ajoute 366 (une année).
    RecordDate = RecordDate + 366

    ' La date de certains enregistrements va être trop ancienne, ce
      qui signifie qu'il est temps
    ' de vérifier à nouveau.
    If RecordDate < Now() Then
        MsgBox "La définition datée du " + strDate + " est trop
                ancienne, ajoutez " _
                "le mot à la liste !", vbOKOnly, "Définition à revoir"
        Forms![DataCon Word List]![Copy_Text] = " "
        Exit Function
```

```
      End If

      ' On met la date du jour dans le champ "dernière utilisation".
      Forms![DataCon Word List]![Last_Used] = Now()

      ' On récupère le mot et la définition.
      strWord = Forms![DataCon Word List]![Word]
      strDefinition = Forms![DataCon Word List]![Definition]

      ' On place les données à copier sur le formulaire.
      Forms![DataCon Word List]![Copy_Text] = strWord + " -- " +
                                              strDefinition

      ' On regarde s'il faut aussi stocker l'acronyme.
      If Forms![DataCon Word List]![IsAcronym] = True Then

          ' Si c'est nécessaire, on le met dans une variable.
          strAcronym = Forms![DataCon Word List]![Acronym]

          ' On regarde s'il y a une définition pour cet acronyme.
          If UCase(strDefinition) = "N/A" Then

              ' S'il n'y en a pas, on place simplement le mot et sa
                définition dans le
              ' Presse-papiers.
              Forms![DataCon Word List]![Copy_Text] = _
                  strAcronym + " -- " + strWord
          Else

              ' Sinon, on place l'acronyme et sa définition dans le
              ' Presse-papiers.
              Forms![DataCon Word List]![Copy_Text] = _
                  strAcronym + " -- See " + strWord + Chr(13) + Chr(10) + _
                  strWord + " (" + strAcronym + ") -- " + strDefinition
          End If
      End If
End Function
```

Le code commence par vérifier la date de dernière modification.
Remarquez qu'il met le focus sur le contrôle Last_Updated. Quand ce
champ est vierge, le programme affiche un message qui me rappelle
que je dois mettre la définition à jour. Si le formulaire contient une
valeur LastUpdated, le code récupère cette valeur et lui ajoute 366.
Cela vient du fait que j'ai besoin de revoir mes définitions tous les ans,
si bien que, si la dernière mise à jour date de plus d'un an, le code
affiche un message d'erreur et sort.

Une fois que le code sait que la définition est trop ancienne, il écrit la date du jour dans le champ Last_Used. Cette entrée me permet de savoir quand j'ai utilisé la définition pour la dernière fois et de supprimer les entrées périmées ensuite.

Le code commence alors le processus de création du texte à exporter. Le cas le plus simple est celui où il y a juste un mot et sa définition, et donc le code commence par ça. Il vérifie ensuite s'il y a un acronyme et sort s'il n'y en a pas.

Quand il n'y a pas d'acronyme, le code regarde s'il y a une définition. Le deuxième cas est celui où il y a un acronyme et une série de mots associés, mais pas de définition. Une définition égale à N/A correspond à ce cas, et le code copie juste l'acronyme et les mots associés dans le Presse-papiers.

Créer des applications à exécution automatique

L'exécution automatique dans Access est basée sur la macro *Autoexec*. Quand vous voulez qu'une base de données réalise automatiquement une tâche lors de son ouverture, créez une macro appelée Autoexec. Toutes les actions contenues dans cette macro s'exécuteront au moment de l'ouverture de la base de données. Une telle macro fonctionne comme n'importe quelle autre macro, et vous pourrez facilement ajouter une ou plusieurs actions RunCode pour exécuter des programmes associés au fichier.

Cinquième partie
Les dix commandements

"Ce n'est pas une estimation quantitative ou qualitative du travail. C'est juste un plan sur la comète du projet."

Dans cette partie...

Le Chapitre 16 contient dix idées de trucs cool à faire avec VBA. Ne croyez pas que vous soyez arrivé au bout du chemin. VBA n'a pas de limites, et vous non plus. J'ai juste mis dix choses, mais vous pourriez en trouver des milliers. Tous les exemples de cette partie viennent de ma bibliothèque personnelle. Je voulais partager avec quelqu'un un peu de mon expérience. J'ai trouvé ce quelqu'un. Ce sera vous, ami programmeur VBA !

Le Chapitre 17 vous présente plein de ressources que vous pourrez utiliser pour construire votre propre bibliothèque VBA. Ce chapitre contient dix types de ressources pour aller plus loin, mieux, plus facilement, plus vite et, pourquoi pas, en vous éclatant. VBA est un langage qui vous permet de dompter les applications hôtes. Les ressources de ce chapitre vous donnent une idée de ce qui est possible.

Chapitre 16

Dix trucs méga sympas à faire avec VBA

• •

Dans ce chapitre :

▶ Ecrire des programmes qui répondent à vos besoins.

▶ Ouvrir et utiliser des fichiers.

▶ Travailler avec Access pour créer des documents complexes.

▶ Créer automatiquement des présentations PowerPoint.

▶ Utiliser OLE pour lier ou encapsuler vos données.

▶ Travailler avec de nouveaux contrôles sur les formulaires.

▶ Développer des programmes qui utilisent des objets non-Office.

▶ Utiliser la documentation en ligne de Microsoft.

▶ Concevoir des modèles.

▶ Créer des bibliothèques de code réutilisable.

• •

Ecrire des programmes qui répondent à vos besoins

Vous pouvez avoir écrit un nombre impressionnant de programmes avec VBA et ne toujours pas en avoir fait le tour. C'est ce que j'aime le plus avec VBA. Quand vous voulez faire quelque chose avec VBA, il y a toujours une solution et, en plus, il y a en général plusieurs façons d'y arriver.

Si vous avez lu la plupart des chapitres de ce livre, vous êtes sur la bonne voie pour devenir un dieu de la programmation VBA. Vous avez toutes les connaissances requises pour écrire n'importe quel programme. Le but de ce chapitre est, maintenant que vous maîtrisez la bête, de vous montrer ce que vous pouvez faire avec.

Faire des programmes qui font ce que vous voulez sera toujours la plus grande réussite avec VBA. Si vous êtes content de ce que vous avez fait et que ça marche, alors j'aurais réussi ma mission.

Utiliser des fichiers avec la commande Open

Beaucoup de références à VBA mentionnent la fonction *Open*, qui est une vieille méthode pour travailler avec des fichiers. Certes, vous ne l'utiliserez pas pour ouvrir des fichiers standard. Mais elle sera précieuse pour ouvrir un fichier INI ou un fichier dont le type n'est pas supporté par Office. Cette fonction requiert un certain nombre d'arguments, dont le nom du fichier et le type d'accès désiré. Le Listing 16.1 est un exemple simple de la façon dont on ouvre un fichier texte sur un lecteur local avec la fonction Open. L'exemple convertit les données contenues dans le fichier et les place dans un fichier Excel.

Listing 16.1 : Ouvrir un fichier texte et le convertir en feuille de calcul Excel.

```
Public Sub BonVieuxOpen()
    ' Chaînes pour recevoir les données.
    Dim LigneDonnées As String
    Dim Cellule As String

    ' Compteur de boucle.
    Dim Compteur As Integer
    Compteur = 1
    Dim CompteurCellule As Integer

    ' On ouvre le fichier.
    Open Classeur.Path + "\Temp.txt" For Input As #1

    ' On lit les données ligne par ligne.
    While Not EOF(1)
        Line Input #1, LigneDonnées

        ' On regarde s'il y a une tabulation dans le texte. Si oui,
        ' on place chaque élément de texte dans une colonne séparée.
        If InStr(1, LigneDonnées, vbTab) Then

            ' On initialise le compteur de cellules.
            CompteurCellule = 1
```

```
            ' On traite la ligne de texte jusqu'à la fin.
            While (Len(LigneDonnées) > 0)

                ' On regarde s'il reste des tabulations.
                If InStr(1, LigneDonnées, vbTab) Then

                    ' On récupère le texte qui précède la tabulation et
                    ' on le met dans la cellule.
                    Cellule = Left(LigneDonnées, InStr(1, LigneDonnées,
                            vbTab) - 1)
                    Sheet1.Cells(Compteur, CompteurCellule) = Cellule

                    ' On affecte à LigneDonnées le reste du texte.
                    LigneDonnées = Mid(LigneDonnées, InStr(1,
                            LigneDonnées, vbTab) + 1)

                    ' On passe à la cellule suivante.
                    CompteurCellule = CompteurCellule + 1
                Else
                    ' Il n'y a plus de tabulations. On met le texte
                    ' restant dans la celluleet on vide la variable
                    ' LigneDonnées.
                    Sheet1.Cells(Compteur, CompteurCellule) = LigneDonnées
                    LigneDonnées = ""
                End If
            Wend
        Else

            ' On met les données dans la feuille de calcul.
            Sheet1.Cells(Compteur, 1) = LigneDonnées
        End If

        ' On incrémente le compteur.
        Compteur = Compteur + 1
    Wend

    ' On ferme le fichier.
    Close #1
End Sub
```

Ce code place le contenu d'un fichier texte dans une feuille de calcul. Chaque ligne de texte apparaît dans une ligne séparée de la feuille de calcul. Quand le fichier contient des tabulations, il place les éléments séparés par des tabulations dans des colonnes différentes. Voici une autre façon de faire exactement la même chose :

```
Public Sub OpenModerne()
    ' On ouvre un fichier texte en tant que classeur.
    Dim Classeur As Workbook
    Set Classeur = Workbooks.Open(CeClasseur.Path + "\Temp.txt")
End Sub
```

Quand on travaille avec des fichiers dont le format est propriétaire (comme les .doc de Word), la méthode FileSystemObject que j'ai montrée au Chapitre 10 est préférable, car elle procure un meilleur accès au système de fichiers et fonctionne plus logiquement que la fonction Open. De plus, vous n'avez besoin d'utiliser qu'un ou deux objets et non trois milliards de fonctions.

Cela dit, il est des circonstances où la fonction Open demeure utile. La plus importante d'entre elles est lorsque vous décidez de travailler avec des fichiers binaires étrangers aux objets fournis par l'application hôte. Le site Web de Erlandsen Data Consulting (http://www.erlandsendata.no/english/vba/fileaccess/binary.htm) donne un bon exemple d'utilisation de la fonction Open pour faire de l'accès aléatoire.

Ce qui est important avec la fonction Open, c'est qu'elle donne un meilleur contrôle que certaines méthodes VBA modernes. Le premier exemple de la section demande beaucoup de code précisément parce que vous devez tout faire. En contrepartie, vous maîtrisez tout. Utiliser une fonction plus moderne requiert moins de code, mais vous force un peu à rester dans les chemins balisés par Microsoft, ce qui entraîne parfois une perte de flexibilité.

Connexion à une base de données

DAO (Data Access Objects), abordé au Chapitre 15, convient très bien pour de nombreuses tâches, mais vous gagnez en flexibilité en utilisant ADO (ActiveX Data Objects) pour accéder aux bases de données, dont Access. Cet exemple repose sur la bibliothèque Microsoft ActiveX Data Objects 2.7. Vous pouvez ajouter cette bibliothèque en utilisant la commande de menu Outils/Références. Le code du Listing 16.2 place le contenu de la table "Word List" de la base de données "AccessObjects" dans une feuille de calcul Excel.

Listing 16.2 : Exporter une table Access vers une feuille Excel.

```
Public Sub RécupèreDonnées()
    ' On crée la connexion à la base de données.
```

```
      Dim DBConn As ADODB.Connection
      Set DBConn = New ADODB.Connection
      DBConn.ConnectionString = _
         "Driver={Microsoft Access Driver (*.mdb)};" + _
         "Dbq=" + Classeur.Path + "\AccessObjects.MDB;" + _
         "Uid=admin;Pwd="

      ' On ouvre la base de données.
      DBConn.Open

      ' On crée un objet Recordset.
      Dim DBRec As ADODB.Recordset
      Set DBRec = New ADODB.Recordset

      ' On indique les paramètres du Recordset.
      DBRec.ActiveConnection = DBConn
      DBRec.Source = _
         "Select * From [Word List] Where IsAcronym=True"

      ' On ouvre l'ensemble de données.
      DBRec.Open

      ' On affiche les noms des champs comme têtes de colonnes.
      Dim Cellule As Integer
      Cellule = 1
      Dim Champ As ADODB.Field
      For Each Champ In DBRec.Fields
         Sheet2.Cells(1, Cellule) = Champ.Name
         Cellule = Cellule + 1
      Next

      ' On affiche les données.
      Dim CompteurLignes As Integer
      CompteurLignes = 3
      While Not DBRec.EOF
         Cellule = 1
         For Each Champ In DBRec.Fields
            Sheet2.Cells(CompteurLignes, Cellule) = Champ.Value
            Cellule = Cellule + 1
         Next
         DBRec.MoveNext
         CompteurLignes = CompteurLignes + 1
      Wend

      ' On ferme la base de données.
      DBConn.Close
End Sub
```

Bien qu'il fasse appel à Access, ce programme réside dans Excel. Vous pouvez combiner tri et filtrage pour créer l'ensemble de données dont vous avez besoin pour un programme particulier. Cela permet de choisir les champs et de manipuler les données. N'oubliez pas de fermer la base de données avant de sortir pour éviter de corrompre les fichiers de la base de données.

Automatisation de présentations PowerPoint

PowerPoint, plus que toute autre application, peut bénéficier de la collaboration avec les autres applications Office. Un simple programme VBA peut importer du texte dans Word, des données dans Access, des graphiques dans Excel et produire avec tout ça une présentation PowerPoint. Evidemment, chaque application doit être utilisée pour faire ce qu'elle sait faire le mieux. PowerPoint est un outil de synthèse : il est idéal pour regrouper et présenter les données créées avec d'autres applications.

Créer des liens avec OLE

La plupart des exemples de ce livre créent de nouvelles données, déplacent des données d'une application à une autre ou manipulent des données d'une façon ou d'un autre. La technologie OLE vous permet de copier des données d'un document dans un autre. Cette technique est équivalente à l'utilisation du menu Edition/Collage spécial ou du menu Insertion/Objet. Le Listing 16.3 montre comment établir un lien avec des données en utilisant OLE.

```
Listing 16.3 : Utiliser OLE avec VBA.

Public Sub AjoutOLE()
    ' On crée une référence aux objets courants.
    Dim Objs As OLEObjects
    Set Objs = Feuil3.OLEObjects

    ' On ajoute un nouvel objet.
    Objs.Add Filename:=Classeur.Path + "\pimpon.wav", _
        Link:=False, Top:=20, Left:=40, _
        IconLabel:="La sirène des pompiers"
End Sub
```

Cette technique permet d'ajouter automatiquement des données à un document. Par exemple, vous pouvez créer un modèle de lettre qui ajoute automatiquement des graphiques en fonction du destinataire.

Ajouter des fonctionnalités avec des contrôles

Je vous ai donné plein d'infos sur les contrôles standard de VBA au Chapitre 7. Je vous ai aussi expliqué comment ajouter de nouveaux contrôles à la palette VBA. Cependant, ce chapitre ne donne qu'une toute petite idée de la puissance des contrôles dans les tâches de développement. Un contrôle repose sur un code que quelqu'un a déjà débogué et testé pour vous. Il comporte une partie graphique, au contraire des composants, qui comportent uniquement du code. Bref, les contrôles sont la manière la plus simple d'ajouter de nouvelles fonctionnalités à vos programmes.

On trouve des contrôles à des tas d'endroits. Par exemple, si vous voulez ajouter à Word la possibilité de lire des fichiers PDF, il suffit d'ajouter un contrôle Acrobat Reader à votre palette. En fait, Adobe installe ce contrôle quand vous installez Acrobat Reader (http://www.adobe.com/products/acrobat/readermain.html), donc vous n'avez carrément rien à faire !

Certains programmeurs mettent leur contrôle à la disposition de tout le monde. Vous devez faire très attention quand vous téléchargez des contrôles sur Internet, mais il existe quand même certains sites très sûrs. Voici une liste de quelques sites où vous pourrez trouver des contrôles :

- **c/net Download.com** : http://www.download.com/
- **Tucows** : http://www.tucows.com/
- **SofoTex.com** : http://www.sofotex.com/download/Programming/ActiveX/
- **Download Safari** : http://www.downloadsafari.com/
- **SharewareOrder** : http://www.sharewareorder.com/

Après avoir téléchargé un contrôle, vous devez l'installer sur votre système. En ce qui me concerne, je réserve un répertoire aux contrôles que je télécharge pour pouvoir les gérer facilement. Pour ajouter un contrôle à votre système, tapez **RegSvr32<*Nom du contrôle*>** en ligne de commande et appuyez sur Entrée. Windows affiche alors un message disant que le contrôle est enregistré et prêt à l'usage. Vous pouvez désormais l'utiliser dans vos programmes VBA.

Quand vous n'avez plus besoin d'un contrôle, vous devez prévenir Windows en utilisant le registre. Pour supprimer un contrôle, ouvrez une fenêtre de commande en cliquant sur Démarrer/Programmes/ Accessoires/Invite de commandes. Tapez **RegSvr32 –u<*Nom du contrôle*>**, puis appuyez sur Entrée. Windows affiche un message disant que le contrôle n'est plus référencé. Arrivé à ce stade, vous pouvez supprimer le fichier correspondant au contrôle.

Trouver et utiliser des composants

Vous n'avez pas idée du nombre de composants qui se trouvent déjà sur votre machine. Je fouille dans ma machine depuis des années et j'ai essayé tous les composants qui s'y trouvent. J'ai à chaque fois l'impression de partir à la découverte d'une lointaine contrée. Vous pouvez utiliser .NET dans vos programmes parce que beaucoup de fonctionnalités de .NET se présentent comme des composants standard. Je pourrais dire la même chose des applets Java.

Le mot magique pour accéder à n'importe quel composant se trouvant sur votre machine est *CreateObject*. Cette fonction apparaît dans beaucoup d'exemples du livre. Cependant, avant de pouvoir utiliser un composant, vous devez vous assurer qu'il existe bien.

OLE/COM Object Viewer Utility est un programme spécial qui affiche tous les composants hébergés par votre machine. Cet outil fait partie de Visual Studio et d'un certain nombre d'autres produits Microsoft, mais vous pouvez aussi le télécharger séparément sur le site de Microsoft ici : http://www.microsoft.com/com/resources/ oleview.asp.

Quand vous lancez le programme, vous voyez les catégories d'objets que vous pouvez utiliser. Par exemple, tous les contrôles situés sur votre machine apparaissent dans le dossier Controls. Ces catégories aident VBA à savoir quels éléments afficher dans les boîtes de dialogue permettant d'ajouter de nouveaux contrôles à la boîte à outils ou de nouvelles références de composants.

Le programme vous dit tout sur les composants. Par exemple, regardez l'entrée InprocServer32 dans l'onglet Registry, et vous verrez l'emplacement du fichier correspondant au composant. Dans la plupart des cas, vous verrez aussi qui a créé le contrôle et des indications précieuses sur la manière de s'en servir.

Utiliser la documentation en ligne de Microsoft

Dans l'exemple du Chapitre 13 concernant la base de registre, je vous ai expliqué comment utiliser l'API Win32 directement dans VBA. Il est aussi possible d'accéder à NET Framework en utilisant les nouvelles fonctionnalités d'Office 2003. Microsoft fournit aussi un large choix de composants et de contrôles. Tout ce code gratuit est une véritable aubaine. Evidemment, il n'est pas d'une grande utilité tant que vous ne disposez d'aucune documentation à son sujet.

Heureusement, Microsoft met à votre disposition une copieuse documentation en ligne. La bibliothèque de MSDN (Microsoft Developer NetWork, "Réseau des développeurs Microsoft", dans la langue de Florent Pagny) contient tout ce dont vous avez besoin. Elle se trouve ici : `http://msdn.microsoft.com/library/`. La table des matières sur le côté gauche du site permet d'affiner vos recherches. Vous pouvez aussi consulter la base de connaissances Microsoft à cette adresse : `http://support.microsoft.com/default.aspx`. Vous y trouverez des mises à jour et des astuces de programmation.

Créer vos propres modèles

Peut-être pensez-vous que je crée tous mes modules ou formulaires à partir de rien. C'est parfois vrai. Cependant, je ne le fais pas lorsqu'il s'agit de structures de base. VBA est votre allié. Utilisez-le pour faire une partie du travail à votre place. Le Listing 16.4 montre un exemple de modèle qui crée automatiquement un module et le remplit avec des données standard.

Listing 16.4 : Automatiser le processus de création d'un module.

```
Public Sub DémarrageModule()
    ' On crée le nouveau module.
    Dim NouveauModule As Module
    Set NouveauModule = Modules.Add

    ' On demande le nom du module.
    Dim NomModule As String
    NomModule = InputBox("Saisissez le nom du module", "Nom")
    NouveauModule.Name = NomModule
```

```
' On récupère les nouveaux projets
Dim Projet As CodeModule
Set Projet = Application.VBE.VBProjects(1).VBComponents(NomModule)
        .CodeModule

' On ouvre le fichier.
Projet.CodePane.Show

' On ajoute la directive Option, l'en-tête de module, et une
  carcasse de Sub.
Projet.InsertLines 1, "Option Explicit" + vbCrLf + vbCrLf + _
    "' Nom du module : " + NomModule + vbCrLf + "' Auteur : " + _
    Application.UserName + vbCrLf + "' Date : " +
        CStr(DateTime.Now) + _
    vbCrLf + vbCrLf + "Public Sub Main()" + vbCrLf + vbCrLf + "End
    Sub"
End Sub
```

Développer des bibliothèques réutilisables

Quand vous écrivez de nouveaux programmes avec VBA, pensez toujours en termes de *réutilisabilité*. Beaucoup d'exemples dans ce livre ont l'air constitués d'un unique gros bout de code. C'est uniquement parce que ce sont des exemples, que j'ai voulu clairs et autosuffisants. Quand j'écris mes propres programmes, j'utilise toujours de petits modules auxquels je passe un ou plusieurs paramètres. Chaque module ne fait qu'une seule chose, mais il la fait très bien. En utilisant cette technique, je suis sûr que le code que j'écris aujourd'hui marchera encore demain.

Je mets toutes mes routines utilitaires (celles que j'ai testées et retestées) dans un unique module que j'ai appelé utilitaires.bas. Quand je commence un nouveau projet, j'importe utilitaires.bas et j'ai tout de suite sous la main une tonne de fonctions dont je sais que je vais avoir besoin. Les fonctions et les procédures du module principal de mon programme appellent mes petites fonctions dans le module utilitaire. C'est l'approche Lego dont je vous ai déjà parlé.

Chapitre 17

Dix (ou presque) genres de ressources VBA

- -

Dans ce chapitre :

▶ Utilisez des journaux et des périodiques traditionnels.

▶ Récupérer des informations grâce aux newsletters gratuites.

▶ Découvrir les secrets de VBA en utilisant des newsletters payantes.

▶ Accéder aux groupes de news Microsoft.

▶ Utiliser toutes sortes de newsgroups.

▶ Utiliser les listes de diffusion.

▶ Trouver des exemples de code et de la documentation non Microsoft.

▶ Trouver des outils pour programmer plus facilement.

▶ Télécharger des contrôles ActiveX et des composants sympas.

- -

*V*ous n'êtes pas tout seul en quête du programme VBA parfait. Beaucoup d'autres, sociétés et particuliers, produisent des ressources que vous pouvez trouver sur Internet. Il y en a de toutes sortes : cela va du site Web international aux groupes de discussion où vous pouvez parler avec d'autres utilisateurs VBA, en passant par le code et les outils gratuits. Dans ce chapitre, je ne présente pas toutes les ressources VBA (ce serait impossible !), mais je donne quelques pistes intéressantes. Les trois premiers sites que vous devriez visiter sont :

▌ ✔ **Microsoft Visual Basic for Applications home page :** http:// msdn.microsoft.com/vba/

✔ **Microsoft Visual Basic home page :** `http://msdn.microsoft.com/vbasic/`

✔ **Microsoft Office home page :** `http://msdn.microsoft.com/office/`

Utiliser magazines et périodiques

Il existe des articles de toutes formes, tailles et niveaux. Certains magazines s'adressent plus particulièrement à des groupes de lecteurs tandis que d'autres se cantonnent à un sujet. Vous trouverez d'excellents articles aussi bien dans la presse gratuite que payante. La longueur des articles varie en fonction du magazine et de sa cible. Il y a forcément un journal pour vous.

Journaux et magazines traditionnels

Les journaux et périodiques traditionnels offrent une forme de documentation permanente que vous pouvez ranger dans les étagères de votre bibliothèque pour vous y référer ultérieurement. Cette liste est incomplète, mais présente l'avantage de donner à chaque fois un lien Internet :

✔ **Microsoft Certified Professional Magazine Online :** `http://www.mcpmag.com/`

✔ **Visual Studio Magazine :** `http://www.fawcette.com/vsm/`

✔ **Access-SQL-VB Advisor Magazine :** `http://accessvbsqladvisor.com/`

✔ **VBUG Magazine :** `http://www.vbug.co.uk/magazine/`

Listes de diffusion gratuites

Les listes de diffusion gratuites contiennent de courts articles, des astuces, des liens et des exemples de code. Elles constituent une bonne source d'information continue pour construire votre base de connaissances VBA. Voici une liste de quelques-uns des meilleurs exemples :

✔ **Woody's Office Watch :** `http://woodyswatch.com/`

✔ **Element K Journals :** `http://www.elementkjournals.com/tips.asp`

✔ **The Office Experts :** http://www.theofficeexperts.com/
newsletter.htm

✔ **Microsoft Office Tips :** http://www.worldstart.com/
msofficetips.htm

✔ **DevX.com :** http://www.windx.com/

✔ **OzGrid Excel Newsletter :** http://
www.microsoftexceltraining.com/News/
ExcelSubtotalsEfficientVBA.htm

✔ **informIT :** http://www.informit.com/articles/

Beaucoup de ces sites offrent aussi la possibilité de télécharger
gratuitement des ressources. Par exemple, vous pouvez aller voir sur
http://www.theofficeexperts.com/downloads.htm. Quelques
sites, comme OzGrid Excel Newsletter (http://
www.microsoftexceltraining.com/Links/2home.htm),
fournissent des listes de liens intéressants. D'autres, comme AbleOwl,
(http://www4.ableowl.com/ableowl/AbleHome.aspx) donnent
des infos sur des séminaires aussi bien que des exercices d'entraîne-
ment et du support.

Listes de diffusion payantes

Les listes de diffusion payantes fournissent évidemment plus d'information et des articles plus étayés que celles qui sont gratuites. Elles
ne donnent pas les mêmes informations qu'un magazine. Certaines
sont très spécialisées et donnent des exemples de code très détaillé
que vous ne trouverez pas dans un magazine. La plupart existent plus
sous forme imprimée que sous forme électronique. Voici une liste de
quelques sites proposant des listes de diffusion payantes :

✔ **Pinnacle Publishing :** http://
www.pinnaclepublishing.com/

✔ **Microsoft Developer Network :** http://
msdn.microsoft.com/subscriptions/

Trouver des groupes de discussion intéressants

La plupart des méthodes pour collecter des informations sont à sens
unique. Un éditeur ou un programmeur célèbre choisit de partager du
code, des techniques ou des informations générales à travers un site

Web ou une liste de diffusion. Bien que cette façon de faire couvre la majorité des besoins, il est parfois agréable d'avoir un interlocuteur physique quand on se pose une question précise. Les groupes de discussion sont parfaits dans ce cas. Tout ce que vous avez à faire est de choisir le bon groupe dans votre lecteur de news (par exemple Outlook Express) pour en apprendre davantage encore.

Vous pouvez aussi accéder à un groupe de discussion en tapant le nom du serveur de news et le nom du groupe de discussion dans votre navigateur. Par exemple : `news://news.microsoft.com/ microsoft.public.word.vba.addins`.

Cette deuxième technique est particulièrement utile lorsque votre FAI ne supporte pas un groupe de discussion particulier mais que vous connaissez le nom du serveur qui l'héberge.

Ce chapitre ne donne pas de liste des groupes de discussion consacrés à Visual Basic. Cependant, comme VBA est un authentique sous-ensemble de Visual Basic, vous trouverez aussi des informations intéressantes dans ceux-là. Cela dit, il vaut quand même mieux utiliser les groupes de discussion spécifiques à VBA.

Groupes de discussion Microsoft

Microsoft propose un certain nombre de groupes de discussion VBA. En fait, vous pourrez probablement obtenir les réponses à toutes vos questions en vous rendant à un unique endroit. La plupart des FAI relaient les groupes de discussion Microsoft. Cependant, vous pouvez y accéder directement en utilisant le serveur news.microsoft.com (si vous utilisez votre navigateur, vous devez taper, par exemple : news://news.microsoft.com/microsoft.public.access.modulesdaovba ; malgré tout, il est quand même plus facile de trouver le groupe dans votre lecteur de news). Voici une liste des groupes de discussion VBA où vous pouvez vous rendre (la plupart de ces groupes sont spécifiques à un produit particulier, et vous devez donc choisir ceux qui correspondent au produit que vous utilisez, comme Excel ou Access) :

- `microsoft.public.access.modulesdaovba`
- `microsoft.public.access.modulesdaovba.ado`
- `microsoft.public.frontpage.programming.vba`
- `microsoft.public.office.developer.outlook.vba`
- `microsoft.public.office.developer.vba`
- `microsoft.public.outlook.program_vba`

- microsoft.public.project.vba
- microsoft.public.visio.developer.vba
- microsoft.public.word.vba.addins
- microsoft.public.word.vba.beginners
- microsoft.public.word.vba.customization
- microsoft.public.word.vba.general
- microsoft.public.word.vba.userforms
- microsoft.public.word.word97.vba

Autres groupes de discussion

Les groupes de discussion peuvent aussi bien reposer sur un lecteur de news que sur un navigateur. Le nombre de groupes que vous trouverez dépend de votre FAI et parfois aussi de l'éditeur. Dans certains cas, l'éditeur utilise un serveur de news spécial auquel vous pouvez accéder comme dans le cas de Microsoft. Les groupes qui reposent sur le principe du Web utilisent une interface de site Web particulière à laquelle vous pouvez accéder en utilisant votre naviga-teur. Voici une liste de quelques uns de ces groupes, que vous devriez arriver à trouver sans problème :

- autodesk.autocad.customization.vba
- ingr.cserve.msbbeta.vba-prog
- **Expresso Code Cafe :** http://www.vbdesign.net/expresso/
- **VBWire VB Forums :** http://www.vbforums.com
- **Experts Exchange :** http://www.experts-exchange.com/Applications/MS_Office/

N'oubliez pas non plus les groupes de discussion généraux. Par exemple, vous trouverez des informations intéressantes sur les techniques VBA relatives à CorelDRAW ou WordPerfect en vous rendant sur un groupe de discussion Corel. Ces groupes commencent par *corel.developers*.

Vous pouvez aussi poser des questions plus générales sur les groupes *corel.support*.

Serveurs de listes accessibles par e-mail ou à travers un site Web

Les serveurs de listes ont plusieurs avantages par rapport aux groupes de discussion. L'un de ces avantages est le faible bruit de fond (le nombre de messages indésirables). Ces groupes sont assez pointus, ce qui fait que vous avez toutes les chances d'y trouver la réponse à votre question. Un modérateur suit les discussions si bien qu'il y a moins de chance de tomber sur une enfilade du genre "Une astuce VBA extraordinaire" qui parle en fait de la soirée d'anniversaire d'oncle Albert. Dans la plupart des cas, on s'abonne en envoyant un e-mail au propriétaire de la liste avec le mot "Subscribe" comme sujet. Voici une liste de serveurs à essayer :

- **AccessRabbit :** `mailto:AccessRabbit-subscribe@topica.com`
- **Office 2000 Tips :** `mailto:canicas-subscribe@topica.com`
- **Microsoft Office Freelist Group :** `http://www.freelists.org/cgi-bin/webpage?webpage_id=mso`

Trouver le bon code

Un certain nombre de sites Web font miroiter des promesses de code utilisable n'importe où dans vos programmes. En fait, la plupart de ces sites ont déposé un copyright pour ce code et vous ne pouvez pas l'utiliser à votre profit ou même y faire allusion dans un article. Le développeur fournit le code tel quel et vous devez parfois le déboguer vous-même ou le modifier pour qu'il réponde à vos besoins. Ce genre de code est surtout utile pour vous permettre d'assimiler une notion. Voici une liste de liens présentant des exemples de code fameux :

- **VB2theMax :** `http://www.vb2themax.com/`
- **MVPs.org :** `http://www.mvps.org/`
- **Walker Software :** `http://www.papwalker.com/links.html`
- **Contract CADD Group :** `http://www.contractcaddgroup.com/download/`
- **FreeVBCode :** `http://www.freevbcode.com`
- **VBCode.com :** `http://www.vbcode.com`

✔ **Word-VBA Code Samples** : http://www.jojo-zawawi.com/
code-samples-pages/code-samples.htm

Certains de ces sites comportent plus que du simple code. Par
exemple, le site VB2theMax inclut des lettres de diffusion, des articles,
des astuces et d'autres ressources en plus du code à télécharger.

Des outils pour faciliter la programmation

Quand vous commencez à avoir un peu d'expérience, vous vous
apercevez que VBA ne fournit pas toujours tout ce dont vous avez
besoin. Dans certains cas, vous pouvez même penser que l'IDE de VBA
n'est pas assez fonctionnelle. Vous en arrivez même à croire que
Microsoft n'a pas couvert toutes les demandes et que vous n'arriverez
pas à vous en sortir sans un travail de titan. Plutôt que de réinventer
la roue et de tout refaire vous-même, allez voir ces quelques sites
tiers :

✔ **MZ-Tools** (http://www.mztools.com/) : un add-on intéressant pour l'IDE VBA qui ajoute des fonctionnalités manquantes.

✔ **EducationOnlineforComputers.com** (http://
www.educationonlineforcomputers.com/) : liste de liens
concernant VBA et Microsoft Office.

✔ **Add-ins.com** (http://www.add-ins.com/) : une liste de
compléments payants pour Office. Beaucoup sont programma-
bles.

✔ **The Spreadsheet Page** (http://j-walk.com/ss/) : une
collection de trucs et astuces, de code et de plein de trucs à
télécharger. Tout est freeware (gratuit) ou shareware (vous
essayez d'abord et vous payez si vous êtes satisfait).

✔ **ZDNet Downloads** (http://downloads-zdnet.com.com/) :
des tonnes d'outils de développement, pas toujours très faciles
à trouver, malheureusement.

✔ **PRIME Freeware Products** (http://
www.primeconsulting.com/freeware/) : tout ici est gratuit.
Cela va de la liste de bugs du VBA d'Office 97 jusqu'au généra-
teur de signets.

Téléchargement de contrôles ActiveX et de composants tiers

Un développeur n'a jamais trop de contrôles et de composants. Vous n'avez pas besoin de les utiliser tous chaque fois que vous écrivez un programme. Une boîte à outils bien garnie permet de choisir l'outil le mieux adapté à la situation. Voici de quoi commencer votre collection :

- ✔ **VBA Store at ComponentSource** : `http://www2.componentsource.com/Marketplace/`

- ✔ **ActiveX.COM** : `http://www.active-x.com/`

- ✔ **c/net Download.com** : `http://www.download.com/`

- ✔ **TopShareware** : `http://www.topshareware.com/`

Index

Titre	ISBN	Code
3DS Max 5 Poche pour les Nuls	2-84427-516-8	65 3689 0
Access 2002 Poche pour les Nuls	2-84427-253-3	65 3297 2
Access 2003 Poche pour les Nuls	2-84427-583-4	65 3781 5
AutoCAD 2004 Poche pour les Nuls	2-84427-548-6	65 3764 1
C# Poche pour les Nuls	2-84427-350-5	65 3410 1
C++ Poche pour les Nuls	2-84427-312-2	65 3338 2
Créez des pages Web Poche pour les Nuls (3e éd.)	2-84427-538-9	65 3760 9
Créer un réseau sans fil Poche pour les Nuls	2-84427-533-8	65 3718 7
Créer un site Web Poche pour les Nuls	2-84427-450-1	65 3576 9
Dépanner et optimiser Windows Poche pour les Nuls	2-84427-519-2	65 3692 4
DivX Poche pour les Nuls	2-84427-462-5	65 3611 4
Dreamweaver MX Poche pour les Nuls	2-84427-393-9	65 3490 3
Easy CD & DVD Creator 6 Poche Pour les Nuls	2-84427-569-9	65 3774 0
Excel 2000 Poche pour les Nuls	2-84427-964-3	65 3229 5
Excel 2002 Poche Pour les Nuls	2-84427-255-X	65 3299 8
Excel 2003 Poche Pour les Nuls	2-84427-582-6	65 3780 7
Flash MX Poche pour les Nuls	2-84427-395-5	65 3492 9
Gravure des CD et DVD Poche pour les Nuls (3e éd.)	2-84427-547-8	65 3763 3
HTML 4 Poche pour les Nuls	2-84427-321-1	65 3363 2
iMac Poche pour les Nuls (3e éd.)	2-84427-320-3	65 3362 4
Internet Poche pour les Nuls (3e éd.)	2-84427-536-2	65 3721 1
Java 2 Poche pour les Nuls	2-84427-317-3	65 3359 0
JavaScript Poche pour les Nuls	2-84427-335-1	65 3385 5
Linux Poche pour les Nuls (2e éd.)	2-84427-464-1	65 3613 0
Mac Poche pour les Nuls (2e éd.)	2-84427-319-X	65 3361 6
Mac OS X Poche pour les Nuls	2-84427-264-9	65 3308 7
Mac OS X v.10.2 Poche pour les Nuls	2-84427-459-5	65 3608 0
Money 2003 Poche pour les Nuls	2-84427-458-7	65 3607 2
Nero 6 Poche pour les Nuls	2-84427-568-0	65 3773 2
Office 2003 Poche pour les Nuls	2-84427-584-2	65 3782 3
Office XP Poche pour les Nuls	2-84427-266-5	65 3310 3
Outlook 2003 Poche pour les Nuls	2-84427-594-X	65 4051 2
PC Poche pour les Nuls (3e éd.)	2-84427-537-0	65 3722 9
PC Mise à niveau et dépannage Poche pour les Nuls	2-84427-518-4	65 3691 6

Titre	ISBN	Code
Photographie numérique Poche pour les Nuls (la)	2-84427-351-3	65 3411 9
Photoshop 7 Poche pour les Nuls	2-84427-394-7	65 3491 1
Photoshop Elements 2 Poche pour les Nuls	2-84427-461-7	65 3610 6
PHP et mySQL Poche pour les Nuls	2-84427-397-1	65 3494 5
PowerPoint 3003 Poche pour les Nuls	2-84427-593-1	65 4050 4
TCP/IP Poche pour les Nuls	2-84427-367-X	65 3443 2
Registre Windows XP Poche pour les Nuls (le)	2-84427-517-6	65 3690 8
Réseaux Poche pour les Nuls	2-84427-265-7	65 3309 5
Retouche photo pour les Nuls	2-84427-451-X	65 3577 7
Sécurité Internet Poche pour les Nuls	2-84427-515-X	65 3688 2
SQL Poche pour les nuls	2-84427-376-9	65 3461 4
Unix Poche pour les Nuls	2-84427-318-1	65 3360 8
Utiliser un scanner Poche pour les Nuls	2-84427-463-3	65 3612 2
VBA Poche pour les Nuls	2-84427-378-5	65 3463 0
VBA pour Office Poche pour les Nuls	2-84427-592-3	65 3789 8
Vidéo numérique Poche pour les nuls (la)	2-84427-396-3	65 3493 7
Visual Basic .net Poche pour les Nuls	2-84427-336-X	65 3386 3
Visual Basic 6 Poche pour les Nuls	2-84427-256-8	65 3300 4
Windows 98 Poche pour les Nuls	2-84427-460-9	65 3609 8
Windows Me Poche pour les Nuls	2-84427-937-6	65 3199 0
Windows XP Poche pour les Nuls (3e éd.)	2-84427-597-4	65 4054 6
Windows XP Trucs et Astuces Poche Pour les Nuls	2-84427-585-0	65 3783 1
Word 2000 Poche pour les Nuls	2-84427-965-1	65 3230 3
Word 2002 Poche Pour les Nuls	2-84427-257-6	65 3301 2
Word 2003 Poche Pour les Nuls	2-84427-581-8	65 3779 9

Achevé d'imprimer
en mars 2004
par Legoprint S.p.A.
Lavis, Italie